Ferrer / Gourdain /
Garrera-Tolbert / Schnell
(Hg. / Eds. / Éd.)

—

Phänomenologie und spekulativer Realismus

Phenomenology and Speculative Realism

Phénoménologie et réalisme spéculatif

Orbis Phaenomenologicus

Herausgegeben von
Kah Kyung Cho (Buffalo), Yoshihiro Nitta † (Tokyo)
und Hans Rainer Sepp (Prag)

Perspektiven. Neue Folge 33

Phänomenologie und spekulativer Realismus

Phenomenology and Speculative Realism

Phénoménologie et réalisme spéculatif

Herausgegeben von
edited by
édité par

Guillermo Ferrer
Sylvaine Gourdain
Nicolás Garrera-Tolbert
Alexander Schnell

Königshausen & Neumann

Dieser Band wurde gefördert durch
die Alexander von Humboldt Stiftung.

Alexander von Humboldt
Stiftung / Foundation

Der Buchumschlag entstand unter Verwendung einer Zeichnung
Von Mathilde Bois, *Absents sans retour III*, 2015.

Bibliografische Information der Deutschen Nationalbibliothek

Die Deutsche Nationalbibliothek verzeichnet diese Publikation in der Deutschen
Nationalbibliografie; detaillierte bibliografische Daten sind im Internet
über http://dnb.d-nb.de abrufbar.

Gedruckt auf säurefreiem, alterungsbeständigem Papier
Umschlag: skh-softics / coverart

Printed in Germany
ISBN 978-3-8260-7412-7
www.koenigshausen-neumann.de
www.ebook.de
www.buchhandel.de
www.buchkatalog.de

Inhaltsverzeichnis

Vorwort

Quentin Meillassoux' Buch *Après la finitude* (2006) hat bereits unmittelbar nach seinem Erscheinen einen bemerkenswerten Widerhall gefunden.[1] Dank der Radikalität seines theoretischen Ansatzes und der Kritik an alteingesessenen Denkweisen hat es gleichsam den philosophischen Takt der ersten zwei Jahrzehnte des 21. Jahrhunderts vorgegeben. Einerseits entwarf Meillassoux das Programm eines spekulativen Materialismus, der dem heutigen mathematisch-naturwissenschaftlich angelegten Weltbegriff Rechnung tragen sollte; andererseits betonte er die Untauglichkeit der transzendentalen Subjektphilosophie, zur Realität der Welt zu gelangen, sofern sie letzten Endes von dem Weltwerden vor und nach dem Entstehen eines Bewusstseins keine Rechenschaft ablegen könne. Dieses Argument betrifft die Phänomenologie insofern, als sie, so Meillassoux, nicht umhinkomme, die sogenannte „Anzestralität" bzw. die Vorzeit der Welt in die allgegenwärtige Zeitlichkeit der Subjekt-Objekt-Korrelation einzuschreiben. Damit büßten die anzestralen Aussagen der Naturwissenschaft unumgänglich ihren Sinn ein, weil sie nicht als absolute Tatsachen, sondern als Erscheinungen bzw. Phänomene *für ein Bewusstsein* oder *für eine intersubjektive Gemeinschaft* betrachtet werden. Der Zugang zum Anzestralen müsse somit woanders liegen, nämlich in der Mathematisierung der Welt, wie sie von der Naturwissenschaft durchgeführt wird. In dieser Hinsicht plädiert der spekulative Materialismus Meillassoux' für eine Auslegung jenes Prozesses, durch den die Naturwissenschaften vom Standpunkt des Subjekts absehen und sich auf einen Schlag in jenen eines „Absoluten" bzw. einer absoluten Weltrealität vor und nach der Erscheinung des Bewusstseins versetzen.

Postwendend begrüßten europäische und amerikanische Denker Meillassoux' Ansatz als den Anfang des Zeitalters eines sogenannten „spekulativen Realismus" sowie als das definitive Ende der von Kant gestifteten und von Husserl fortgesetzten Transzendentalphilosophie.[2] Dessen ungeachtet fragten sich mehrere Phänomenologen alsbald, ob die Argumentation Meillassoux' auch wirklich

---

[1] Quentin Meillassoux, Après la finitude. Essai sur la nécessité de la contingence, Paris, Seuil, 2006 (dt. Nach der Endlichkeit. Versuch über die Notwendigkeit der Kontingenz, Übersetzt von Roland Frommel, Zürich, Diaphanes, 2008).

[2] Vgl. z. Bsp. Tom Sparrow, The End of Phenomenology. Metaphysics and the New Realism, Edinburgh, Edinburgh University Press, 2014. Hierzu vgl. den Artikel von Dan Zahavi: „The End of what? Phenomenology vs. speculative realism", in International Journal of Philosophical Studies, 24, 2016, S. 289-309.

ihr Ziel trifft. Man sah freilich sofort, dass eine Widerlegung dieser Argumentation gewisse Schwierigkeiten in sich birgt. Der bloße Bezug auf jene Texte Husserls etwa, in denen dieser eine rückläufige Konstitution anzestraler Phänomene in Betracht zieht, reicht nicht hin. Denn dadurch wird der Einwand Meillassoux' gegen den Korrelationismus nur insofern noch weiter zugespitzt, als jene faktische, die rückläufige Konstitution ermöglichende Instanzen ihrerseits nach einer Begründung verlangen. Die Phänomenologie sieht sich demnach hier vor eine zweifache Aufgabe gestellt: Sie muss einerseits jene Motivationen der Erfahrung und der Erkenntnis vertiefen, die zur Fragestellung einer in anzestralen Aussagen zugänglichen Welt führen, und andererseits eine Methode entwickeln, welche die dieser Welt vorausgehende Faktizität zu beschreiben und zu rekonstruieren vermag.

Darüber hinaus qualifizierten manche den spekulativen Realismus – sowie die anderen mit ihm mehr oder weniger verbundenen Realismen – ab, indem schlicht sein Mangel an Originalität angeprangert wurde. Dennoch war das Bedürfnis zu spüren, die Auseinandersetzung mit dem spekulativen Realismus im Rahmen einer phänomenologisch angelegten Arbeitsphilosophie aufzunehmen. Diese sollte das Faktum des Vorausgehens der Welt deskriptiv und, wenn nötig, auch konstruktiv klären, ohne dessen intentionalen Bezug auf das erfahrende, Naturwissenschaft und Philosophie betreibende Subjekt zu vernachlässigen. Diese Aufgabe kann jedoch nur angegangen werden, wenn die Phänomenologie eine stärkere Sensibilität für die Erfahrung des Realen, für die Faktizität und für die Zufälligkeit des Weltwerdens entwickelt und dem neuesten Stand der Naturwissenschaften eine vertiefte Aufmerksamkeit zu Teil werden lässt.[3] In dieser Hinsicht kann man vielleicht sagen, dass die Phänomenologie dem spekulativen Realismus sowohl ein „Erwachen aus dem dogmatischen Schlummer" einer unbefragten idealistischen Version ihrer selbst, als auch die Aufforderung, sich ihrer eigenen spekulativen Grundlagen bewusst zu werden, zu verdanken hat.

Damit soll aber keinesfalls behauptet werden, dass die künftige Phänomenologie überall der Kritik des spekulativen Realismus nachgeben müsse, sondern dass sich ihre Methode, ihre innerlichen Ressourcen und ihre Problemkonstellationen durch einen kritischen Dialog mit ihm produktiv erneuern lassen.

Der spekulative Realismus ist aber nicht die einzige Frontlinie, an der die Phänomenologie heute eine Debatte führen könnte. Im Jahre 2013 veröffentlichte

---

[3] All dies zeichnet das jüngst veröffentlichte Buch von Michel Bitbol: Maintenant la finitude (Paris, Flammarion, 2019) aus. Der Autor stellt sich der Kritik des spekulativen Realismus entgegen, indem er die phänomenologische Methode und Reflexion bezüglich der neuesten Entdeckungen der Kosmologie und der Quantenphysik starkmacht. Umso verdienstvoller ist diese Leistung, als Bitbol zeigt, dass die Thematisierung etwa der Anzestralität mit den Anforderungen einer intentionalen Analyse der Welterfahrung, die von der Bewusstseinsgegenwart ausgeht und ausgehen muss, zusammenhängt. Da der spekulative Materialismus jedoch noch nicht sein letztes Wort gesprochen hat, steht eine fruchtbare Diskussion mit der Phänomenologie noch aus. Zweifelsohne trägt Bitbol aber wesentlich zur Ausarbeitung des theoretischen Rahmens jedes künftigen Dialogs zwischen der Phänomenologie und dem spekulativen Realismus bei.

Markus Gabriel den Essay *Warum es die Welt nicht gibt?*[4] Dem provokanten Titel lag von vornherein der Entwurf eines philosophischen Realismus zugrunde, der, anstatt sich auf einen monolithischen Weltbegriff zu stützen, der Pluralität ontologischer Sinnfelder Rechnung zu tragen versucht. Gabriel bezeichnet diesen Ansatz als „Neuen Realismus" und hat ihn vor allem in seinem Werk *Sinn und Existenz. Eine realistische Ontologie* dargestellt.[5] Kurz nach der Veröffentlichung dieses Werks bot Gabriel Phänomenologinnen und Phänomenologen die Gelegenheit, zum Neuen Realismus Stellung zu beziehen.[6] Die Diskussion dreht sich dabei um die Frage nach der Kompatibilität – aber auch der Verträglichkeit in unterschiedlicher Hinsicht – zwischen dem Neuen Realismus Gabriels und dem Projekt eines phänomenologischen Realismus.

Aus dem gegenwärtigen Dialog mit dem spekulativen Realismus Meillassoux' und dem Neuen Realismus Gabriels geht hervor, dass er erheblich mehr als ein bloßes Desiderat der Forschung darstellt: Es handelt sich dabei vielmehr um eine Herausforderung für jede phänomenologisch angelegte Philosophie, sofern sie sich vornimmt, im Bewusstsein und in der Erfahrung die Quelle der Sinnbildung auch dessen zu finden, was faktisch jeglicher Subjektivität vorausgeht und auch ohne sie fortbesteht. Ebenso wichtig wird nunmehr die phänomenologische Klärung eines einheitlichen Weltbegriffs, der weder mit metaphysischen Voraussetzungen behaftet ist, noch in eine Pluralität von Welten oder Sinnfeldern zerfällt.

Dieser Band macht es sich somit zur Aufgabe, die Herausforderung der neuen Realismen anzunehmen, ohne vor den scheinbaren Paradoxa, die sich in einer phänomenologischen Perspektive aufweisen lassen, zurückzuweichen. Die Phänomenologie wird vielmehr dazu ermuntert, ihre Methodologie zu präzisieren und zu verfeinern, sowie neue Erfahrungsbereiche zu erforschen.

Es wird zunächst einem bedeutenden Vertreter des neuen philosophischen Realismus das Wort gegeben. Graham Harman betont die Relevanz des Begriffs der Vermittlung (*mediation*) für eine sich nach dem Gegenstand richtende Ontologie (*object oriented ontology*). Hiermit kommt der Gedanke zum Ausdruck, dass zwei Gegenstände nicht in einem Verhältnis zueinanderstehen können, wenn dieses nicht durch einen dritten Gegenstand vermittelt wird. Ferner bildet Harman den Begriff einer Umgebungskausalität (*ambient causation*) bzw. eines Hintergrunds, der das Verhältnis von Gegenständen vermittelt, aus. Vorausdarstellungen beider Kausalitätskonzepte lassen sich bereits in der Philosophiegeschichte aufspüren, etwa im Okkasionalismus oder in den Emanationstheorien; die Originalität der sich nach dem Objekt richtenden Ontologie besteht dagegen darin, dass

4 Markus Gabriel, Warum es die Welt nicht gibt? Berlin, Ullstein, 2013. Das Werk von Hermann Schmitz Gibt es die Welt? (Freiburg/München, Karl Alber, 2014) lässt sich als eine Antwort (aus der Perspektive der „Neuen Phänomenologie") auf die Ontologie der Sinnfelder auffassen, auf die Warum es die Welt nicht gibt? bereits vorauswies.

5 Markus Gabriel, Sinn und Existenz. Eine realistische Ontologie, Berlin, Suhrkamp, 2016.

6 Vgl. Peter Gaitsch, Sandra Lehmann und Philipp Schmidt (Hrsg.), Eine Diskussion mit Markus Gabriel. Phänomenologische Positionen zum Neuen Realismus, Wien/Berlin, Turia + Kant, 2017.

sie jene Konzepte säkularisiert. Hieraus zieht Harman wichtige Konsequenzen für einen realistischen Ansatz, der sich auf die Analyse der Wirk- und Formursachen der Gegenstände stützt.

In seinem Beitrag „Le faux-départ du réalisme (à propos de Quentin Meillassoux)" stellt Frank Pierobon den Gedanken in Frage, dass die „kopernikanische Wende" Kants der Weiterentwicklung der modernen Wissenschaft zu einer asubjektiven und mathematisierten Welterkenntnis in die Quere gekommen sei. Denn, so Pierobon, die Physik Newtons, und nicht die *Kritik der reinen Vernunft*, bildete den Ansatzpunkt für den neuzeitlichen Wissenschaftsbegriff. Dieser bricht einerseits mit jeder metaphysischen Anmaßung, andererseits versteht er sich aber selbst von Anfang an als ein menschliches Werkzeug. Von diesem Standpunkt aus macht Pierobon es sich zur Aufgabe, dem spekulativen Realismus gegenüber die ursprüngliche Absicht Kants zu präzisieren, nämlich sowohl dem Subjekt als auch jener wissenschaftlichen Notwendigkeit, die keiner menschlichen Zufälligkeit unterworfen sei, Rechnung zu tragen.

Florian Forestier entlarvt den Anspruch des spekulativen Realismus hinsichtlich dessen, mit jeder Form von transzendentaler Philosophie gebrochen zu haben. Was ihren Aufbau betrifft, teilen sowohl der spekulative Realismus als auch die transzendentale Philosophie dieselben Grundsätze. Demnach liege ihr Unterschied nicht so sehr in dem Inhalt ihrer jeweiligen Thesen oder in ihrer Argumentationsweise, sondern vielmehr in der Einstellung, die vom spekulativen Realismus verlangt wird. Genau diese Haltung stellt Forestier hier ausführlich zur Diskussion.

Hernán Inverso betont die philosophische Bedeutung des spekulativen Realismus und die Verpflichtung der Phänomenologie, seine Herausforderung anzunehmen. Andererseits zeigt er, inwiefern die Kritik des spekulativen Realismus am Korrelationismus zumeist auf einer zu einseitigen Interpretation der Phänomenologie beruht. Inverso fragt nach der Möglichkeit einer „Phänomenologie des Nichterscheinenden", deren Ausgangspunkt in noch nicht ausreichend erforschten Texten Husserls sowie verschiedener französischer Phänomenologen zu finden sind. Der Schwerpunkt dieser Phänomenologie des Nichterscheinenden liegt in der Betrachtung des Überschusses des Realen gegenüber dem Bewusstsein.

Irene Breuer widerspricht Meillassoux' Einwand gegen die Phänomenologie, dass das Subjekt nicht einfach in der Zeit vorkomme, sondern auch ein verkörpertes Subjekt ausmache. Hierzu greift sie Gedanken Husserls und Michel Henrys wieder auf. Es gilt vor allem, die Genesis einer passiven Affektivitätssphäre zu erläutern, in der die passive Konstitution eines leiblichen Subjekts zustande kommt. Da diese Urtatsachen dem Bewusstsein vorausgehen und nur per Retrojektion durch das Subjekt konstituiert werden können, stellen sie die Basis für einen phänomenologischen Realismus dar.

Guillermo Ferrer untersucht am Leitfaden Husserl'scher Texte zum Zeitbewusstsein die Erfahrung der Unwiderruflichkeit des Weltwerdens. Dabei zielt er auf die phänomenologische Beschreibung dieser Erfahrung als Ergänzung zu den Analysen der rückläufigen Konstitution der anzestralen Welt ab. Es reicht nicht aus, jene Modifikation der Erinnerung zu klären, die einen Rückblick auf die Fernvergangenheit ermöglicht. Es bedarf zudem einer genetischen Analyse, die dem faktischen Vorausgehen des Weltwerdens Rechnung trägt, um unseren Bezug zu den in anzestralen Aussagen zugänglichen Phänomenen zu rechtfertigen.

Um das Programm einer realistischen Phänomenologie zu entwerfen, nimmt Nicolás Garrera-Tolbert Rücksicht auf eine berechtigte Forderung des „Neuen Realismus", die etwa von Gabriel, García, Harman und Meillassoux gestellt wird. Der Neue Realismus hat nämlich Vorbehalte gegen jeden Reduktionismus, der unter dem Vorwand einer ontologischen Hierarchie die Seienden niedrigen Rangs gegenüber jenem höheren Rang abwertet. Der Neue Realismus plädiert für einen ontologischen Pluralismus, welcher der Vielfalt und Vielschichtigkeit der Wirklichkeit Rechnung tragen soll. Aber entgegen der Auffassung, dass die Phänomenologie dieser Anforderung nicht gerecht werde, zeige sie sich ihr vielmehr absolut gewachsen – sofern sie sich bloß auf einem angemessenen Erfahrungsbegriff stützt. Garrera beruft sich hierbei vor allem auf Max Scheler, der die Erfahrung der Wesenheiten (Eidè) der Dinge in den Vordergrund gerückt hat. Dabei hat Scheler gezeigt, dass eine allumfassende, phänomenologische Beschreibung der Gegenstände möglich ist, ohne irgendeinen Bereich des Seienden außer Betracht zu lassen. Indem dieser Ansatz dem ontologischen Pluralismus gerecht wird und die Dichotomie Realismus/Idealismus überwindet, bildet er einen Ausgangspunkt für eine realistische Phänomenologie der wesentlichen Tatsachen, die Garrera-Tolbert dem neuen Realismus gegenübergestellt.

Sandra Lehmann setzt sich mit dem Realismus von Karen Barad, Quentin Meillassoux und Markus Gabriel auseinander, indem sie den „Grundsatz der Faktizität" einer hermeneutisch-phänomenologischen Analyse unterwirft. Diese Analyse stößt auf eine erste Schwierigkeit, nämlich die prinzipielle Unvorstellbarkeit der Faktizität bzw. Realität selbst. Dennoch stützt sich diese Analyse darauf, dass die Realität immer auf ein phänomenales, erscheinendes Etwas bezogen ist. Daher erweist sie sich als das „Dass-Sein" bzw. als existenzieller Inhalt von irgendetwas innerhalb aufeinander bezogener, wechselseitig sich zustande bringender Phänomene, ohne dass dieses darum seinen Transzendenzcharakter einbüßt. Aus dieser Perspektive entwirft Lehmann einen neuartigen phänomenologischen Begriff des Werdens, dessen Schwerpunkt in einer Beschreibung der Verwirklichung des Realen liegt.

Stanislas Jullien weist ein bisher unbemerktes Paradoxon des spekulativen Realismus auf. Dieser beruht größtenteils auf einer Kritik des Gebrauchs des Endlichkeitsbegriffs, auf den sich jeglicher Korrelationismus berufen würde, um das Subjekt-Objekt-Verhältnis einzugrenzen und damit die Erkenntnis eines Absoluten außerhalb der Korrelation auszuschließen. Dabei muss laut Jullien darauf hingewiesen werden, dass der spekulative Realismus auch von einem bestimmten Konzept der Endlichkeit, das er selbst noch nicht genug durchdacht hat, abhängt. Dabei riskiert er sogar, seine vielversprechendsten Einsichten nicht einlösen zu können. Anhand der Überlegungen Heideggers über die Mathematik in *Was ist ein Ding*? versucht Jullien die bedeutsamen Konsequenzen einer Abweisung der Endlichkeit für das philosophische Denken überhaupt zu ziehen.

Alfredo Vernazzani setzt sich mit Meillassoux' Unterscheidung zwischen primären und sekundären Qualitäten auseinander, die eine wesentliche Rolle in *Après la finitude* spielt. Von einem analytischen Standpunkt aus betrachtet, der sich selbst ebenfalls auf phänomenologische Theorien der Wahrnehmung zurückbezieht, bringt Vernazzani zwei Argumente gegen den spekulativen Realismus vor: Erstens könne Meillassoux' Unterscheidung zwischen primären und sekundären Qualitäten nicht die Art und Weise verständlich machen, wie das Subjekt mit seiner Umgebung zurechtkommt; und zweitens könne die Mathematik bzw. ein Mathematisierungsverfahren keine Basis für jene Unterscheidung sein.

Alexander Schnell zeigt, inwieweit der spekulative Realismus, trotz seiner Kritik des Korrelationismus, auf Grundeinsichten desselben zurückgreift, die für die Begründung einer spekulativen Phänomenologie relevant sind. Deswegen verspricht die Auseinandersetzung mit dem spekulativen Realismus eine erneute, fruchtbare Inangriffnahme der wichtigsten Aufgaben der Phänomenologie. In dieser Hinsicht entwirft Schnell den Begriff einer „generativen Phänomenologie" sowie einer damit verbundenen „generativen Ontologie", die der „Erscheinung des Seins" Rechnung tragen. Hierzu wird zunächst Heideggers Auslegung der Parmenides'schen Gleichsetzung von Sein und Denken behandelt. Sodann werden die Begriffe der „Stimmigkeit" und der „nichtigen Abständigkeit" eingeführt. Eine Analyse der dreifachen dynamischen Dimension der Generativität mündet schließlich in der Aufstellung der Tafel der „generativen Matrize der Sinnbildung", in der dem Begriff der „kategorischen Hypothetizität" mit ihren drei Momenten – dem „generativen Moment" (= die Sinnbildung als Aufgehen der „Generativität"), dem „ontologischen Moment" (= das Aufbrechen des faktischen Seins dank der Selbstvernichtung des Bewusstseins) und dem „choratischen Moment" (= die „offene Kohärenz" als ursprüngliche Wahrheitsdimension der Sinnbildung) – eine zentrale Rolle zukommt.

Die Auseinandersetzung mit dem spekulativen Realismus erstreckt sich bis in den Neuen Realismus Gabriels und anderer Denker, wie Graham Harman und Maurizio Ferraris. In diesem Zusammenhang entwirft Peter Gaitsch den Begriff eines phänomenologischen Realismus, dessen Schwerpunkt darin liegt aufzuweisen, dass die „korrelationale Gleichgültigkeit" der absoluten Realität doch als Phänomen gegeben werden kann. Anhand der Philosophie Max Schelers versucht Gaitsch, von dieser Gegebenheit des Realen Rechenschaft abzulegen und eine Neuanpassung der phänomenologischen Methode vorzuschlagen, auf die sich eine realistische Welt- und Subjektphänomenologie stützen kann.

Bianka Boros wendet sich der realistischen Ontologie Nikolai Hartmanns zu, um zu zeigen, dass dieser bereits Leitmotive der neuen Realismen entworfen hatte. Sie betont dabei die Relevanz der aporetischen Phänomenologie Hartmanns für die Diskussion, welche die Phänomenologie mit diesen neuen Realismen führt. Nach Boros vermag Hartmanns Begriff des Widerstandserlebnisses, als Indiz für die Erfahrung des Realen, den Realismus von Maurizio Ferraris, dessen Schwerpunkt auf dem Argument des Widerstandes liegt, durch eine phänomenologische Analyse der „transzendenten Akte“ zu ergänzen.

Claude Romano nimmt sich vor, den Begriff eines deskriptiven bzw. phänomenologischen Realismus, den er in seinem Buch *Au cœur de la raison* eingeführt hatte, zu verfeinern. Hierzu beschränkt er seine Analysen auf das Feld der Wahrnehmung und greift den Husserl'schen Begriff der Lebenswelt auf, um sich von jeglichem kausalen Realismus abzugrenzen. Darüber hinaus entwickelt er den Begriff des phänomenologischen Realismus weiter, der von idealistischen Elementen befreit werden soll, ohne dadurch in eine Naturalisierung der Phänomenologie zu verfallen.

Die philosophische Frage nach *der* Welt veranlasst auch Yusuke Ikeda zu einem phänomenologischen Disput mit dem Neuen Realismus Gabriels. Laut Ikeda muss die Auseinandersetzung dabei nicht so sehr mit dem metaphysischen Schein der Existenz *einer* Welt – denn letztlich weist die Phänomenologie auch jede metaphysisch konstruierte Weltidee zurück –, als vielmehr mit dem eigentlich phänomenologischen Weltbegriff geführt werden. Dieser ist in der Anschauung verankert und muss stets an ihr gemessen werden. Deswegen trifft die Kritik des Neuen Realismus nicht zu, wenn er die verschiedenen philosophischen Begriffe einer einheitlichen Welt allesamt miteinander gleichsetzt.

Thomas Arnold geht der Frage nach, ob die Phänomenologie und die neuen Realismen sich wirklich gegenseitig ausschließen oder nicht vielmehr bedeutende strukturelle Ähnlichkeiten aufweisen. In dieser Hinsicht weist Arnold auf die Entwicklung der Phänomenologie nach Husserl hin. Diese hebt spontane Sinnbildungsprozesse hervor, die sich auf kein konstituierendes Subjekt zurückführen lassen. Daher sind der Antiidealismus und der Antisubjektivismus der neuen Realismen auch nicht mit der gegenwärtigen Phänomenologie unverträglich. Schließlich richtet Arnold sein Augenmerk auf gewisse Inkonsistenzen des vom spekulativen Realismus in den Vordergrund gerückten Begriffs des Absoluten.

Arjen Kleinherenbrink setzt sich mit einer Grundthese der Ontologie der vierfachen Objekte (*ontology of fourfold objects*) bei Graham Harman auseinander, welche besagt, dass sich die realen Objekte jeglicher Möglichkeitsverhältnisse entziehen. Durch eine solche These lässt sich nämlich nur schwer verständlich machen, wie Gegenstände entstehen, sich verändern oder vergehen können. Kleinherenbrink zeigt, dass die Ontologie von Gilles Deleuze, auch wenn sie strukturelle Ähnlichkeiten mit der Ontologie der vierfachen Objekte von Harman aufweist, überzeugender als diese dem Werden Rechnung zu tragen vermag. Bemerkenswerterweise ergeben sich die ontologischen Ansätze von Graham und Deleuze und ihr jeweiliges Konzept des Werdens laut Kleinherenbrick aus einer ähnlichen Lektüre der Phänomenologie Husserls, zumindest wenn man eine „Ontologisierung“ des Husserl'schen Standpunkts ins Auge fasst.

Angus Daely stellt schließlich Heideggers Ontologie der Gegenstände in ein neues Licht, indem er eine Antwort auf Harmans' kritische Interpretation von *Sein und Zeit* gibt. Harman zufolge setze Heidegger überall die Selbständigkeit der Seienden voraus. Hiergegen zeigt Daely, dass Heideggers Überlegungen zur Selbstoffenbarung (*self-manifestation*) des Seienden an sich selbst weitaus vielschichtiger ist, als Harman selbst dies annimmt. In der Tat gehen Heideggers Überlegungen mit einer phänomenologischen Analyse der Zeitlichkeit der Geburt einher, wobei Heideggers Konzept der Metaphysik genauer bestimmt und Harmans Metaphysik der Gegenstände kritisch beurteilt werden können.

The Two Faces of Mediation[1]

Graham Harman

The philosophical school known as Object-Oriented Ontology (OOO), which my colleagues and I have worked for two decades to develop, has always placed special emphasis on the concept of mediation. This term suggests that direct relations are to be replaced with indirect ones, that objects A and B make contact only through some object C, and in one sense that is precisely what we mean by it. The technical term for that sort of situation is "vicarious causation," and it has a rich backstory in the history of both Islamic and European philosophy in connection with the well-known theme of "occasionalism." Yet there is another, perhaps more familiar sense of mediation that must also be considered. This has to do with the mediation described by media theory, as in Marshall McLuhan's old axiom that "the medium is the message." Here, mediation signifies that the visible content of any medium is overpowered by its silent background conditions: for example, the content of a television show is less important than the basic structural features of the television-medium as opposed to the radio-medium. Having already spoken of vicarious causation in the first sort of case, let's coin the term "ambient causation" for the second. It too has played a role in the long history of philosophy, and not just in recent flashy speculations on the rapidly changing technologies of the present.

Vicarious Causation

The word "occasionalism" refers to philosophies that endorse one or both of the following principles: (1) There is no direct causal relation between any two created entities. Their apparent proximity in space is merely the occasion for God to make something happen. (2) Time does not automatically endure from one moment to the next. Instead, God must continually recreate the cosmos in each instant.

Historians of philosophy in the West generally use the term "occasionalist" to refer to a small circle of post-Cartesian thinkers in seventeenth century Europe: especially Nicolas Malebranche, Arnold Geulincx, and Géraud de Cordemoy. But the origins of occasionalist philosophy date to much earlier in the Islamic world,

[1] This article was first published in Turkish translation as Graham Harman, "Dolayımın İki Boyutu", trans. Mustafa Yalçınkaya, Sabah Ülkesi, 52, July 1 2017, p. 18-23. www.sabahulkesi.com/2017/07/01/dolayimin-iki-boyutu-graham-harman/

in the thought of Abu al-Hasan al-Ash'ari (874-936), a native of Basra. Central to al-Ash'ari's rejection of the more liberal Mu'tazila school, of which he was at one time a member, was his adherence to the notion that all actions are mediated by God, rather than any two entities affecting one another directly. This direct assault on the Aristotelian idea of causation became central to the Ash'arite tradition, as in its most famous adherent, the great Persian thinker al-Ghazali (1058-1111). It is interesting to note that while the Ash'arite school is more associated with "reactionary" theological positions than the earlier, Greek-leaning Mu'tazilite tradition, in some ways Ash'arite occasionalism has had more impact on Western philosophy than any other strain of Islamic thought.

Yet this impact took many centuries to develop. We search in vain for a full-fledged occasionalist school in medieval Christian thought; the great Jesuit philosopher Francisco Suárez notes that while St. Thomas Aquinas does refer to the occasionalist position, he does not name anyone in particular who holds it. It is only with the founder of modern philosophy in the West, René Descartes (1596-1650), that occasionalism began to look relevant in a European context. We recall that Descartes held that there are only three kinds of substances in the world: thought (*res cogitans*) and physical matter (*res extensa*) are the two kinds of finite substance, with God the only infinite substance. By positing a radical distinction between thought and matter, Descartes stirred up what has long been known as the "mind-body problem," a mainstay of modern philosophy. The Cartesian solution was to invoke God as the bridge between the two finite substances. Though similar to the much older Ash'arite view, Descartes actually weakens the doctrine by requiring God to act as a bridge only between minds and bodies. There is no body-body problem for Descartes as there was for the Islamic occasionalists, though his French successor Malebranche soon expanded the problem to include the interaction of bodies with bodies. Though many Western historians are finicky about limiting the circle of occasionalists, I would include G.W. Leibniz (1646-1716) among their number. The case against counting Leibniz as an occasionalist is that, rather than seeing God as intervening in the world in every instant, he holds that God created it just once and programmed a "pre-established harmony" into all the substances (or "monads") in the world. But we should not forget the reason that such harmony is needed: for Leibniz, "monads have no windows," meaning that nothing interacts directly with anything else— the most telltale axiom of occasionalist philosophy. Also, it seems to me that we cannot avoid calling the idealist philosopher George Berkeley (1685-1753) an occasionalist. After all, Berkeley held that there are no independent substances, but only images ("ideas") existing in our minds or the mind of God. The fact that everything seems to happen according to causal laws can be attributed to God's production of *apparent* laws of nature in order to shock us once in awhile with miracles and thereby strengthen our religious belief.

In the ensuing centuries, occasionalism came to be treated in the increasingly secular West as an almost laughable doctrine, taken seriously by no one. Nonetheless, it made a surprising if little-noted comeback in the twentieth century. This happened first in the philosophy of the great Englishman Alfred North Whitehead (1861-1947). For Whitehead, all entities "prehend" (relate to) each other. Yet in so doing, they oversimplify or objectify one another. Rather than making direct contact, they prehend each other by way of a limited number of "eternal objects" that are contained in God. Whereas God can observe all the diverse colorations of an object, I myself only see it as a particular shade of grey or blue. Versions of this neo-occasionalism can also be found in the works of two of the great philosopher-sociologists in recent European thought. Whitehead's admirer Bruno Latour (b. 1947), despite his strong adherence to the Roman Catholic Church, gives us a secularized version of occasionalism that does not appeal directly to God in the manner of Whitehead. Instead, Latour holds that every interaction has a different local mediator, rather than appealing to God as the mediator for all actions. In his best-developed example, Latour argues that the French physicist Frédéric Joliot-Curie served as the mediator allowing neutrons and politics to be connected for the first time in French history. Another secularized version of occasionalism can be found in the sociological theories of the influential German Niklas Luhmann (1927-1998), who holds that in society what communicates are not individuals, but rather *communications*. In other words, individuals cannot act directly on society, but must act in the form of communications that society already understands, leading to Luhmann's pessimistic assessment of political activism. In turn, he owes these ideas in part to the Chilean immunologists Humberto Maturana (b. 1928) and Francisco Varela (1946-2001), who emphasize the cell's inability to interact directly with the world beyond its outer wall. The cell is concerned only with *homeostasis*, or maintaining a stable inner state.

Ambient Causation

All of the cases mentioned so far concerned the role of a third entity in mediating between two others. Yet I mentioned at the outset that there is a second sense of mediation: namely, the *medium* in which a thing operates or appears. I said that McLuhan's media theory provides a lucid example of this second form of mediation, one that closely resembles the figure/ground dualism of Gestalt psychology. For McLuhan, the surface content of any medium is a historical and psychological distraction. The details of the hundreds of thousands of books we debate are trivial in comparison with the deeper media that make them possible, and in which they appear: alphabetic literacy and Gutenberg's system of movable type. The printing press and its contemporary descendants are not "vicarious" causes: not third terms that link each book with my mind. Instead, they are "ambient" causes, atmospheric preconditions forgotten amidst the concrete phenomena they make possible. A similar argument was made by the seminal art critic Clement Greenberg, sometimes called the Pope of Modernism, who reduced the pictorial content of painting to what he called "literary anecdote," and defined modern painting in McLuhanesque fashion as art that comes to terms with its medium rather than taking it for granted. In the case of painting, this meant (1) accepting the flatness of the background canvas, and (2) less importantly, a turn from figuration toward abstraction. But perhaps the most important example of ambient causation in the twentieth century can be found in the philosophy of Heidegger. By raising anew the question of the meaning of being, in his 1927 masterwork *Being and Time*, Heidegger calls our attention to the horizon of being that is presupposed by all the numerous particular *beings* by which we are occupied.

But ambient causation did not first appear in the twentieth century triumvirate of Heidegger, Greenberg, and McLuhan. It appears no later than Aristotle, whose *Rhetoric* is dominated by the pre-McLuhanite thesis that persuasive speech has more to do with unstated "enthymemes" than with explicit propositional content. When the Greek orator says simply "this man has been crowned three times with laurel," it is more powerful than to spell it out at length with "this man has been crowned three times with laurel, for he has been an Olympic champion three times," something no ancient Greek needed to be told. St. Thomas Aquinas was no theorist of vicarious or occasional cause, even though his position is sometimes mistaken for occasionalism. For Aquinas God does not recreate the universe in every instant, but merely sustains it. If two electric trains collide in a child's playroom, the occasionalist would say that the trains never actually make contact. But the Thomist position would be a different one: the trains do collide directly, but only because both are enabled to move by electricity (i.e., by God as ambient background cause). This may also be the right place to put Spinoza. Though his view that "God, or nature" is everywhere might seem to resemble occasionalism, he tells us that God is "the immanent, not the transitive cause" of everything. In other words, God does not intervene in every collision between entities, but is the background that makes all collisions and non-collisions possible.

This brings us to the first two *contemporary* philosophers in the West. By "contemporary" I mean any philosopher whose views one can defend *literally* in university departments of philosophy without becoming the object of laughter. Though the major seventeenth century thinkers of continental Europe are widely revered as great figures in the discipline, there is a distinctly non-contemporary feel to the metaphysics of Descartes, Spinoza, and Leibniz, and (in the British Isles) the extreme idealist Berkeley. It is really with David Hume and Immanuel Kant that we find the emergence of something that feels like present-day Western philosophy. Now, it is well known that Hume thinks nothing can be known of causation beyond the customary conjunction of eating bread and feeling satisfied, or touching a fire and feeling the pain of burning. In this sense, cause and effect exist (as far as we know) only in human experience and not in the outside world. Kant's response to Hume, whom he greatly admired, was to say that cause and effect are categories of the human understanding, so that nothing can be guessed as to whether the unknowable things-in-themselves beyond human experience interact according to causal laws.

In my previous publications, I have treated Hume and Kant's manner of dealing with causation as just a deceptive form of occasionalism in which the human mind replaces God as the sole locus of all causation. And I still think there is a close relation between the two tendencies. However, the main point of introducing the new term "ambient causation" here is to stress a subtle but real difference between Hume and Kant on one side and the occasionalists on the other. For human experience is not so much a third entity linking a red billiard ball with the green one it seems to strike, as a background medium that defines the character of both balls: a ground for both of these figures.

Emanation

So far we have ignored one of the key places in the history of Western philosophy where mediation can be found: the neo-Platonic theory of emanation. When someone is baking a cake, the smell of dates or chocolate emanates from the kitchen as a byproduct; in analogous fashion, each level of being emanates a surplus that establishes a new level of reality lower than the one that preceded it. From the One there is an emanation of the Intellect as the repository of Plato's famous perfect forms. From the Intellect there emanates Soul, the principle of desire. And from Soul there emanates the lowest level, Matter. We might now ask: is emanation an example of vicarious/occasional causation, or of ambient causation? In the case of Plotinus, the answer seems to be the latter. The relations between the various levels are purely vertical and atemporal, and concern only the eternal way in which the lower levels exist only with the higher levels as their deeper background. There is nothing in Plotinus, as far as I can recall, about the need for a causal mediator between two entities existing on the same level, such as two objects in physical collision.

Yet the answer is not quite so clear if we look at the great neo-Platonic thinkers of Islam: al-Kindi, al-Farabi, and Ibn Sina (Avicenna). Here the emanations are fleshed out as a series of emanations from the highest level of the heavens downward to the earth, running through the sphere of fixed stars and the planets all the way to the sun and the moon. Now, here too it might seem that it is only a question of an eternal and vertical arrangement of dependence of each sphere on the higher ones. But reference is also made to the *indirect* character of communications received by the Prophets, which entails a horizontal relation between planetary spheres as each passes its message along to the next. Even so, it would be going much too far to refer to al-Kindi, al-Farabi, and Ibn Sina as occasionalists, and entirely out of the question to say this about Ibn Rushd (Averroës), with his famous polemic against al-Ghazali's occasionalist notions about causation. In conclusion, it seems fairly clear that the neo-Platonic theory of emanation is best understood as a theory of ambient rather than vicarious causation.

Conclusion

The foregoing remarks on the history of philosophy and some related fields were not meant solely for historical purposes. The real point of the discussion was to prepare a question about OOO: is it concerned with vicarious causation, ambient causation, or perhaps with both? The answer is clearly "both." Indeed, it may be the most typical feature of OOO that it is deeply concerned with both (a) the impossibility of direct relation between entities, and (b) the difficult relation between an object and its hidden or withheld ground. Is there another current in the history of philosophy that feels compelled to combine both of these trends? The only name that comes to mind is Aristotle, who was at least dimly aware of both problems, even if he is usually remembered as the champion of direct causation against the occasionalists and of logic and reason against the obscurantists. We have already seen that his *Rhetoric* treats the surface level of communication as not where the real action unfolds. And as for vicarious causation, Aristotle comes very close to this theme when he speaks in the *Metaphysics* about the impossibility of making direct contact with entities by means of language and logic: after all, he tells us, things are always concrete, but definitions are made of universals.

Theories of occasional and vicarious causation deal with the mediation needed for any two specific entities to interact. Therefore, it is a variant on what is traditionally called *efficient* causation. The quirk added by occasionalism is that there can be no direct causal link between any two entities, and God is the only possible link between them. The new quirk added by Latour is to disallow God as the sole causal mediator: not in the name of belittling religion (Latour is quite religious himself), but simply because the problem cannot be solved by positing one amazing super-entity that is able to make causal links where nothing else is able to do so. However admirably devout this view may be, it resorts to religious assertion to solve a problem that demands a more secular approach. Thus, Latour holds that the mediator must always be found locally: it is Joliot who first enables politics and neutrons to link together. But the astute reader may have noticed the following problem. If Joliot links politics with neutrons, how is Joliot himself able to link with politics or with neutrons in the first place? Further mediators will be needed at this level, and then mediators between these mediators, and so on to infinity. Latour's proposed solution to the infinite regress is a disappointingly pragmatic one: we simply stop whenever we become bored, or whenever we reach a level of mediation that seems pedantic or irrelevant to our research question. But however practical this may be as a research methodology, it fails utterly as metaphysics. OOO is able to solve the problem differently, given its view that there are two and only two kinds of objects: the real and the sensual, which can make direct contact with each other though not with their own kind, just as two opposite poles of magnets easily combine while identical poles will repel.

By contrast, theories of ambient causation concern what is usually called *formal* causation. This is the territory of Heidegger, Greenberg, and McLuhan, all of them bothered by the way that humans are distracted by content and pay little heed to the underlying form that makes the content possible. And how are the form and the content of an object supposed to interact, if the first is hidden and the second is always visible, audible, or tangible? We have seen that for Aristotle this is the province of rhetoric, which uses propositional language to allude to something unstated and perhaps unstateable. But for OOO, it is aesthetics more generally that drives a wedge between the object and its own unnoticed form. By splitting them apart, it calls upon the aesthetic beholder to serve as the mediator between these two dimensions of the objects. The old OOO formula of "aesthetics as first philosophy" requires that both aesthetics and philosophy be reconceived in terms of a theory of media.

Le faux-départ du réalisme

Àpropos de Quentin Meillassoux

Frank Pierobon

La question du réalisme est une vraie question: elle n'est pas le souci exclusif de philosophes ou d'historiens de la philosophie. Elle est une vraie question parce qu'elle correspond à une angoisse diffuse par laquelle l'humain en général se réfère aujourd'hui à ce qu'il conçoit comme la réalité et ne peut s'y tenir. D'ailleurs, une certaine forme de réalisme fait partie de «l'attitude naturelle», davantage sous la forme d'une foi que d'une conviction, car la réalité n'est jamais suffisamment réelle: elle ne nous rassure jamais suffisamment sur notre propre réalité.

Le réalisme est impossible et nécessaire. Il est *impossible* parce qu'il se donne pour accès immédiat au réel alors qu'il est le fruit d'une protection fantasmatique de nature apotropaïque, et il lui faut absolument s'énoncer très directement, pour faire oublier que le réalisme se dénonce déjà s'il faut l'énoncer. Mais cette protection est en elle-même *nécessaire*, parce que la réalité que nous percevons n'est pas du même réel que ce que nous apercevons de nous-mêmes. Il faut donc se demander quelle est *l'autre* méthodologie praticable quand à partir du philosophème kantien de l'*Aufhebung*, l'on réalise que l'on doit renoncer à la méthodologie et à la rationalité dites «scientifiques» et quantificatives pour penser notre propre réalité, qui, chez Kant on le sait, reste toujours déjà à accomplir comme liberté. Chez Kant, c'est au-delà de la réalité qu'aura lieu cet accomplissement, tant celui de l'idéalité *a priori* de la science mathématique, que, au-delà de notre propre réalité, celui tout aussi *a priori* de l'idéalité proprement morale[1].

Si nous revenons aux «choses mêmes», le constat est encore plus angoissant, surtout si l'on ne comprend plus ce qu'est l'*a priori* kantien: l'homme fait l'expérience de sa propre réalité, qui est, à vrai dire, l'expérience de ce qu'il ne peut pas en faire l'expérience (en tout cas, comme d'un objet extérieur) et cela donne une ampleur considérable à son angoisse. Il lui faut, en rêvant à cette réalité dont il ne fait pas vraiment partie, susciter fantasmatiquement une «réalité» qui le rassure.

Dans ce contexte, l'ouvrage de Quentin Meillassoux, *Après la finitude*, a retenu notre attention comme un véritable symptôme, particulièrement angoissé, dont la portée dépasse l'irritation que Kant a pu lui occasionner, le portant à parler

---

[1] Immanuel Kant, Kritik der reinen Vernunft, 1781-1787, A480/B508 (cité KrV); Œuvres, t.I, trad. J.-L. Delamarre et François Marty, Paris, Gallimard, Bibliothèque de la Pléiade, 1980, p. 1130. La pagination dans les notes subséquentes renvoie à la traduction française.

avec emphase d'une «catastrophe kantienne». Rien ne tient vraiment, au niveau des échafaudages conceptuels, mais tout le livre vibre d'une urgence angoissée qui en fait le prix. D'ailleurs, le succès même de ce livre, de même que celui des différents philosophèmes du réalisme d'aujourd'hui, s'expliquent de la même manière: la question du réalisme témoigne d'une vraie angoisse, qui se nourrit des illusions dont nous tous avons tant besoin pour faire comme si cette angoisse n'avait jamais eu lieu. Pour montrer cela, nous allons d'abord rappeler quelques énoncés de la critique kantienne du réalisme avant d'en venir à quelques-unes des thèses de Quentin Meillassoux sur ces mêmes points.

La philosophie kantienne est un dualisme

La raison recherche toujours l'unité, nous dit Kant: la synthèse se fait sous l'unité du concept dans l'entendement, et l'unité des concepts intellectuels se fait sous l'Idée de la raison. Raison de plus de s'étonner de ce que dans certaines pages, peu lues il est vrai, de la *Critique de la raison pure*, Kant abat ses cartes et déclare sans ambages que sa philosophie est un dualisme[2]. Ce dualisme fonctionne comme un objet topologique convertible, qui peut, selon le cas, se muer en monisme ou recouvrer sa dualité[3]. Cette topologie n'est pas susceptible d'une image ou d'un concept, à cause de sa convertibilité même: elle ne peut être saisi qu'architectoniquement. Ce terme, qui provient du lexique kantien, a été remployé et même généralisé par Marc Richir, en France, non sans gauchissements. Qu'est-ce donc que l'architectonique kantienne? Pour donner un premier exemple, faisons remarquer que cette méthode, dans le tranchant «critique» de la pensée kantienne, consiste à embrasser d'un seul regard les thèses des antinomies selon leur *rapport*, au lieu d'opter pour l'une ou l'autre et s'absorber dans son *contenu*. Mais il y a beaucoup plus: l'architectonique est également une méthodologie générative, c'est-à-dire une force d'idéation, comme Kant en fait le constat émerveillé à Reinhold dans une lettre célèbre où il parle de sa «*Vorzeichnung*»[4]: en un langage plus contemporain, on en parlerait comme d'une diagrammatique, dont les exemples en philosophie

---

2 KrV, A86/B884.

3 La très grande force de la conception kantienne, qui constitue en même temps sa grande difficulté de compréhension, est qu'elle organise les rapports possibles entre l'entendement et la sensibilité selon une structure topologique (architectonique) qui permet selon le cas de désolidariser l'entendement de son ancrage sensible et de l'y raccorder. Cela explique que l'entendement, désolidarisé et réduit à son mode propre de fonctionnement logique, puisse se méprendre et considérer que ces concepts formels puissent en même temps conserver une signification matérielle. Mais inversement, il n'y a de logique que si l'on peut jongler avec les concepts sans se référer pas à pas à leur valeur empirique et il n'y a de science que si l'on peut en faire jouer les écritures, dans une même indépendance d'avec la «réalité».

4 Nous présentons une étude sur la Vorzeichnung kantienne dans Frank Pierobon, «L'architectonique et la faculté de juger», in Kants Ästhetics/Kant's Aesthetics, éd. Hermann Parret, Berlin/New York, de Gruyter, 1998, p. 1-17.

sont rares mais toutefois marquants – pensons par exemple au schème de la Ligne dans la *République* de Platon.

Refermons cette parenthèse sur l'architectonique pour revenir au dualisme kantien: ce dualisme caractérise la pensée elle-même et non ce qu'elle pense. Et cette pensée ne peut être approchée qu'à travers ce qui lui est possible de penser et qui de ce fait apparaît toujours comme un monisme, c'est-à-dire un réalisme. Et l'on ne sort de l'un ou l'autre type de réalisme qu'en les considérant tous ensemble, ce que Kant fait d'ailleurs dans le très succinct récapitulatif – «l'histoire de la raison pure» – sur lequel se referme la *Critique de la raison pure*. En entrant quelque peu dans son détail, on s'aperçoit que le réalisme se produit par glissement incontrôlable d'une position subjective à sa traduction objectivée, c'est-à-dire débarrassée de son ancrage subjectif. Le catalogue des réalismes que Kant dresse va du réalisme naïf au réalisme «transcendantal». Le réalisme naïf peut avoir pour principe méthodologique de se passer de toute science et de s'en tenir à la «raison commune»[5], c'est-à-dire au bon sens le plus commun. Le réalisme transcendantal est une tout autre affaire, puisqu'il attend de l'expérience sensible qu'elle lui livre en même temps et le phénomène et la connaissance que l'on peut en retirer.

Au-delà de ces premières indications, l'on peut repérer d'autres exemples du mouvement intrinsèque à tout réalisme, ce que deux exemples permettront d'illustrer: par exemple, dans la vie de tous les jours, nous ne pouvons guère éviter de nous comporter en *réaliste esthétique*, dans la mesure où, toujours, nous disons d'un objet qu'il *est* beau alors qu'il nous faudrait préciser que c'est au terme d'un jugement que nous le disons beau. Dans un tout autre domaine, celui de la psychothérapie devenue si ordinaire de nos jours, l'on rencontre cette forme de *réalisme émotionnel* dont la maxime serait: «c'est vrai que je suis en colère, donc ma colère est vraie» ...

Peut-on vraiment échapper au réalisme? Non! C'est *le* point de départ obligé, dans toutes les activités humaines. Il est important de faire remarquer que le grand Kant lui-même n'a pas totalement échappé aux séductions du réalisme dans sa propre démarche: il subsiste un fond tenace de réalisme métaphysique dans sa propre volonté de fonder la science newtonienne au moyen d'un système de forces métaphysiques, qui est un projet à la fois impossible et inutile. Kant en effet s'est échiné dans ses dernières années à vouloir établir un passage des principes métaphysiques à ceux de la science physique, dans un flot de pages qui se répètent tragiquement de feuille en feuille et dont on a réuni l'essentiel dans ce que l'on appelle son *Opus postumum*.

Revenons à ce dualisme dont Kant offre une présentation plus positive dans la première édition de la *Critique de la raison pure*, avec les paralogismes de la Psychologie rationnelle: le quatrième, celui de l'idéalité, est d'un grand intérêt dans notre discussion du réalisme. Ce paralogisme énonce en effet que «l'existence de tous les objets des sens extérieurs est douteuse» et il va être question, on le devine, de l'idéalisme cartésien et du *cogito*. Dans le paragraphe introductif, Kant prend

5 KrV, A86/B884, p. 1401.

soin de préciser qu'à cet idéalisme unilatéral – un monisme –, l'on «peut confronter, sous le nom de *dualisme*, l'affirmation d'une certitude possible touchant les objets des sens extérieurs»[6]. L'opposition est donc double: au doute répond la certitude, comme au monisme de l'une ou l'autre thèse[7], un dualisme. Chose passionnante, deux formes de dualisme sont envisageables, précise Kant en recombinant entre eux les couples empirique/transcendantal et idéalisme/réalisme selon le schéma suivant:

RÉALITÉ EMPIRIQUE	IDÉALISME EMPIRIQUE
RÉALISME TRANSCENDANTAL	IDÉALISME TRANSCENDANTAL

Kant définit son propre dualisme comme se formant par la conjonction entre l'idéalisme transcendantal et la réalité empirique (en grisé dans le tableau ci-dessus) tout en critiquant le paralogisme qui, inévitablement, associe au réalisme transcendantal une manière d'idéalisme empirique qu'il ne détaille pas mais qui, notons-le à titre exploratoire, pourrait bien correspondre au simple langage[8]. Nous ne pouvons pas davantage nous étendre ici sur les ressources architectoniques que recèle une telle configuration et il nous faut considérer avec beaucoup d'attention la connexion entre l'idéalisme et le réalisme kantien, qui n'est pas simplement l'af-

---

6 La problématique du dualisme, il faut le reconnaître très clairement, disparaît d'une édition à l'autre de la première Critique. Certes il en restera quelque chose: ce dualisme transparaît en filigrane dans l'Esthétique, et c'est à l'intuition sensible elle-même qu'il revient de manifester cette double valence d'idéalité transcendantale et de réalité empirique. (KrV, A367, p. 1442).

7 Il s'agit bien de paralogismes, qui, par conséquent, ne contiennent pas de contradiction: celui de l'idéaliste, qui, comme René Descartes lorsqu'il se propose de douter hyperboliquement, «conclut que nous ne pouvons jamais devenir entièrement certains de la réalité de ces objets par aucune expérience possible», et celui du réaliste transcendantal, qui «regarde l'espace et le temps comme quelque chose de donné en soi (indépendamment de notre sensibilité)» et qui «se représente donc les phénomènes extérieurs (si l'on admet leur réalité) comme des choses en soi, qui existent indépendamment de nous et de notre sensibilité...» (KrV, A369, p. 1443).

8 Le risque de s'illusionner est aussi grand dans les deux cas de monisme: le réaliste transcendantal doit faire oublier le fait qu'il a inévitablement recours à un idéalisme empirique ne serait-ce que parce qu'il parle de la réalité, et que ce faisant, il la dédouble inexorablement, tandis que l'idéaliste transcendantal est toujours déjà tenté de faire disparaître le phénomène au sein de la connaissance a priori qui le fait tant rêver et qui éclipse toute extériorité.

faire d'une configuration architectonique: cette connexion se renouvelle constamment dans la manière de *faire* de la géométrie, qui est le paradigme dominant de la conception kantienne des mathématiques. Tout est là, en effet: le dualisme kantien est la conséquence inévitable de ce que nous devons *faire* de la science pour que celle-ci existe et qu'au-delà des pionniers tels qu'un certain Thalès, une accumulation d'un savoir s'organise en système scientifique. Qu'il *existe* de la science est un *fait*, et ce fait est en lui-même contingent: nous pouvons imaginer un monde humain dépourvu de science de la même manière qu'avec Quentin Meillassoux, nous pouvons imaginer un monde dépourvu d'humains. Quoi qu'il en soit, dans un monde dépourvu de science, nous ne pourrions pas être autre chose que réalistes.

La connexion entre la réalité empirique, qui, pour nous, existe nécessairement, et l'idéalité transcendantale, qui n'existe qu'à partir du moment historiquement déterminé où nous faisons de la science, se rejoue constamment dans le fait que malgré la contingence de la pratique scientifique et de l'existence du savoir scientifique, de la nécessité *a priori* se découvre en même temps qu'elle s'invente dès que l'on fait de la science. Le fait même qu'il y ait de la science (mathématique et physique) constitue pour Kant le point de départ explicite de sa *Critique de la raison pure*. Or cette *Critique* ne se limite pas à exploiter ce fait, en vue par exemple d'une épistémologie: à partir de ce point de départ, Kant, sans vraiment révéler le fond architectonique de sa manière de procéder, identifie les structures *a priori* qui sont celles de l'esprit humain, bien au-delà de sa capacité de faire de la science, c'est-à-dire bien au-delà du domaine de l'intuition sensible, donnée ou construite. C'est ainsi que l'*a priori* ainsi identifié n'est plus limité à celui que «contient» d'une manière ou d'une autre l'intuition et qui se révèle dans le faire de la science géométrique: il va s'élargir jusqu'à concerner également l'intuition en tant que telle, dans son statut propre et dans ses relations avec les autres facultés, elles-mêmes délimitées à partir d'un tel surplomb *a priori*. La conception kantienne de l'intuition conserve quelque chose du dualisme exposé dans la première édition de la *Critique de la raison pure*, alors que les révisions importantes de l'édition définitive de 1786 comporteront la suppression pure et simple des nombreuses pages de la Psychologie rationnelle où nous avons puisé les explicitations données par Kant à propos de son propre dualisme.

Tout le problème de fond se concentre sur la particularité de la conception kantienne de l'intuition, avec sa bivalence métaphysique et transcendantale, réelle et idéale[9], laquelle ne peut s'éclairer en retour qu'à partir d'une compréhension correcte de la manière de faire de la géométrie telle que Kant la décrit en pensant rappeler quelque chose que tout le monde sait et qui ne changera jamais[10]. Aujourd'hui, si la géométrie euclidienne nous paraît tout à fait déclassée et insignifiante, c'est en conséquence d'un changement radical dans les paradigmes qui s'est progressivement produit aux XVIIIème et XIXème siècles à partir de la révolution scientifique newtonienne. C'est ce problème qu'il nous aborder maintenant.

---

9 KrV, BXVIII, p. 743.
10 KrV, A717.

La conception kantienne de l'intuition et la question de la Konstruktion

D'une manière générale, les études kantiennes ont négligé, en France en particulier, la conception kantienne des mathématiques, qui est pourtant la principale voie d'accès à une compréhension adéquate de sa conception de l'intuition: on n'y parle que d'objet *donné*, et presque jamais de l'objet *construit*. Peut-être est-ce dû au fait qu'une très grande partie de la phénoménologie de langue française, a fétichisé la *donation*, très influencée en cela par Husserl et surtout Heidegger, tout en attribuant volontiers les difficultés philosophiques et dialectiques d'un tel déséquilibre à l'aura mystérieuse provenant de cette donation, où s'entremêlent mille influences et inspirations, tant ontologiques que théologiques dont nous ne pouvons certainement pas faire l'inventaire ici.

Avec son centre de gravité qui s'est déplacé des méthodes de la géométrie à celles de l'algèbre, le bouleversement paradigmatique apporté par la science moderne à partir de Newton consiste en un passage de l'image réglée à l'écriture sans images. Husserl pourra bien regretter dans son *Krisis* que la science ait délaissé le sol de l'intuition, il faut prendre conscience de ce que c'était le prix à payer pour en recevoir son immense puissance eidétique. Kant, tout newtonien qu'il se prétende, reste inféodé à des paradigmes pré-newtoniens: il s'ensuit, comme on l'a dit et répété, que sa conception des mathématiques nous paraît aujourd'hui dépassée, archaïque, désuète... Pourtant, nous nous orientons dans notre monde, celui de notre «attitude naturelle», avec ce type de géométrie très rudimentaire et c'est par cette connexion entre idéalité et réalité, sur laquelle Kant insiste tant mais que la science moderne a rendue invisible, que notre monde nous paraît «compréhensible» et surtout habitable aux humains.

Kant n'avait pas du tout l'impression d'innover avec sa propre conception des mathématiques et en cela il avait raison: il s'appuie essentiellement sur la manière euclidienne et classique de faire des mathématiques et voit dans la preuve géométrique un paradigme absolu, à l'instar de tous les lettrés de son temps. Or, dans cette perspective, les mathématiciens paraissent bien se comporter en réalistes transcendantaux et le glissement du réalisme dans toutes ses formes, du naïf au transcendantal, est similaire à celui du géomètre euclidien qui, à bon droit, passe du tracé empirique à l'idéalité transcendantale: la différence est que le réalisme s'*imagine* qu'il perçoit de l'objectif dans le subjectif – ou, ce qui revient au même, qu'il le réduit à partir de la conceptualisation dans l'entendement du donné des sens – alors que le mathématicien *effectue* concrètement un tel passage par l'*action* même de tracer des «constructions auxiliaires» (*kataskeue*). Cette action de tracer n'est pas réductible à son seul produit et ce dernier n'est pas non plus un simple dessin comme un artiste-peintre classique pourrait en produire. Pourtant, il faut également le reconnaître, la description que Kant donne du travail du géomètre en comparaison avec celui du philosophe à la fin de sa première *Critique* est à peu près incompréhensible aujourd'hui. Le philosophe, ici, est celui qui raisonne sur le *concept* du triangle, c'est-à-dire une description logique: «il aura beau réfléchir sur ce concept aussi longtemps qu'il voudra, il n'en tirera rien de nouveau» („*Nun mag er diesem Begriffe nachdenken, so lange er will, er wird nichts Neues heraus bringen*“[11]). En ce sens, il fonctionne en réaliste transcendantal, dans la mesure où sa manière de comprendre un triangle en général, et celui qui est tracé, en particulier, tient à la fois de l'intellect et de l'intuition: il comprend ce qu'il perçoit et ne perçoit que ce qu'il comprend et il ne voit pas du tout comment il pourrait en sortir. Tout autre est la portée du travail du géomètre dans la description donnée par Kant: le géomètre complète son tracé de départ qui par là cesse d'être un simple triangle, c'est-à-dire l'intersection de trois lignes: il rajoute des lignes, des traits... et prolongeant ainsi le tracé de départ, il cesse de considérer que le triangle est un objet conceptuellement défini, auquel par conséquent on ne peut rien retrancher ou rajouter sans en modifier le concept. C'est tout un champ d'intelligibilité géométrique qu'il dévoile par son activité poïétique, laquelle est ce qui l'amène à voir beaucoup plus que ce dont est capable son regard, empirique ou logiciste: «...il arrive par une chaîne d'inférences, toujours guidé par l'intuition, à une solution parfaitement évidente et en même temps universelle de la question» („*Er gelangt auf solche Weise durch eine Kette von Schlüssen, immer von der Anschauung geleitet, zur völlig einleuchtenden und zugleich allgemeinen Auflösung der Frage.*“[12])

La *Konstruktion* dont Kant fait l'essentiel de la pratique mathématique a ceci de phénoménologiquement commun avec l'acte d'écrire en soutien de la pensée (dans la création littéraire, dans la création de concepts philosophiques, etc.): écrire (rédiger plutôt que lire), c'est faire l'expérience vécue, phénoménologiquement parlante, de ce qu'il nous faut écrire pour découvrir ce qui vient pour ainsi dire au bout de l'écriture. *Mutatis mutandis*, dans la cure psychanalytique, le processus est similaire: nous parlons pour dire ce que nous ne savons pas encore...

Pourquoi est-ce si important, aujourd'hui, cette affaire de *Konstruktion* et d'écriture? D'une part, parce qu'elle nous permet de mieux comprendre le dualisme kantien: dans l'*acte* même qui produit la science, inventer et découvrir sont indissociables, de même que la réalité empirique et subjective du processus et l'idéalité transcendantale de son résultat. Par contre, dans le *résultat* scientifique, en tant qu'il constitue la représentation d'un savoir, le processus a été éclipsé, ainsi que sa réalité empirique, et le savoir paraît pur et *a priori* dans son idéalité, comme si elle avait été donnée dans une intuition intellectuelle. D'autre part, cette affaire d'écriture est importante parce qu'elle touche à la pratique la plus fondamentale de tout philosophe qui est celle de l'écriture active et qui ne va pas sans contrepartie phénoménologiquement lourde. Certes, l'écriture, depuis la prise de notes jusqu'à la production, en passant par l'activité du commentaire qui a pris une ampleur industrielle aujourd'hui, est ce qui facilite la compréhension et le philosophe est d'abord celui qui se donne pour tâche de reprendre l'héritage philosophique du passé et de le comprendre, avant de s'aventurer à se faire créateur de concepts,

---

11 KrV, A716.
12 Ibid.

pour reprendre ici le célèbre philosophème deleuzien. C'est sur ce dernier point qu'il nous faut maintenant insister.

Le rapport de la phénoménologie à l'écriture

Menée à son terme, cette hypothèse de travail concernant l'écriture et sa phénoménologie nous permettrait d'envisager le réalisme philosophique comme un symptôme réactif à la saturation par l'écriture. Toutefois, nous l'avons dit, ce n'est pas qu'une question philosophique, qui ne concernerait que les professeurs de philosophie qui écrivent beaucoup et beaucoup trop. Il faut tenir plus généralement compte de la manière dont les hommes se positionnent dans notre société occidentale par rapport à la science. À partir de la mutation paradigmatique qui a rendu possible la science moderne, le *monde* a été redéfini et même réécrit en profondeur, à une distance croissante d'avec l'humanité de l'homme, qui de son côté s'est radicalement désenchantée.

Pour le dire simplement: rien n'est plus familier que les applications technologiques dont fourmille notre monde (l'électricité, l'audiovisuel, la téléphonie, etc.); rien n'est plus obscur que cette science qui les a renduespossibles. C'est ainsi qu'il nous échappe totalement qu'à partir de Newton, la science fonctionne très bien sans devoir expliquer de quoi elle parle. *L'on n'imagine pas du reste qu'il n'y a plus rien à imaginer*. C'est le prix à payer pour que son *écriture* par la radicalité de son abstraction se rende à ce point eidétiquement puissante, ayant pourtant quitté le sol de l'intuition. Il s'ensuit une angoisse immense et diffuse, sans reste, que la philosophie romantique a du reste abondamment décrite, de Kierkegaard à Heidegger, en passant par Nietzsche. Le réalisme vise cette angoisse sans rien pouvoir en savoir, dans un geste profondément vain de rassurance.

L'écriture scientifique n'est pas l'écriture philosophique, bien que toutes deux requièrent le déploiement de toute une phénoménologie de l'écriture qui reste encore à faire et à partir de laquelle il serait, nous le pensons, fécond de réévaluer et de relancer toute l'entreprise de la phénoménologie classique. Pourquoi cela? Parce qu'à partir de ses grands pionniers, Husserl et Heidegger, la phénoménologie dans sa plus grande généralité a suscité un véritable déferlement d'écritures, qui n'a cessé de s'amplifier. Le «retour aux choses elles-mêmes» a engendré des bibliothèques entières qui, selon nous, sont autant d'obstacles infranchissables au dit retour. La demande symbolique de «réalisme» se confirme dans l'action d'écrire mais se motive de ce que l'action d'écrire se perd dans ce qu'elle a produit. L'acte même d'écrire conjoint ce qui se trouve toujours déjà radicalement dissocié dans le résultat: l'acte d'écrire rassure le réaliste qui s'angoisse de ce qu'il ressent confusément une distance abyssale entre le texte et les «choses elles-mêmes».

Pour illustrer ce point, il est utile de revenir à la distinction que Kant fait dans la première *Critique*, entre une connaissance historique (*cognitio ex-datis*) et une connaissance rationnelle (*cognitio ex-principiis*), la première pouvant être apprise par cœur et débitée sans comprendre, tandis que la seconde reste vivante, procédant encore et toujours de la puissance de l'esprit qui l'avait pour la première fois produite. La différence n'est pas dans la connaissance elle-même, mais dans le rapport que le sujet entretient avec elle, puisqu'il peut même la savoir par cœur sans la comprendre. Plus dramatiquement, Kant parle à cette occasion du «masque d'un homme vivant». C'est le grand risque de toute écriture, celle d'une répétition idolâtre, à l'identique, d'énoncés.

En passant de l'auteur à son lecteur, en philosophie, l'*acte* d'écriture produit un texte comme la flamme, une cendre. Le danger propre à l'écriture – le texte plutôt que l'action d'écrire – est d'une part de raisonner sur des mots, loin des choses, et d'autre part, de persister à croire qu'il s'agit encore et toujours de choses. Il s'ensuit l'équivalent d'une sorte de «sommeil dogmatique» pour parler comme Kant. Quelle serait l'alternative à ce jeu réglé? Nous l'avons dit: c'est la créativité de la pensée. D'Edmund Husserl à Marc Richir la phénoménologie retrouve constamment cette exigence d'une pensée créative et vivante, sans pouvoir toujours se la formuler clairement. Écrire est, plus généralement, l'expérience fondationnelle que, nous croyons, chaque philosophe aura fait pour son propre compte: l'on écrit pour penser, l'on est tous de facto *denkend-schreibend* (Natalie Depraz rapporte ce mot d'Iso Kern caractérisant l'écriture d'Edmund Husserl). Une *phénoménologie de l'écriture* montrerait que ce que l'on pense fait toujours partie d'une certaine réalité que l'on voudrait toujours plus réelle: mais l'on n'écrit que pour penser, et plus on écrit, plus l'on s'approprie sa pensée avec une illusion de plus en plus lancinante de ce que l'on pourrait s'avérer capable de l'arracher à l'écriture et plus on désire la réalité, une réalité qui serait immédiatement accessible et vécue, sans la médiation d'une écriture.

Quand l'essentiel vient à manquer, et que le manque ainsi vécu est la seule chose qui nous paraisse encore essentielle, survient la nostalgie du réalisme. *Nostos*, le retour, *algos*, la douleur. Toute la phénoménologie bruit de cette douleur de ne pas, d'un pas, faire retour aux choses mêmes ou encore de désoublier l'être. Et tout comme l'acte d'écrire se fige en chose écrite comme en son *autre* dialectique, la demande de réalisme, avec le feu d'une douleur à peine avouée (qui se traduit souvent par de la colère, comme on le verra tout de suite avec Quentin Meillassoux) se mue en production de réalisme. On se cherche alors un coupable: s'il manque quelque chose au réaliste, c'est parce que quelque chose, ou mieux encore quelqu'un, l'a ravi, l'a volé, l'a dérobé. De manière fort archaïque et qui paraît d'autant plus vraie pour cela, chacun se fabrique un ennemi selon son cœur. Pour Meillassoux, ce sera Kant.

Quentin Meillassoux ou la dénonciation de la «catastrophe kantienne»

Paru en 2006, l'ouvrage de Quentin Meillassoux, *Après la finitude*, a été particulièrement remarqué par le public lettré de langue française et l'on s'est réjoui bruyamment d'un spectaculaire «retour du réalisme», une expression déjà programmatique en elle-même. L'on ne saurait déterminer d'ailleurs si ce livre parmi quelques autres aura suffi, par ses mérites intrinsèques, à remettre le réalisme au premier plan des problématiques contemporaines en philosophie ou bien si c'est plutôt l'écho fantasmatique que le philosophème du réalisme projette dans l'imaginaire du public avant même que l'on ait lu ces livres, qui a valu à cet ouvrage son étonnant succès. Peut-être qu'ici comme ailleurs, la vérité se trouve quelque part entre ces deux possibilités...

Quoi qu'il en soit, Meillassoux dans cet ouvrage fait le procès de ce qu'il appelle la «catastrophe kantienne», qui consiste selon lui «en le renoncement à toute forme d'absolu, en même temps qu'à toute forme de métaphysique.»[13] Nous devinons qu'en fait, l'auteur d'*Après la finitude* pourfend une certaine vulgate universitaire qui prévaut en France et qui est profondément inspirée par la phénoménologie heideggérienne dans son sens le plus large: l'objet donné éclipse totalement l'objet construit. Toutefois, la science mathématique fait un retour remarquable sur cette scène où Meillassoux organise sa logomachie anti-kantienne, avec cette réserve importante: parce qu'il privilégie l'absoluité métaphysique des mathématiques, pour, on le devine, restaurer dans leur antique splendeur les philosophèmes de l'absolu et du métaphysique, Meillassoux en éclipse l'historicité et la contingence propres. Tout se passe comme si la science, mathématique ou physique, nous était donnée par une révélation surnaturelle. Ce qu'est positivement le réalisme prôné par Meillassoux reste toutefois une question ouverte: «la question demeure obscure. Mais notre propos n'était pas ici de traiter de la résolution ellemême.»[14]

Revenons au procès fait à Kant. Est-ce que vraiment, comme le croit Meillassoux, Kant aura renoncé «à toute forme d'absolu, en même temps qu'à toute forme de métaphysique»[15]? Nous ne le croyons pas: de par son projet fondamental qui est celui d'une part de fonder en science la métaphysique (selon le programme clairement présenté dans les *Prolégomènes*) et, d'autre part, de réserver une place *(Platz)* non spatiale – c'est l'*Aufhebung* – à la philosophie de la liberté, le philosophe de la *Critique* n'aura jamais cessé de réactiver cet absolu qu'il loge dans la science *a priori* dont il distingue deux formes: la mathématique et la morale. Deux et non une, tout est là.

Même en science et surtout là malheureusement, Kant ne renonce pas à la métaphysique, quoi qu'en veuille Meillassoux. Nous l'avions rappelé, Kant s'est

---

[13] Quentin Meillassoux, Après la finitude. Essai sur la nécessité de la contingence, Paris, Seuil, 2006, p. 196.

[14] Ibid., p. 190.

[15] Ibid.

épuisé en vain, dans ses dernières années, à établir entre son système de principes métaphysiques et la science newtonienne un passage qu'il n'arrive pas à faire tenir architectoniquement. Le problème est que la science n'a besoin de rien. Et Kant, qui n'aura eu de cesse de pourfendre le réalisme transcendantal, se montre là particulièrement réaliste métaphysique: il ne peut accepter qu'avec la science newtonienne commence un régime qui ne requiert plus comme auparavant que l'objet mathématique soit produit à même l'intuition ou encore que le phénomène physique s'explique au départ d'un concept métaphysique, selon le modèle aristotélicien. Le problème que soulève Quentin Meillassoux n'est pas celui de Kant, il est celui de la science mathématique qui, dans son application aux phénomènes physiques, n'a pas plus besoin d'explication métaphysique (qui nous dirait ce qu'*est* cette force si bizarre dont l'attraction est universelle) que de construction géométrique comme lieu où se ferait la recherche fondamentale. Et ce problème n'en est pas un…

La confusion, dont on voit maints exemples dans le livre de Meillassoux, entre la *logique formelle* de l'entendement pur, qui forge le concept de chose en soi, et la *science*, qui articule entendement et sensibilité de manière fort complexe chez Kant, est plus ou moins excusable dans la mesure où la science moderne au XVIIIème siècle a pris le tour scripturaire qu'on lui connaît et qui la fait ressembler davantage à une construction purement intellectuelle que sensible-*et*-intellectuelle. La science fonctionne très bien sans régler les problèmes du corrélationnisme, que cette mutation des paradigmes aura de toute façon brouillés au-delà du reconnaissable, la reléguant à ce qu'elle est, une simple pensée de philosophes. Et la grande question, nous le répétons, est celle de cette faculté propre à la science, de fonctionner très bien loin du «sol de l'intuition» et surtout loin de tout ancrage métaphysique, et de pouvoir agir, hors imagination, hors perception, sur la réalité. Quentin Meillassoux peut le regretter et appeler de ses vœux un réalisme qui restaurerait l'un et l'autre, l'intuition et la métaphysique: la faute n'en incombe ni à Kant, ni même peut-être à ses interprètes plus récents. Tout procède de la manière dont la science se *fait*, et ce n'est même pas une faute.

La science, pour Kant, constitue un fait: il existe de la science. Et, nous l'avons dit, une facticité: il faut, pour qu'elle existe, que quelqu'un l'ait faite. Ces deux déterminations persistent de la géométrie euclidienne à la mathématique eulérienne, d'une science où tout se trace et se voit à une science où tout s'écrit et se lit. De l'une à l'autre, a dis-paru la médiation constructive – dessin, construction géométrique, écriture algébrique, écriture philosophique, etc. Tout se passe comme s'il n'y avait pas de matérialité propre à la science tandis que celle-ci semble se rendre totalement transparente à un objet qui en même temps est et qui n'est pas elle. On le constate très précisément lorsque Quentin Meillassoux transforme l'objet mathématique en objet en soi:

> Pour réactiver en termes contemporains la thèse cartésienne, et pour la dire dans les termes mêmes où nous entendrons la défendre, on soutiendra donc ceci : *tout ce qui de l'objet peut être formulé en termes mathématiques, il y a sens à le penser comme propriété de l'objet en soi*. Tout ce qui, de l'objet, peut

> donner lieu à une *pensée* mathématique (à une formule, à une numérisation), et non à une perception ou une sensation, il y a sens à en faire une propriété de la chose sans moi, aussi bien qu'avec moi.[16]

L'objet en soi est devenu l'objet sans moi. On ne peut qu'admirer la virtuosité si française du trait d'esprit. Le réalisme se cristallise dans cette position particulière où l'objet peut se passer de moi, en ce qu'il est en soi, pour prix de sa mathématisation possible. Cette thèse brillante ne tient que si l'on consomme l'oubli de ce que le travail du mathématicien, dans le constructivisme euclidien, consiste à atteindre au départ de la réalité empirique, *par son activité traçante même*, l'idéalité transcendantale en laquelle a disparu sa subjectivité, c'est-à-dire sa personnalité particulière, sinon singulière. C'est ce que Meillassoux sollicite de la mathématique, sans jamais s'en expliquer, lorsqu'il parle de la «pensée mathématique» alors que sa pensée est ouvertement philosophique. Ordinairement, scolastiquement même, une telle chose en soi est bel et bien une production de l'entendement, c'est-à-dire une entité logique: elle est en soi parce qu'elle est universelle, la même pour tous. La confusion entre le logique et le mathématique aura été une tentation très forte en philosophie des mathématiques, comme on le sait avec l'aventure du Programme d'Hilbert et cela tient à ce que l'objet mathématique, en cessant d'être *construit* (comme une image strictement réglée) pour être désormais *écrit* (selon une surécriture tout aussi strictement réglée et constamment maintenue en vue par un appareillage scripturaire très dense qui le commente, l'explique et le dialectise), semble être devenu une pure chose d'esprit et d'écriture. Mais l'écriture mathématique n'est pas une simple écriture philosophique, et vice-versa: elle ne dit pas non plus la même chose, d'une manière plus compliquée, ésotérique, illisible... Elle dit tout autre chose et elle le dit tout autrement. C'est ainsi qu'il n'y a pas autre chose que des choses en soi en mathématiques et la qualification devient alors triviale, d'autant plus que toutes les entités mathématiques sont créées de main d'homme.

Le travail de construction, avec l'avènement de la science moderne, aura progressivement migré de l'image-écriture géométrique vers l'écriture-sans-image algébrique. Que ce soit chez Kant ou chez Meillassoux, l'essentiel demeure que, toutes contingentes qu'elles soient, les mathématiques puissent ouvrir sur l'*a priori*, c'est-à-dire sur une connaissance qui comporte du nécessaire ou de l'absolu et qui par conséquent referme l'objet sur lui-même, lui conférant une existence factuelle indifférente au fait que c'est un être humain qui l'a découverte; et cela concerne d'ailleurs la géométrie en général et non pas Descartes ou Kant en particulier. Sur ce point, l'on peut même envisager que Meillassoux puisse être d'accord avec nous.

L'homme, que ce soit Thalès ou quelqu'un d'autre, qui le premier a *découvert* cette connaissance *a priori* est celui-là même qui l'aura *inventée*, et sur ce dernier

[16] Ibid., p. 15-16.

point, Meillassoux se trompe du tout au tout lorsqu'il assimile la révolution copernicienne dont l'image sert à illustrer l'idéalisme transcendantal kantien à une contre-révolution ptolémaïque…

Que se passe-t-il? La signification de l'*a priori* a été perdue et la révolution copernicienne est redevenue la petite vignette sortie de son contexte que l'on voit en tête des lieux communs à produire de manière très scolaire à l'occasion de l'un ou l'autre examen. Une lecture plus ample du texte, et surtout davantage bienveillante, livrera pourtant toutes les clefs, comme nous allons le voir. Voici d'abord l'énoncé philosophique qu'il faut lire pour lui-même.

> Nous ne connaissons *a priori* des choses que ce que nous y mettons de nous-mêmes.[17]

L'*a priori* ne gît pas dans l'*a posteriori* et les lois mathématiques ne se laissent pas observer en philosophe; elles sont produites par *Konstruktion*, ce que le reste du texte détaille: le premier mathématicien qui s'est intéressé au triangle équilatéral eut une illumination, en ce sens que le tracé du triangle (pas plus que son concept) ne le ferait avancer. Il lui fallait «produire» *(hervorbringen*, littéralement amener en dehors, faire ressortir*) durch Konstruktion*, au moyen d'une construction…:

> Dem ersten, der den gleichseitigen Triangel demonstrierte (er mag nun Thales oder wie man will geheißen haben), dem ging ein Licht auf: denn er fand, daß er nicht dem, was er in der Figur sah, oder auch dem bloßen Begriffe derselben nachspüren und gleichsam davon ihre Eigenschaften ablernen, sondern durch das, was er nach Begriffen selbst *a priori* hineindachte und darstellte (durch Konstruktion), hervorbringen müsse, und daß er, um sicher etwas *a priori* zu wissen, er der Sache nichts beilegen müsse, als was aus dem notwendig folgte, was er seinem Begriffe gemäß selbst in sie gelegt hat.

La bévue si commune à propos de ce passage commence dans l'incompréhension de cette affaire de *Konstruktion* et se poursuit par l'amalgame entre, d'une part, une connaissance qui est *a priori* et qui est construite, nécessairement par le sujet de la connaissance, bien que rien de sa propre subjectivité n'y paraisse, et, d'autre part, une connaissance générale qui peut être aussi bien celle du concept empirique que celle de l'objet empiriquement donné.

Résumons: nous, les humains, sommes contingents, quant à notre être, pris un par un, et pris dans sa plus grande généralité. Le monde pourrait très bien exister sans que nous existions et c'est cette pensée-là, qui inspire fondamentalement la position de Quentin Meillassoux: il a raison. Au-delà même de cette contingence du fait humain, se surajoute la contingence de ce qu'il y ait ou non de la science, et l'humanité a longtemps vécu dans d'autres régimes que celui de la rationalité proprement scientifique. Mais dès qu'il y a de la science, très mystérieusement, de par un processus où la mathématisation et la validation expérimentale s'influencent respectivement et dialectiquement, il y a de l'*a priori*, mais celui-ci

[17] KrV, BXVIII, p. 743.

s'élève en se détachant inexorablement de tout «sol de l'intuition» et d'explication métaphysique.

Est-ce que Kant est vraiment l'emblème de la catastrophe de la Modernité?

Le livre de Quentin Meillassoux se termine sur l'apologie du matérialisme spéculatif, auquel la philosophie aurait renoncé lorsqu'elle a «pensé pour la première dans toute sa rigueur la primauté du savoir de la science»[18]. Il conviendrait, demande Meillassoux, que l'on prenne le chemin d'une *«pensée capable de rendre compte de la portée non-corrélationnelle des mathématiques»*[19] et, ajoutons-le, il serait bon que l'on restaure la place architectonique de la pensée mathématique au sein même de l'œuvre critique, en tenant compte de l'histoire des idées scientifiques selon sa propre séquence de paradigmes. La raison en est que l'on ne peut pas espérer comprendre l'écriture mathématique dans toutes les déterminations que Meillassoux lui reconnaît si d'une part, l'on ne l'envisage pas comme moment s'originant dans l'écriture-image géométrique – qui aujourd'hui encore reste valide, malgré sa relative pauvreté – et, d'autre part, si l'on n'entre pas de plain-pied dans une réflexion, au-delà de Jacques Derrida pour ne citer que lui, sur la phénoménologie de l'écriture, avec son ambivalence entre le texte qui survit à son auteur et se comporte toujours déjà comme un archifossile et l'activité même d'écrire avec sa dimension d'idéation. En laissant perdre l'objet *construit*, il ne reste à la philosophie que l'objet comme *donné*, avec sa fétichisation de plus en plus obsessionnelle de la finitude: reste que l'objet *donné* ne l'est jamais que dans l'écriture, philosophique, phénoménologique, proliférante, qui devant l'amenuisement du phénomène comme rien-que-phénomène, finit par se réduire à elle-même, pur geste d'écrire en-deçà de la pétrification dogmatique portée par tout texte et reproduisant à son insu l'amusant chat du Cheshire, qui disparaît progressivement, ne laissant subsister *in fine* que son sourire.

Conclusion – La finitude

La catastrophe que Meillassoux assigne à Kant est en fait celle, bien plus ample, de la modernité. Kant peut être génial, il n'aura pas pu produire les dégâts que Meillassoux lui prête et que celui-ci n'est pas non plus assez génial pour réparer. Qu'attendre en effet de la «restitution mathématique, [...] d'une réalité supposée indépendante de l'existence de la pensée»? Rien, en ce qui concerne la motivation profonde dont le réalisme est le symptôme, car l'être humain n'est pas réel de la même

[18] Quentin Meillassoux, Après la finitude, op. cit., p. 178.
[19] Ibid., p. 179.

réalité que ce qu'il rencontre dans ce «Grand Dehors» que la «restitution mathématique» devrait atteindre. Et la réalité de l'être humain, celle qui justement le jette dans les affres du questionnement, ne peut aucunement être rencontrée par la science mathématique.

Le faux-pas du réalisme, dans sa plus grande généralité, naît d'une confusion bien plus large, caractéristique de la modernité, entre la réalité, celle de la science autant que celle du monde de moins en moins habitable aux humains et la non-réalité, c'est-à-dire ce qui ne fonctionne pas comme elle: ce qui fait que les humains ne sont pas des réalités totalement quantifiables, mesurables, numérisables. La chose en soi dont Kant voudrait qu'elle soit exempte de contradiction est, à ses yeux, davantage importante en ce qui concerne la liberté qu'en ce qui touche à ce qui ourle de nouménalité la phénoménalité donnée d'un monde. C'est en ce sens que l'enseignement de Kant reste précieux et bon à penser – et donc à penser au-delà de ce qu'il énonce, en direction d'une vie à vivre ici et maintenant – parce que l'homme est cet être certes fini mais qui, dès qu'il agit, s'ouvre à l'infini. Il n'est pas nécessairement infini, mais il est capable d'infinité et cela, de manière contingente. Et dès qu'il effleure cette infinité, il en ressent la nécessité propre qui est celle de la liberté.

Réalismes et systématique

Vers la plasticité

Florian Forestier

L'objet de ce texte est d'interroger l'écart entre le nouveau réalisme et la perspective transcendantale telle qu'elle est actuellement réinvestie par un certain nombre de projets philosophiques. Cette mise en regard concerne autant le contenu assertif de ces perspectives, l'espace conceptuel que toutes deux impliquent, et l'adresse singulière que chacune constitue. Notre thèse en effet est que nouveau réalisme et philosophie transcendantale partagent, à leur corps défendant, un certain nombre de principes de construction, et que la différence de ces pensées réside bien plutôt dans le type de demande à laquelle leur formulation entend répondre. L'importance du nouveau réalisme en ce sens est liée aux implications de la philosophie, à ce à quoi il entend répondre autant qu'à l'attitude que son adoption semble appeler, plutôt que dans le contenu des thèses qu'il défend ou les arguments qu'il apporte.

Dans un premier temps, il s'agit d'esquisser un tableau d'ensemble des problématiques du nouveau réalisme, dans leur proximité et dans leurs écarts avec la phénoménologie, transcendantale ou non. Je m'appuie pour cela sur les racines conceptuelles de ce réalisme chez Deleuze et Badiou, mises en parallèle avec l'évolution de ce que László Tengelyi et Hans-Dieter Gondek ont pu qualifier de nouvelle phénoménologie française, chez Marion et Richir en particulier. Je dégage deux axes de tensions: la question du sens d'une part, celle de la *mise en œuvre* et de la réalisation de la pensée d'autre part. Dans un deuxième moment, pour clarifier les enjeux de la question du sens, j'analyse plus explicitement la perspective défendue par Quentin Meillassoux au prisme d'un cadre transcendantal dont la *phénoménologie génétique* de Richir ou la *phénoménologie générative* d'Alexander Schnell peuvent donner l'exemple, en examinant la possibilité de l'y retraduire. Enfin, je défends une conception de la façon dont la philosophie peut se déployer à partir de ce cadre transcendantal sans cependant s'y limiter. Cette conception implique d'articuler deux dimensions: la systématicité et la plasticité.

I) La constellation réaliste

1)

La réaffirmation de l'ambition de la philosophie à l'absolu n'a cessé d'accompagner comme son ombre les tournants langagiers, structuralistes, post-modernistes et déconstructionistes de la philosophie. Elle fut liée dès les années 60 et 70 à une réaffirmation de la spécificité de cette pensée et du milieu dans lequel celle-ci se déploie; la réaffirmation, autrement dit encore, des pouvoirs du *concept*. Deleuze, dès *Différence* et *répétition* et *Logique du sens*, entend ainsi reconduire les problématiques du sens et de la genèse hors de leurs ententes «phénoménologique» et «langagière», pour lui prisonnières de l'ordre de la représentation. La philosophie pense par concepts; le concept tel que Deleuze le comprend élabore ce qu'on ne peut *que* penser, ou plus précisément sans doute ce que la philosophie seule peut penser, en rupture totale aux ordres plus ou moins sophistiqués de la représentation. Comment, en effet, la pensée «pourrait-elle éviter de penser ce qui s'oppose le plus à la pensée?[1]». Deleuze met pour cela en avant la catégorie kierkegaardienne du paradoxe. Celui-ci n'est pas seulement source de sidération; la philosophie se déploie au sein même du paradoxe, l'affirmant, l'assurant, l'habitant sans chercher à le surmonter, elle le met en quelque sorte en mouvement, en déplie la puissance spéculative. Cette conception implique bien sûr que la philosophie dépasse – et parfois défasse – le champ d'une rationalité aux normes préconstituées, qu'elle se comprenne aussi comme réinvention permanente de ses coordonnées et réinstitution de son lieu. Elle est ainsi pour Deleuze un art du tissage et «la philosophie commence nécessairement par le tissage de l'être et de la pensée [...][2]».

L'arrachement de la pensée philosophique aux ordres langagiers et à la structure du représentable est aussi bien au cœur du projet d'Alain Badiou. Celui-ci, plus lacanien, souligne pour sa part le *vide* de la vérité, le vide constitutif de la dimension de la vérité qui est constitutivement d'abord ce que l'esprit rencontre sans pouvoir le comprendre. Il ne saurait y avoir *une loi de la vérité*[3]; la dimension de la vérité est celle d'un in-appropriable à tout régime imaginaire, et d'une certaine façon, à tout régime de savoir (au sens de savoir approprié et maitrisé par la pensée). On peut noter ici que, comme Deleuze, mais sur un autre plan, Badiou se rattache à une thématique kierkegaardienne: celle d'une vérité à laquelle nous ne serions pas d'abord accordés, d'une vérité qui nous ferait trancher, dont nous ne pourrions rien faire mais qui nous imposerait à nous décider par rapport à elle. Grégori Jean, dans un très bel article, analyse d'ailleurs très bien ce déplacement de la conception de la vérité chez Kierkegaard, telle qu'exposée dans le *Post-scriptum aux Miettes philosophiques*: déplacement à la fois «hors de l'être» et hors du

---

1 Gilles Deleuze, Différence et répétition, Paris, Presses universitaires de France, 1969, p. 292.

2 Pierre Montebello, Deleuze. La passion de la pensée, Paris, Éditions Joseph Vrin, 2008.

3 Alain Badiou, Saint Paul. La fondation de l'universalisme, Paris, Presses universitaires de France, 1998.

schéma déjà platonicien d'une vérité à laquelle notre pensée serait déjà préaccordée[4].

2)
On remarquera cependant que ce déplacement est aussi au cœur de la nouvelle phénoménologie française et du déplacement que celle-ci tente de mettre en oeuvre. En effet, prendre acte d'un excès du réel sur le penser et la pensée sans revenir au primat du penser, tel est bien le projet de la phénoménologie. C'est le projet explicite des phénoménologies présentées par Tengelyi et Gondek comme constituant la *nouvelle phénoménologie française*[5]. Ce mouvement, sur un de ces versants, appelle à une détranscendantalisation progressive de la phénoménologie, dont l'émergence des thématiques de l'événement et de l'événementialité, de l'interlocution, de la donation et de la saturation constituent une forme de systématisation. J'ai tenté dans *Le réel et le transcendantal*[6] de montrer les contradictions de cette tendance, les tenants d'un abandon de la phénoménologie ayant d'ailleurs beau jeu de déceler l'ombre du transcendantal au sein de telles tentatives de détranscendantalisation[7].

Plus porteur me semble le mouvement parallèle qui entend lui radicaliser la perspective transcendantale jusqu'à exposer les enjeux du transcendant ou du réel à partir de ses propres coordonnées, lesquelles seraient même nécessaires pour exposer le plein droit et le plein contenu de ces enjeux. Ces interrogations, que nous qualifions de réalistes, se retrouvent en fait au sein de la plupart des transcendantalismes phénoménologiques récents. J. English fait par exemple[8] de cette structure d'extériorité la racine du transcendantalisme de Husserl: la structure transcendantale correspond selon lui à '*explicitation* de la constitution des «structures de sens». L'enjeu n'est pas seulement de *dire* que la pensée pense toujours plus qu'elle-même, mais de *comprendre la façon* dont elle se nourrit, se transforme, et se construit sur fond de cette exposition. Cette structure est également posée

---

4 Grégori Jean, «Kierkegaard et le problème de la vérité dans la philosophie française», in Kierkegaard et la philosophie française. Figures et réceptions, dir. Joaquim Hernandez-Dispaux, Grégori Jean et Jean Leclercq, Louvain, Presses universitaires de Louvain, 2015, p. 183.

5 Hans-Dieter Gondek et Laszlo Tengelyi, Neue Phänomenologie in Frankreich, Berlin, Suhrkamp, 2011.

6 Florian Forestier, Le réel et le transcendantal, Grenoble, Éditions Jérome Millon, 2015.

7 Je partage totalement les réserves qu'exprime Jocelyn Benoist soulignant l'inconsistance «grammaticale» des concepts d'apparaître ou d'événement (en particulier dans Logique du phénomène, Paris, Éditions Hermann, 2016, ainsi que dans l'entretien avec Raoul Moati publié en deux parties par Actu Philosophia: www.actu-philosophia.com/spip.php?article668#nb1; www.actu-philosophia.com/spip.php?article669). Je ne rejoins cependant pas les conclusions de Benoist sur l'impossibilité de toute phénoménologie: celle-ci doit seulement selon moi assumer une dimension transcendantale.

8 Jacques English, Sur l'intentionnalité et ses modes, Paris, Presses universitaires de France, 2005.

comme un thème explicite par Marc Richir[9]: on ne peut en effet chez Richir parler d'expérience qu'en tant qu'elle est expérience de quelque chose, et de pensée qu'en tant que cette pensée est habitée d'un excès. Le réel n'a à être ni gagné ni rejoint; il est une structure *a priori* de la problématique phénoménologique, et toute phénoménologie qui s'efforce de comprendre la pensée doit la comprendre comme pensée d'autre chose que d'elle-même. Les liens de la phénoménologie et de la perspective transcendantale sont enfin au cœur du projet élaboré par Alexander Schnell[10].

3)
Cette proximité ne conduit pas bien sûr la conciliation de la phénoménologie avec le nouveau réalisme. Elle permet encore moins d'imposer l'identification paradoxale de la philosophie transcendantale et de ce réalisme, car celui-ci veut clairement rompre avec sa terminologie: cette volonté de rupture doit être prise au sérieux. Il s'agit de chercher ailleurs et plus précisément le point de divergence de ces pensées, ce qui implique deux questions distinctes quoique liées.

a) La première est celle du *sens*. Ce terme n'est pas employé dans son acception sémantique, l'assimilant à un assemblage d'unités signifiantes stabilisées, découpées et articulées. Par sens, est désigné le «lieu» ou la «modalité» concrète d'ouverture de la pensée sur son dehors. Le mot sens nomme la *sensibilité de l'extériorité*. Avec les mots de Jean-Luc Nancy:

> Le sens est l'ouverture d'un rapport à soi : ce qui l'initie, ce qui l'engage et ce qui le maintient à soi dans et par la différence de son rapport. (« Soi » désigne ici tout autant le « soi-même » du « sens », si on peut en parler, que toute constitution de « soi », saisie comme « identité », ou comme « subjectivité ».)[11]

En d'autres termes, la problématique du sens est celle de la concrétisation du nouveau réalisme au-delà de la simple *affirmation* de son programme. Que signifie l'assertion d'une sortie de soi de la pensée? Comment donner à cette affirmation un *contenu* dont la philosophie puisse effectivement faire quelque chose? Comment comprendre la mise en mouvement de la pensée par le réel qu'elle touche? Cette problématique a été au cœur de la pensée de Deleuze. Elle est aussi de plus en plus présente dans la pensée de Badiou (en atteste le titre du troisième tome de *L'être et l'événement* en cours de rédaction: *L'immanence des vérités*). De manière indirecte, elle structure aussi fortement les développements de la pensée de Meillassoux. Sur ce point, je vais tenter de montrer que le cadre transcendantal est plus satisfaisant pour appréhender la *problématique philosophique du sens*, donc pour élaborer les coordonnées de ce qui est le projet même du réalisme spéculatif.

---

9 Florian Forestier, La phénoménologie génétique de Marc Richir, Dordrecht, Springer, 2014.

10 Alexander Schnell, La déhiscence du sens, Paris, Éditions Hermann, 2015.

11 Jean-Luc Nancy, *Une pensée finie*, Paris, Éditions Galilée, 1990, p. 16.

b) La seconde question est celle de l'*efficace* de la pensée, ou plus exactement de la conséquence de cette ouverture de la pensée au réel sur la conception qu'on propose de la philosophie, son écriture, ses implications. C'est avec cette problématique en effet que Patrice Maniglier a introduit le débat entre Quentin Meillassoux et Ray Brassier à Paris le 19 octobre 2016 lors du colloque *Choses en soi: métaphysique et réalisme aujourd'hui*. Si le sens constitue le point de rencontre entre nouveau réalisme et nouveau transcendantalisme, si les enjeux systématiques de la problématique du sens, de son élaboration, de son exposition, travaillent l'une et l'autre tendance, la question des *implications* de la pensée, de son *efficace* et sa *mise en œuvre* (ou encore: de ses incidences) en est le point de friction. D'une certaine façon, dire que la pensée pense plus qu'elle-même est un truisme. Le *fait de le dire*, de le rappeler et de le souligner, est hautement significatif.

II) Le réalisme spéculatif, les mathématiques et la science

1)
Constater que nous sommes capables de penser notre absence, que nous sommes capables de faire quelque chose de cela même qui échappe à toute donation immédiate et à toute évidence représentationnelle est une chose; statuer sur le type de consistance de ce sens en est une autre. Que nous puissions penser le «grand dehors» est un fait; que nous sachions ce que nous en pensons, en quoi nous le pensons ou pensons quelque chose en le pensant, est au contraire une énigme. Comment la pensée philosophique du grand dehors, au-delà, comment la pensée *de la nécessité de penser le grand dehors*, peuvent-elles avoir un *contenu*? Tel est bien selon nous l'enjeu philosophique du réalisme spéculatif. Pour se déployer véritablement en tant que philosophie et système philosophique, celui-ci doit dépasser le contact ou l'assertion de ce que la pensée a affaire à un hors d'elle-même, à un excès aux prises avec lequel elle se développe, pour se donner les moyens de faire quelque chose de ce constat. Celui-ci en effet n'a pas de sens à être simplement posé. La philosophie ne peut se contenter d'affirmer monotonement que le réel est autre chose que la pensée et que la pensée est pourtant capable de le penser; elle ne le peut, au risque de tomber dans un cercle formel plus autotélique encore que le «cercle corrélationnel» qu'elle dénonce.

Il faut ici insister sur une distinction importante pour le sens du projet réaliste spéculatif, et que ses défenseurs ne prennent pas toujours le temps d'expliciter. En effet, il est important de distinguer trois assertions distinctes pour prendre la mesure de leurs implications.

a) *La pensée pense toujours autre chose qu'elle-même*: comme telle, l'assertion est une sorte de tautologie, un truisme grammatical, pour reprendre les termes de Jocelyn Benoist; elle constitue plutôt une condition de la philosophie qu'un problème: ainsi, chez Marc Richir, une phénoménologie du sens doit structurellement assumer que le sens est toujours et constitutivement sens d'autre chose que de lui-même et s'exposer selon ces paramètres.

b) *La pensée est parfois capable sous certaines conditions et par certains moyens de sortir d'elle-même*: l'acception du terme de pensée est ici différent, et introduit une seconde problématique qui est celle de la *vérité*. Il ne s'agit plus de rendre compte de l'expérience du penser comme expérience du sens se faisant, mais de la possibilité de la connaissance se formant au sein de ce penser. Comment rendre compte de la capacité de la pensée à se placer dans l'horizon du vrai?

c) La *philosophie* est capable philosophiquement et par ses propres forces de rencontrer un réel spécifique, c'est-à-dire de le rencontrer dans son absolue indépendance à l'égard de la pensée et de rendre compte (de légitimer, puisque Meillassoux utilise explicitement ce terme[12]) du statut de cette extériorité.

Il faut bien s'entendre sur les différents niveaux auxquels on appréhende la problématique au risque de confusions: la position philosophique du réalisme spéculatif implique surtout d'en questionner les second et troisième volets. Dans les paragraphes suivants, je m'attacherai plus précisément aux développements consacrés à cette question par Meillassoux dans *Après la finitude*.

a) Avec l'argument de l'ancestralité, Meillassoux insiste sur le fait que la pensée pense au-delà de la représentation, qu'elle accède à de l'être au-delà du représentable, capture des traits ontologiques du réel irréductibles à toute expérience potentielle. Ici, l'influence de Badiou est nette: pour Badiou en effet, la logique de l'être n'est pas la logique de l'apparaître, tout l'enjeu de *Logiques des mondes* étant de comprendre ce qui dans la structure de l'apparaître permet de le «traverser» vers l'être. En distinguant ainsi les plans de l'apparaître et de l'être, Badiou (et après lui Meillassoux) souligne la distinction de la représentation et de la pensée. Dire que la pensée peut sortir d'elle-même n'implique pas qu'elle en sorte tout le temps (ou que toute expérience consciente d'un sens se faisant, d'une compréhension, mérite le nom de pensée) et systématiquement. Il s'agit bien aussi de déterminer les conditions auxquelles quelque chose possédant une véritable densité ontologique peut être effectivement révélé à la pensée. Meillassoux, comme Badiou, se méfie autant du corrélationisme que du réalisme contextualiste wittgensteinien et de la façon dont celui-ci «déproblématise» la question du réel au profit des multiples prises normatives que nous aurions sur lui[13].

b) D'autre part, en posant que la contingence est la seule nécessité, Meillassoux entend légitimer cette capacité de la pensée à dire quelque chose du réel dans

---

[12] Quentin Meillassoux, Après la finitude, Paris, Éditions du Seuil, 2006, p. 51.

[13] Cf. Jocelyn Benoist: «Etre réaliste, c'est devenir capable de bien distinguer ce qui relève de la réalité et ce qui relève des prises normées que nous exerçons sur celle-ci, y compris celles qui ont par rapport à elle valeur d'identification. Tout ce qui est de l'ordre du sens tombe dans cette deuxième catégorie. Il faut donc apprendre à désintriquer le sens de la réalité et à ne pas le traiter ontologiquement, si on veut dégager le sens même que prend le concept de réalité, dans son étrangeté au sens, suivant les circonstances.», Entretien pour le site Actu Philosophia, op. cit., http://www.actu-philosophia.com/spip.php?article399

sa pleine indépendance. Il s'agit bien là en d'autres termes de la part proprement philosophique de cette problématique. L'argument de l'ancestralité montre que la philosophie est obligée, pour être cohérente avec elle-même, d'assumer que la science mathématisée est capable de saisir l'être au-delà de toute représentation et de toute expérience phénoménologique. La philosophie doit alors attester et légitimer cette possibilité et démontrer 1) que la pensée est capable d'accéder à un absolu, qui est celui de la nécessité de la contingence comme seule nécessité 2) la façon dont l'accès à cet absolu fonde la possibilité de la physique mathématique.

2)
Meillassoux demande donc explicitement à la philosophie de rendre compte de la possibilité des énoncés ancestraux[14]. Dans le même mouvement, il invite à assumer non seulement l'objectivité, mais la vérité factuelle de ces énoncés; toute la question est alors *celle du sens de cette exigence de légitimation* et de ce glissement vers une acception forte du statut de l'objectivité. On peut tout à fait penser que la démarche même de la science ne peut être que mutilée par l'interprétation que Meillassoux en donne et par le type de légitimation qu'il demande pour elle.

a) Il faut d'abord souligner que toute la difficulté de la physique contemporaine est précisément de jouer à la lisière du formalisme mathématique et d'interprétations susceptibles de lui donner un sens physique. Un champ capital de cette physique s'appelle d'ailleurs *phénoménologie* – il désigne la mise en relation de la théorie fondamentale (formelle) et des observations empiriques. La physique en d'autres termes ne peut s'affranchir tout à fait d'un certain ordre de la représentation – elle ne peut rester physique qu'en se construisant à l'interface de la représentation et de la mathématisation. En d'autres termes, elle ne cesse en quelque sorte de mettre en mouvement et d'élargir le «cercle corrélationnel» dénoncé par Meillassoux, mais d'une certaine manière en se nourrissant de lui.

On ajoutera que, pas plus que la physique n'est pure théorie formelle, la phénoménologie n'est pure théorie de la présence. Tout l'enjeu de la nouvelle phénoménologie (de la «phénoménologie de l'inapparent» heideggérienne à la phénoménologie de la trace levinassienne, à l'archi-écriture derridienne, aux *wesen* sauvages richiriens) est précisément de rendre compte d'une expérience qui n'a de sens que «trouée». Les contenus représentatifs sont déjà eux-mêmes lestés d'extériorités; l'expérience de la présence, dirait-on dans un langage heideggérien ou derridien, est toujours d'une certaine façon expérience de sa fin ou de ses limites, articulée et structurée par du non présent, par ce jeu de traces, de signes, de *wesen* sauvages, selon qu'on veuille prendre le vocabulaire de Levinas, Derrida ou de Richir.

b) Une deuxième question peut être adressée à Meillassoux: si l'énoncé réaliste de la science épuise réellement sa signification, alors précisément, pourquoi le légitimer, et pourquoi cette légitimation devrait-elle attester d'une portée *ontologique*? Pourquoi ne pas assumer au contraire que la langue scientifique et mathématique déploie ce qu'il y a à saisir et comprendre du réel, sans qu'il soit aucun

14 Quentin Meillassoux, Après la finitude, op. cit., p. 51.

besoin de réinterpréter ce réel en aucune langue philosophique, fût-ce celle de l'être et de l'étant? Badiou, d'ailleurs, est d'une certaine façon plus prudent à ce sujet que Meillassoux, tant sur le sens de la portée ontologique des mathématiques que sur le sens qui peut être donné au mot être et à l'idée d'ontologie: les mathématiques, écrit-il, sont l'ontologie au sens où elles sont la seule forme discursive possible éligible comme l'ontologie. Si quelque chose mérite d'être appelé ontologie, il ne peut s'agir que des mathématiques, et les concepts d'être ou d'étant ne peuvent avoir d'autre sens que de désigner ce que déploient les mathématiques. Ainsi, «(...) la thèse que je soutiens ne déclare nullement que l'être est mathématique, c'est-à-dire constitué d'objectivités mathématiques. C'est une thèse non sur le monde, mais sur le discours.[15]» Les mathématiques ne modifient pas seulement le lieu de l'ontologie, mais son *sens*.

c) En quelle mesure dès lors l'assomption de la *réalité* de l'énoncé scientifique doit-elle s'exprimer *philosophiquement* par l'affirmation de sa portée ontologique? Pourquoi, en premier lieu, demander l'explicitation philosophique de la réalité exprimée par l'énoncé scientifique plutôt qu'assumer le fait que la science détermine d'elle-même et pleinement le sens du réel? Meillassoux, on le voit, refuse bien sûr ce renversement, même si celui-ci est de fait effectivement survenu, épochalement dirait Heidegger, au sein même de notre rapport aux choses.

Plus profondément, pourquoi lui imposer la structure (pour le coup très philosophiquement située) de la proposition apophantique? N'y-a-t-il pas là une mécompréhension de la forme moderne et contemporaine de la théorie scientifique même et de ce qui sous-tend la constitution de l'objectivité scientifique? En effet, tel était d'ailleurs déjà la grande constatation de la révolution kantienne, la physique post-galiléenne et post-newtonienne présuppose une *légalisation a priori* du sens de l'objectivité, une *constitution* du cadre au sein duquel les interactions, relations causales, attributions de réalité, etc., prennent sens[16], cadre qui rencontre nécessairement le réel globalement. Une telle évolution modifie le statut de l'objectivité, impose une séparation drastique entre objectivité et ontologie: l'objet n'est plus un format pour penser l'être mais un cadre nécessairement pluriel à construire pour se tourner vers extériorité. En d'autres termes, l'objet devient la forme même de notre affrontement au réel et la manière dont nous en rendons compte; il n'a pas à être enraciné ou fondé, dans la mesure où il est cette procédure même d'extraction de la connaissance. Dès lors, il faut comprendre aussi que le langage de cette physique ne constitue pas un «reflet» du monde, dans lequel les mots correspondraient «de façon bi-univoque à des ‹moellons› de la réalité[17]».

---

15 Alain Badiou, L'être et l'événement, Paris, Éditions du Seuil, 1988, p. 14.

16 Cf. Jean Petitot, «Philosophie transcendantale et objectivité physique», in Philosophiques, 24, 2, 1997, p. 367-388.
www.erudit.org/revue/PHILOSO/1997/v24/n2/027459ar.pdf

17 Bernard d'Espagnat, Traité de physique et de philosophie, Paris, Éditions Fayard, 2002, p. 227.

3)
a) Plus avant encore, la façon dont Meillassoux fait de la structure mathématique le porteur ultime de réalité est en matière même d'histoire des sciences contestable. Il faudrait sur ce point questionner de manière bien plus précise le sens du passage progressif de la physique aristotélicienne à la physique newtonienne[18]. Il faudrait d'autre part interroger plus précisément les transitions ultérieures, entre physique galiléenne et physique newtonienne, ainsi que le sens de la mathématisation lagrangienne de la physique newtonienne, et tout autant la façon dont le sens de ces mathématiques se complexifie avec les réflexions et applications de Poincaré, d'Einstein, dans la relativité générale, et d'une autre façon encore avec la mécanique quantique. Je ne peux ici revenir sur les développements que Richir a consacrés dans *La crise du sens et la phénoménologie*[19] à la question de l'institution d'un certain usage du rapport des mathématiques au réel dans la science moderne. Je me bornerai à souligner que Richir présente ce rapport comme une tension: tension entre la détermination supposée absolue et mathématique du monde et le caractère indéfiniment en progrès de la science, entre la détermination postulée complète des choses et le caractère infini du processus de la science progressant, tension double, donc, à la fois symbolique et scientifique, qui ne peut se résoudre par une assignation ontologique univoque et définitive. Selon Richir, l'immense mérite de Kant puis de Husserl est précisément d'avoir su reformuler cette tension au sein du cadre transcendantal puis phénoménologique, ceux-ci permettant sa transposition en cercle productif et génératif[20]. La façon dont Meillassoux articule l'idée de finitude et de principe de factualité peut d'ailleurs sembler assez parente de l'articulation que propose Richir, à partir de Kant, de l'horizon de nécessité de la science, toujours lié à une contingence préalable, et de la contingence de l'accord du particulier et du général, fait «radicalement contingent» ou «fait de finitude» selon Richir[21].

b) La science en tout cas ne cesse de se recomprendre, de donner des interprétations d'elle-même lui permettant d'avoir assez de sens saisissable pour se poursuivre. Toute sa difficulté est de jouer entre le cadre invariant et ce qu'elle laisse varier (ce qui a été précisément l'objet de la pensée kantienne), ainsi qu'entre sa mise en forme mathématique et son interprétation. C'est également la lecture proposée, de façon différente bien sûr, par Derrida et Richir de *L'origine de la géométrie de Husserl*: il n'y a pas d'évidence originaire au sens où Husserl l'entend, l'idéalité est toujours recherchée et réinventée au travers de sa transmission[22].

---

[18] A ce sujet, cf. Florian Forestier, «Marc Richir et la question de l'idéalité», in Aux marges de la phénoménologie: Lectures de Marc Richir, éd. Sophie-Jan Arrien, Jean-Sébastien Hardy et Jean-François Perrier, Paris, Éditions Hermann, 2020.

[19] Marc Richir, La crise du sens et la phénoménologie, Grenoble, Éditions Jérôme Millon, 1990.

[20] Florian Forestier, «Marc Richir et la question de l'idéalité», op. cit.

[21] Marc Richir, La crise du sens et la phénoménologie, op. cit.; Florian Forestier, «Marc Richir et la question de l'idéalité», op. cit.

[22] Marc Richir, La crise du sens et la phénoménologie, op. cit.

III) La reprise cachée des aspects transcendantaux

1)

On peut ici risquer que la philosophie est précisément la forme de pensée qui ne peut tenir des thèses *sur* le réel, ce qui ne veut absolument pas dire bien sûr qu'elle n'est pas concernée et habitée par le réel. Parce qu'elle a affaire au réel désontologisé, elle ne peut pas en dire quelque chose directement, et ne le peut certainement pas dans une langue isomorphe à la représentation. Pour comprendre le rapport de la philosophie au réel, il faut peut-être d'abord couper court à l'assimilation du réel à l'ontologique (laquelle a d'ailleurs été critiquée par Putnam autant que Laruelle[23]) et *désontologiser* la question du réel.

Une telle relativisation de l'ontologie est à distinguer de la problématique quinienne des engagements ontologiques, laquelle présuppose elle l'absence de tout fondement tout en plaçant en quelque sorte l'ontologique sur le même plan que l'objectif. Le jeu de la philosophie semble au contraire de *casser le plan classique de l'apophantique*, de susciter une configuration discursive par laquelle elle peut questionner le sens du sens sans se placer directement sur le plan du sens. La philosophie ne s'épuise précisément pas dans la simple tentative d'arraisonner le sens du sens. Au contraire, elle est dès son institution obscurément avertie de plan singulier sur lequel s'opère son questionnement. Le sens du sens ne peut, sous peine de s'annuler, être pensé comme simple redoublement du sens[24]. Tout l'enjeu de la philosophie, d'emblée, est ainsi celui de sa discursivité, la recherche d'un ajustement de la rationalité à la réalité, et de la réalité à la rationalité. Le transcendantalisme désigne alors l'assomption par la philosophie de cette dimension.

2)

a) Ainsi compris, le transcendantalisme et le néo-réalisme présentent des traits parents. L'un comme l'autre mobilisent la problématique finalement classique de la philosophie comprise comme traduction infinie d'elle-même. Meillassoux lui-même assume ainsi que sortir du corrélationnisme tel qu'il le dénonce conduit précisément à modifier les conditions d'exercice de la philosophie, à assumer en elle-même cette exigence permanente de réécriture. *Le nombre et la Sirène* atteste à ce sujet d'un glissement par rapport à *Après la finitude*, dont rend bien compte la belle analyse qu'en propose Anthony Feneuil[25]. Celui-ci y souligne en effet l'importance de l'humour, qualifiée d'*écriture tremblée*, constitutive du réalisme spéculatif, en tant que celui-ci est une «philosophie qui prétend non seulement décrire, mais

[23] Hilary Putnam, L'éthique sans ontologie, Paris, Éditions du Cerf, 2013; François Laruelle, Principes de la non-philosophie, Paris, Presses universitaires de France, 1996.

[24] Sur ce point, Marc Richir, La crise du sens et la phénoménologie, op. cit., p. 15-24.

[25] Anthony Feneuil, «‹Que le dieu soit là›: Le tournant corrélationniste de Quentin Meillassoux», ThéoRèmes [En ligne], 6, 2014, mis en ligne le 21 juin 2014, consulté le 09 février 2017. http://theoremes.revues.org/651; DOI: 10.4000/theoremes.651

diffuser l'intuition à son fondement[26].» Dès lors, en effet, la condition de cette expression devient l'*ambiguïté*, non pas des concepts philosophiques, mais du statut de leur vérité, ainsi le *recul* de l'auteur à l'égard de ses propres thèses, auxquelles celui-ci adhère «sur un mode mineur[27]».

b) Mais assumer l'inhérence d'une telle modalité d'expression au projet du réalisme spéculatif ramène celui-ci là même dont il voulait le plus s'éloigner, et le replace dans la filiation de l'idéalisme allemand et du post-modernisme, l'un et l'autre ayant fait du problème de l'expression de la pensée et du discours indirect une modalité centrale de leur questionnement[28]. Le réalisme spéculatif se retrouve d'une certaine façon même ramené *en deçà* de ce qu'il dénonce premièrement, et qui constitue l'inspiration de l'un et l'autre courant, en deçà du kantisme et du projet kantien, celui-ci n'ayant pas été autre chose que la tentative d'ordonner l'exercice de ce décalage de la pensée et du discours philosophique avec euxmêmes, en construisant une systématique capable d'accompagner et de guider ce glissement[29].

Tout aussi bien, la phénoménologie elle aussi ressurgit dans la mesure où ce qui donne son enjeu et son poids au jeu du sens et du sens du sens du sens est bien la facticité même de la pensée. J'ai montré ailleurs[30] que les concepts introduits par la phénoménologie richirienne (synthèses passives de différents degrés, schématismes de et hors langage, etc.) visent précisément à rendre compte de cette configuration du champ phénoménologique à partir de laquelle seulement les paramètres «dimensionnels» de ce qu'on peut appeler penser sont réunis. La perspective développée par Richir permet également ainsi de donner un sens plus épais et précis à «l'extériorité» et à son rapport à la pensée. Par sa reprise de la problématique de l'événement sublime, Richir inscrit en effet dans sa phénoménologie l'horizon d'une double transcendance, celle de l'altérité et celle de l'extériorité.

c) Le projet même du réalisme spéculatif implique donc l'élaboration d'une systématique à la fois transcendantale et phénoménologique permettant de comprendre la façon dont les différents paramètres nécessaires à sa mise en œuvre se lient. Dans cette perspective, les développements d'Alexander Schnell et son projet de *phénoménologie générative*[31] constituent sans doute la proposition la plus complète d'explicitation d'un tel cadre, sous-jacent au réalisme spéculatif. Ce cadre permet en effet d'articuler les paramètres fondamentaux de la *question phi-*

---

[26] Anthony Feneuil, ibid.

[27] Anthony Feneuil, ibid.

[28] Le réinvestissement de l'écriture romantique dans l'écriture postmoderne étant un des objets de Philippe Lacoue-Labarthe et de Jean-Luc Nancy, L'absolu littéraire, Paris, Éditions Galilée, 1980.

[29] Marc Richir, La crise du sens et la phénoménologie, op. cit.; Michel Bitbol, De l'intérieur du monde, Paris, Éditions Flammarion, 2010.

[30] Florian Forestier, La phénoménologie génétique de Marc Richir, Dordrecht, Springer, 2014; Florian Forestier, Le grain du sens. Essai de phénoménologie-fiction, Bucarest, Éditions Zetabooks, 2016, «introduction».

[31] Alexander Schnell, La déhiscence du sens, Paris, Éditions Hermann, 2015.

losophique du réel: la concrétude du processus de pensée même, la double extériorité affective et idéale par laquelle cette concrétude est appelée à prendre sens, ainsi que les conditions de légitimation inscrivant ce sens dans l'horizon de la vérité, et enfin, les conditions de sa manifestation, toujours contextuelle, par le surgissement d'une extériorité reconfigurante.

3)

a) Reconnaître enfin la nécessité d'une systématique à l'effectuation du projet réaliste ne veut pas dire que la question du réalisme et ses enjeux soient épuisés par une telle exposition systématique. Celle-ci joue bien plutôt le rôle d'un cadre coupant court aux différentes formes de dogmatismes et d'aveuglement dont la pensée philosophique n'est jamais sauve. Ce cadre accompagne et stimule la vie de la pensée, mais celle-ci ne se résume pas à lui. Il n'est pas sûr en effet que la philosophie puisse entièrement s'expliciter elle-même, encore moins *se tenir* au sein de cette explicitation, qu'elle puisse rendre transparent l'ensemble de la disposition existentielle et symbolique à travers laquelle elle se développe, dans ses expressions, à la fois affectives, éthiques et pragmatiques.

b) Le réel en d'autres termes n'est pas seulement à penser et à connaître. La pensée est aussi appelée à se déposséder de sa tension à saisir pour assumer la réalité – une réalité immédiate, face à laquelle c'est sa position qui est amenée à changer. L'enjeu sous jacent est bien alors la capacité de la philosophie à porter des coups, à intervenir.

D'une certaine manière, le corrélationisme n'est pas tant la thèse formellement soutenue par les auteurs que Meillassoux remet en cause, mais la thèse que pratiquement et pragmatiquement ils sont amenés à endosser étant donnée la structure générale des champs de discours. La structure corrélationiste rend la philosophie incapable de résister à son nivellement par la *doxa*, par un simili-corrélationisme relativiste qui aurait contaminé la *doxa* au point de disloquer de l'intérieur les pensées philosophiques, les étouffant dans une sorte de répétition sans force et sans forme. Meillassoux estime à juste titre que le modulateur corrélationiste rend la philosophie impuissante.

Là est l'enjeu principal du nouveau réalisme dans son ensemble: ranimer une philosophie capable d'entrer dans l'arène de la rationalité, de ne pas plus abandonner l'absolu au fidéisme que la politique au sophisme. La fluidité du «pas de danse corrélationniste» offre toujours au moins en creux au philosophe le refuge d'une position de retrait qui lui permet ultimement de se sentir hors d'atteinte des autres discours; s'il les entend, sa façon même de les comprendre en neutralise la dimension d'adresse, de réquisition.

c) Si la première question posée par le nouveau réalisme, celle du sens, implique la constitution d'une matrice transcendantale, ce second volet, celui de l'*adresse*, appelle donc une réponse toujours, elle, circonstanciée, locale: celle des différentes expressions ou actualisations des pensées philosophiques. Celles-ci ne sont pas des répétitions du système, même des répétitions différenciées, mais des *mises en œuvre*. En quelque sorte, tel était déjà le modèle hégélien, dans lequel l'accomplissement du système dépossède la philosophie de son institution autonome en l'exprimant au sein même des formes étatiques et juridiques en leur rationalité. Le concept de plasticité, investi par Catherine Malabou[32], revendique d'ailleurs bien cette filiation: il désigne parfaitement cette articulation, ce jeu des évolutions, transitions, mutations des formes et expressions du système, en lesquelles *le système s'exprime et se défigure toujours aussi*.

32 Catherine Malabou, La plasticité au soir de l'écriture, Paris, Éditions Leo Scheer, 2005; Catherine Malabou, Avant demain, Paris, Presses universitaires de France, 2015.

Phenomenology of the Inapparent

A Methodological Approach to the new Realisms

Hernán Inverso

Speculative realism has grown strong in philosophy, challenging what its supporters call philosophies of correlation. Aiming at a renewal of previous ideas, this train of thought relies on mechanisms to indicate its originality and report the previous tradition as a wrong path towards the proper opinion. In this procedure, the election of opponents is deliberated and is anchored in both the history of philosophy and contemporary trends, such as phenomenology. A colourful *gigantomachia* occurs, one that in many ways goes back to the struggle between materialists and the friends of Ideas that Plato recounted in *Sophist*.[1]

This iteration, as has also happened many times, hides the concepts that are actually at stake, since phenomenology is seen in a partial and restricted way that completely distorts its scope. A quick survey of the works of authors who in recent times have addressed this issue reveals a tendency to rely on the static and genetic stages of phenomenology as if they were a synthesis of Husserl's thought. Thus, any development that lacks these traits is considered alien, including some ideas of Husserl himself.

The development of French phenomenology illustrates this point well, pointing out some issues that exceed common phenomena and overtake the limits of intentional correlation. The so-called theological turn shows this tension, as does speculative realism, which incorporates some similar elements. Meillassoux's challenge to "think a world without thought, a world without the givenness of the world" to "understand how thought is able to access the uncorrelated, which is to say, a world capable of subsisting without being given",[2] or Harman's proposal about the irreducibility and inexhaustibility of objects are examples of this point.

Indeed, the new realisms often object to many philosophies because they are not be able to account for a non-metaphysical absolute. In the case of phenomenology, this is a very impoverished view of its scope and a revision of this idea could lessen the collision. Texts like Tom Sparrow's *The End of Phenomenology*, which cuts ties between realism and phenomenology, do not help to solve the

---

1 Cf. Plato, Sophist, 245e-249d.

2 Cf. Quentin Meillassoux, Après la finitude. Essai sur la nécessité de la contingence, Paris, Seuil, 2006, p. 28.

issue.[3] In this work, we shall take as our source the phenomenological horizon in order to show its deep compatibility with many developments associated with new realisms. Firstly, we shall review some aspects of what we call the 'phenomenology of the inapparent' to indicate the presence and achievements of the studies on exceedance within phenomenology. Then we shall dwell on an analysis of the realisms of Meillassoux and Harman to show contact with the phenomenology of the inapparent. Finally, we shall explore the ways in which the different phenomenological variants dealing with exceedance and the trends of new realism can coexist in a unified and integrated approach.

On the Phenomenology of the Inapparent

Beyond the basic version associated with static and genetic stages, in recent years an approach has been expanded in reference to a generative dimension, a dimension aimed at providing insights into cultural, geo-historical and intersubjective phenomena. This approach studies generation processes that last generations, in the manner of a new absolute that becomes an issue of phenomenology.[4] With this attention regarding the historical and cultural dimension, as well as intersubjectivity, the reference to consciousness fades.

The phenomenological method was conceived by Edmund Husserl as a flexible approach that allows a comprehensive analysis of phenomenality, including aspects of exceedance, in a network of interconnected layers of research. Husserl introduced the static and generative approaches with explicit reference to their complementarity in texts of the 1920s.[5] He stated that the distinction between static and genetic methods is not thematic—as it were, a detachment of the study about temporality—but methodological.[6] When Husserl says in *On Phenomenology of Intersubjectivity* that "every such [static] analysis is in itself already to a certain extent genetic analysis",[7] he means that static analysis points in the direction of genetic analysis; and it is also possible to reverse the view and switch from the genesis to the investigation of the static constitution and its structure. This shift allows the phenomenologist to review the results of static analysis from the

[3] Cf. Tom Sparrow, The End of Phenomenology. Metaphysics and the New Realism, Edinburgh, Edinburgh University Press, 2014, passim and Dan Zahavi, "The end of what? Phenomenology vs. speculative realism", in International Journal of Philosophical Studies, 24, 3, 2016, p. 289-309.

[4] Cf. Anthony Steinbock, Home and Beyond: Generative Phenomenology After Husserl, Illinois, Northwestern University Press, 1995.

[5] Cf. Hernán Inverso, "La fenomenología de lo inaparente y el problema de las vías hacia el plano trascendental", in Eidos, 26, 2016, p. 93-116.

[6] Cf. Saulius Geniusas, The Origins of the Horizon in Husserl's Phenomenology, London, Springer, 2012, p. 90.

[7] Edmund Husserl, Zur Phänomenologie der Intersubjektivität. Texte aus dem Nachlass. Zweiter Teil: 1921-1928, ed. Iso Kern, Den Haag, Nijhoff, 1973, p. 480 (quoted Hua XIV).

perspective of the genesis, in a way that strengthens both approaches and emphasizes their complementarity.

At the same time, the 'history' of the Monad enables a dimension that in the context of genetic phenomenology arises without being fully thematized. On the contrary, while this thematic setting occurs, there are some elements that modify the general approach and make possible an additional category in order to account for these variations. This has been associated with generativity as a dimension oriented to describe geo-historical, cultural and intersubjective phenomena.[8] Then, the generative approach takes historicity as its phenomenon in the horizon of the world of life, its rituals, traditions, language and intergenerational relationships. This approach points to a process of generation that takes generations, in the manner of a new absolute that becomes a crucial issue of phenomenology, according to Anthony Steinbock's characterization.[9]

Generativity does not imply a different stratum beyond static and genetic phenomenology, and says that genetic phenomenology unfolds towards generativity by its own deepening in the manner of a self-improvement.[10] This precision is useful to avoid the idea of isolated sections or topics that are externally overcome or abandoned. So, it is possible to describe phenomena in their horizons and each layer emphasizes peculiar aspects with different devices that fit better in each dimension.

The sphere of excess is beyond generativity. It has been characterized as a metahistorical dimension, since it clarifies aspects linked to what underlies the world and subjectivity.[11] In this model, generativity and inapparence are not dissociated stages of phenomenology with any pretension of independence, but a display of phenomenological motives that come from geneticity. The exploration of exceedance, as metahistory or the phenomenology of the inapparent, has its roots in generativity and the egological modes. This perspective leads us onto the idea of phenomenology as an exhaustive work of investigation of unexplored horizons. Anthony Steinbock compresses these two spheres into a single one. He distinguishes between 'generativity' (lower case) and 'Generativity' (with initial capital letter),[12] and reserves this latter category to limit-phenomena such as unconsciousness, sleep, birth and death, the other, animal and vegetal life, God, etc.[13]

---

[8] Cf. Anthony Steinbock, Home and Beyond, op. cit., p. 3-4. Cf. also Thomas M. Seebohm, "History as a Science and the System of the Sciences: Phenomenological Investigations", in Contributions to Phenomenology, 77, 2015, p. 23-24.

[9] Cf. Anthony Steinbock, "Generativity and the Scope of Generative Phenomenology", in The New Husserl: A Critical Reader, ed. D. Welton, Indiana, Indiana University Press, 2003, p. 292.

[10] Cf. Roberto J. Walton, "Teleología y teología en Edmund Husserl", in Estudios de filosofía, 45, 2012, p. 328.

[11] Ibid., p. 337ff.

[12] Cf. Anthony Steinbock, "Generativity and the Scope of Generative Phenomenology", op. cit., p. 290.

[13] Ibid., p. 315ff.

In so doing, he compromises the internal demarcation of the stratum, which deals with both the finite and the transfinite.[14]

The main theme of the phenomenology of the inapparent is what is not shown or what escapes outside the horizon, what is beyond the intentional activity. In order to grasp this dimension, a subjective disposition is necessary that allows us to deal with excess. At the same time, exceedance underlies all appearance. The method requires specific mechanisms that emphasize radicality and point to the very fact of givenness. It also implies the revision of intentionality and the review of its features in a plexus where subject, phenomenon and their correlation are affected in its functioning. This implies an evaluation of the limits of correlation carried out within phenomenology.

So, the phenomenology of the inapparent is connected with the previous phenomenological levels and has at its disposal all its developments and achievements, since it can interrogate about its excess to all phenomena. In some sense, the phenomenology of the inapparent is the most concrete dimension, since it deals with that whose excess is at the base of all appearance. Regarding the inapparent, generativity is an instantiation of its contents on the level of the historical movement, which in turn can retreat into individual historicity—that is to say, the genetic dimension—and again towards the constitutive structures which fall in static phenomenology. It must be added that it is still possible to pass from there to the level of the empirical sciences and from there to the natural attitude, as Thomas Seebohm suggests, pointing out the importance of taking into account the connection between levels.[15] The inapparent would be, in our proposal, the level that should be made explicit.

In this context, ontological questions linked to the being of the things in the natural attitude lead to constitutive questions, both static and genetic. So, the static issues lead to problems of genesis, generativity and inapparence, in a directionality that can be reversed, or act locally in two or more dimensions. The ontological question about the 'thing' in its intrinsic reality can be translated in terms of exceedance, questioning the intentional correlation, in contrast to the levels that suppose it.

This point is related to the traits of progression and regression to which Fink refers in his sixth *Cartesian Meditation*.[16] That the analysis is progressive implies that it starts from absolute donation and exercises an immanent intuitive reflection through which the thing itself is given as being of the consciousness.[17] Critical

[14] Cf. Hernán Inverso, Fenomenología de lo inaparente, Buenos Aires, Prometeo Libros, 2016, p. 242-257.

[15] Cf. Thomas M. Seebohm, "History as a Science and the System of the Sciences: Phenomenological Investigations", op. cit., p. 56-60, p. 390-396.

[16] Cf. Eugen Fink, Sixth Cartesian Meditation, Indiana, Indiana University Press, 1988, p. 11. See also Donn Welton, The Other Husserl: The Horizons of Transcendental Phenomenology, Indianapolis, Indiana University Press, 2002, p. 227-228 and Thiago Gomes de Castro and William Barbosa Gomes, "Da intencionalidade da consciencia ao método progressivo regressivo em Husserl", in Psicologia USP, 26, 1, 2015, p. 90-99.

[17] Cf. Anthony Steinbock, Home and Beyond, op. cit., p. 25.

or ontological approaches, on the other hand, apply the regressive approach beginning with the world and the pre-given from mundane disciplines that lead to transcendental analysis.

These different levels draw upon a primarily intentional analysis, but this is passed over in the stage of the inapparent, in a direction that evolves into concretion, against a regressive destratification oriented to the abstract core underpinning concrete life-worldly being, as Husserl characterizes nature in the texts about the *Lebenswelt*.[18] Thus, the progression from consciousness to metahistory and the regression from the world to the pre-intentional experience of self-affection are different processes which combine themselves in the interplay of presence and absence that pervades everything, including ecstatic and non-ecstatic variants.

In sum, the phenomenological analysis allows us to go from the world of life to the appearance of appearing in both directions, appealing to progressive or regressive procedures. This is related to the idea of a methodology supported by what Husserl calls 'zigzag' in two striking places, at the beginning and the end of his works. In *Logical Investigations* and *The Crisis of European Sciences*, he uses this notion to point out the interconnection of theoretical developments that provides reciprocal light.[19]

This allows us to think of an extended conception of intentionality that fits the study of all types of phenomena. In a sort of zigzag, directionality is clarified: the most basic and pre-reflexive *intentio* embodies the most basic model oriented to the world. It is followed by the *reflectio*, which operates the reduction and advances with reverse directionality. In third place there is a constitutive intentionality that goes towards the object in a reduction regime, and all this is completed

18 Edmund Husserl, Die Lebenswelt. Auslegungen der vorgegebenen Welt und ihrer Konstitution. Texte aus dem Nachlass (1916-1937), ed. Rochus Sowa, Dordrecht, Springer, 2008, p. 326-327 (quoted Hua XXXIX); Edmund Husserl, Zur Phänomenologie der Intersubjektivität. Texte aus dem Nachlass. Dritter Teil: 1929-1935, ed. Iso Kern, Den Haag, Martinus Nijhoff, 1973, p. 138 (quoted Hua XV); Edmund Husserl, Späte Texte über Zeitkonstitution (1929-1934). Die C-Manuskripte, ed. Dieter Lohmar, New York, Springer, 2006, p. 87 (quoted Hua Mat VIII). Cf. also Roberto J. Walton, "Teleología y teología en Edmund Husserl", op. cit., p. 346.

19 Edmund Husserl, Logische Untersuchungen. Zweiter Teil – Untersuchungen zur Phänomenologie und Theorie der Erkenntnis, ed. Ursula Panzer, Den Haag, Martinus Nijhoff, 1984, p. 22 (quoted Hua XIX/2); Edmund Husserl, Die Krisis der europäischen Wissenschaft und die transzendentale Phänomenologie. Eine Einleitung in die phänomenologische Philosophie, ed. Walter Biemel, Den Haag, Martinus Nijhoff, 1954, p. 54 (quoted Hua VI). Cf. Rodolphe Gasché, "On Re-presentation, or Zigzagging with Husserl and Derrida", in The Southern Journal of Philosophy, 32, 1994, p. 1-18 and Bob Sandmayer, Husserl's Constitutive Phenomenology: Its Problem and Promise, New York, Springer, 2009, p. 19-27. On zig-zag method as inspiration of Heidegger discussion on hermeneutic circle, see the mention in Sein und Zeit, §2 (Martin Heidegger, Sein und Zeit, hrsg. Friedrich-Wilhelm von Herrmann, Frankfurt am Main, Klostermann, 1977 [1927], S. 8 - quoted GA 2) and Dermot Moran, Edmund Husserl: Founder of Phenomenology, Cambridge, Polity Press, 2005, p. 261. On Marion's interpretation, see Réduction et donation, Paris, Presses universitaires de France, 1989, p. 21-25.

with a fourth intentional movement dominated by *affectio*, that accounts for the non-primarily rational way in which things are experienced in this field.

In connection with the latter, the different dimensions of phenomenological research and their intrinsic links with method lead us to a second question regarding access to the transcendental realm, where the discussion goes back to the abandonment—or absence of abandonment—of Cartesianism in Husserl's thinking.[20] This theme becomes a third problem associated with the ways to reduction.[21] In connection with this point, as in the case of phenomenological levels, it should be noted that there is not an evolutionary movement or an abandonment, but mechanisms of access to the transcendental realm which are better suited to different local devices. Thus, the Cartesian way best fits the extreme levels of staticity or inapparence. The others, whether considered as two or only one, best fit the pursuits of geneticity and generativity precisely because they start from psychology and the world of life.[22]

This redefinition of the general design allows us to review the method, the phenomenon and the subject of phenomenology. In the three cases, an incorporation of the phenomenology of the inapparent provides consistency to the relationship between levels. This being so, it is unnecessary to speak in terms of overcoming or breaking away from the developments that in the last decades have dealt with excess. In fact, the notion of the inapparent refers to the programme suggested by Heidegger at the Zahringen Seminar in 1973. Concerning tautological thinking, he speaks about Parmenides, and invites the audience to build a phenomenology that "lets that before which it is led show itself" and states that "this phenomenology is a phenomenology of the inapparent".[23] This is an exploration

---

20 On this issue, cf. Ludwig Landgrebe, "Husserl's departure from Cartesianism", in Phenomenology: Critical concepts in philosophy 5: Heritage of phenomenology, ed. Dermot Moran and Lester Embree, London, Taylor & Francis, 2004, p. 261 and Saulius Geniusas, The Origins of the Horizon in Husserl's Phenomenology, op. cit., p. 128-134.

21 Cf. Edmund Husserl, Cartesianische Meditationen und Pariser Vorträge, ed. Stephan Strasser, Den Haag, Nijhoff, 1959, p. 16 (quoted Hua I); Edmund Husserl, Phänomenologische Psychologie. Vorlesungen Sommersemester (1925), ed. Walter Biemel, Den Haag, Martinus Nijhoff, 1968, p. 294 (quoted Hua IX); Hua VI, p. 212, and the discussion about the ways to the transcendental phenomenological reduction in Iso Kern, "The Three Ways to the Transcendental Phenomenological Reduction in the Philosophy of Edmund Husserl", in Husserl: Exposition and Appraisals, ed. Frederick Elliston et al., Notre Dame, University of Notre Dame Press, 1966; Sebastian Luft, "Husserl's Theory of the Phenomenological Reduction: Between life-world and Cartesianism", in Research in Phenomenology, 34, 1, 2004, p. 198-234; Andrea Staiti, "The Pedagogic Impulse of Husserl's Ways into Transcendental Phenomenology", in Graduate Faculty Philosophy Journal, 33, 1, 2012.

22 Cf. Hernán Inverso, "La fenomenología de lo inaparente y el problema de las vías hacia el plano trascendental", op. cit., p. 93-116.

23 Martin Heidegger, Seminare (1951–1973), hrsg. Curd Ochwadt, Frankfurt am Main, Klostermann, 1986, p. 399 (quoted GA 15). Cf. Jean-François Courtine, "Phenomenology and/or tautology", in Reading Heidegger: Commemorations, ed. John Sallis, Bloomington, Indiana University Press, 1993, p. 241-257; Claus-Artur Scheier, "Die Sprache spricht. Heideggers Tautologien", in Zeitschrift für philosophische Forschung, 47, 1993, p. 60-74;

of the paradoxical, since it implies a phenomenon that does not appear like the others. Therefore, it points beyond an intentional correlation and transcends the limits of immanent phenomenality, to the horror of those who have seen in this point the origin of a theological deviation.

If this is the case, there is a phenomenological stimulus to think beyond the intentional correlation. For this reason, the theological turn and the realist turn become strengthened, along with phenomenology as a whole, which expands and consolidates its territory. Meillassoux has seen well that from this variant, which he associates with Heidegger's thoughts, it follows that "I cannot think the unthinkable, but I can think that it is not impossible for the impossible to be".[24] So, the attempts to condemn the original postulates of phenomenology as unproductive are as numerous as they are unnecessary. Phenomenology is a possible and not a necessarily hostile horizon allowing us to think about the issues that concern the new realisms. Let us briefly take some examples.

On the Dialogue between Phenomenology and New Realisms

The time spirit goes through different philosophies and therefore weakens many pretensions of revolution or radical novelty that are not alien to new realisms. In a tradition of many centuries, novelty is not always seen as an advantage and it is not impossible to interpret these judgements as a mark of mere fashion. Mario Ramirez and Laureano Ralón, regarding the new realisms, subtly emphasize the substrate of practices of collaboration between peers, diffusion and work of accumulation of a critical mass of objectors and adepts that, as a combined process, result in the theoretical establishment of a line of thought.[25] In this dynamic, and without detriment to the purely theoretical value, they underline the differences that suggest the image of scattered positions. On the contrary, if one looks at continuities, this effect disappears and the long-term lines are at the forefront. These lines show the gradual emergence of the reappraisal of correlation and the thematization of new relationships between thought and being. It is a question of perspective, so that where it is possible to see a novelty of the twenty-first century, the development of the lines that guided philosophy throughout the twentieth century can also be seen. A full understanding of the horizon of each theoretical current is an important factor in order to understand the scope of innovation.

The figures of Heidegger, Badiou, Lyotard, each with its own features, are at the foundation of the positions of new realists such as Harman, Meillassoux, Grant, etc. Each also proposes readings of the central figures of the ancient and

---

O. Bradley Bassler, "The Birthplace of Thinking: Heidegger's Late Thoughts on Tautology", in Heidegger Studies, 17, 2001, p. 117-133; Martina Roesner, "De la tautologie: Heidegger et la question de l'esprit", in Les Études Philosophiques, 76, 1, 2006, p. 63-88.

24 Quentin Meillassoux, Après la finitude, op. cit., p. 42.

25 Cf. Laureano Ralon and Mario Teodoro Ramírez, "Pensar lo absoluto", in Nombres. Revista de Filosofía, 29, 2015, p. 263-264.

modern tradition. Grant goes back to Schelling and from there to Plato and Plotinus in order to bring back to life an opponent of Kantianism; Meillassoux turns to the tradition that begins with Descartes to point out his mistakes; Harman dialogues with the lines of the panpsychism, going back also to such ancient elements as the Empedoclean cycle, etc. In the variety of their sources rests much of the divergence between these new realisms, as also happens with the neutral realism of Markus Gabriel and its criticisms of physicalism through the figures of Hegel and Fichte, or the post-hermeneutic, documentalist variant of Maurizio Ferraris, among others.

We are interested in the framework provided by phenomenology to offer some examples in which the topics associated with the new realisms are prefigured. Let's analyse two important trends among the variants of new realisms. On the one hand, Meillassoux's position is especially illustrative, since it does not reject correlationism but rather seeks to find a way out of its closed version. Therefore it is openly linked with phenomenological lines. The aim of both projects is the legitimation of the discourse of science and this should not be underestimated. *Mutatis mutandis*, the realistic approach, recalls Husserl's programme in *Philosophy as a Strict Science*.[26] There he tries to detect the lines that conspire against a fruitful integration of philosophy and science. Psychologism and historicism are the powerful siren songs that divert the philosophers from the dogmatic path. In the case of Meillassoux, this place is occupied by the variants of correlationism.[27]

The exploration of Meillassoux begins precisely with the study of the ancestral statement—that is to say, the one that refers to something prior to the existence of the human species and thus prior to the correlation itself. Statements such as 'the origin of terrestrial life happened 3.5 million years ago' defy traditional explanations if we add the condition of not dismantling literal sense and ultimate meaning.[28] It is not possible, then, to enable a retrospective 'for us' enunciated by a scientific community within the correlation.[29] We must explain something previous to donation, which exists outside the intentional structure. In this way, an-

---

[26] Cf., for instance, Edmund Husserl, Aufsätze und Vorträge (1911-1921), ed. Thomas Nenon and Hans Rainer Sepp, Dordrecht, Martinus Nijhoff, 1987, p. 52 (quoted Hua XXV). Cf. also Roberto J. Walton, "La filosofía como ciencia estricta según Husserl", in Anuario de filosofía jurídica y social, 26, 2006, p. 21-53; Luis Roman Rabanaque, "La vida entre conceptos abstractos y conceptos saturados. Dilthey y Husserl en torno a la naturaleza y el espíritu", in Escritos de filosofía, 1, 2013, p. 207-221; Hernán Inverso, Fenomenología de lo inaparente, op. cit., p. 43-70.

[27] Quentin Meillassoux, Après la finitude, op. cit., p. 39-68.

[28] Ibid., p. 24. Cf. Ciprian Jeler, "Why Meillassoux's Speculative Materialism Struggles with Ancestrality", in Philosophy, Social and Human Disciplines Series, ed. Bogdan Popoveniuc and Marius Cucu, Suceava, 2014, p. 11-32 and Harald A. Wiltsche, "Science, Realism and Correlationism. A Phenomenological Critique of Meillassoux' Argument from Ancestrality", in European Journal of Philosophy, 24, 2016.

[29] Quentin Meillassoux, Après la finitude, op. cit., p. 30.

cestrality disputes the power of correlation and suggests the dimension of an absolute separate from thought.[30] This world without thought does not allow itself to be trapped in the networks of what Meillassoux calls the Ptolemaic counterrevolution. This would be the true identity of Kantian criticism, which is disguised as a Copernicanism about which it is actually refractory.[31]

From this perspective, the effect of correlationism causes "a possible whole alteration of thought and being" which encloses itself and privatizes reason, legitimizing any absolute that does not appeal to it.[32] The end of metaphysics and its criticism of ontotheology appealed to the condemnation of any aspiration to the absolute because this was unthinkable. With this step, this approach weakened the variants of religion that rely on natural reason, but caused the return of a fideism that enables any fanaticism.[33] The subtleties of postmodernism and its inability to object to the actions that lead the world adrift are indicative of this trap.

The critique of correlation is built on the denunciation of the Kantian position and at first glance seems also to affect phenomenology, whose treatments and terminologies are clearly present in the work of Meillassoux. A more careful reading, however, quickly warns that criticism looms over a narrow view that is limited to developments in the basic layers and ignores exceedance. Meillassoux uses a metaphor—to break through the wall which separates thought from the great outdoors in order to see outside the correlation.[34] He is asking for a radical step that does not negate correlation and its usefulness to account for a wide range of issues, but rather reflects beyond them. Beyond correlation, beyond finitude, there is another level that has been left unattended. Because of this attitude, other members of the movement of new realism see in Meillassoux's philosophy a suspicious persistence of correlationism.[35] However, this is an important point of its constructive power, since it does not cancel previous explorations but expands their boundaries.

Strictly speaking, with this procedure, he joins philosophies that ask about exceedance and has been seen for this reason as part of a theological or ontotheological turn.[36] From this perspective, however, these are attempts not to give to

---

30 Ibid., p. 13.

31 Ibid., p. 39. Cf. Arun Saldanha, "Back to the great outdoors: Speculative realism as philosophy of science", in Cosmos and History: The Journal of Natural and Social Philosophy, 5, 2, 2009, p. 304-321.

32 Quentin Meillassoux, Après la finitude, op. cit., 2006, p. 61 and Josef Moshe, "Correlationism Reconsidered: On the 'Possibility of Ignorance' in Meillassoux", in Speculations II, 2011, p. 187-206.

33 Quentin Meillassoux, Après la finitude, op. cit., p. 64-65.

34 Ibid., p. 86.

35 Cf., for instance, Graham Harman, The Quadruple Object, Washington/Winchester, Zero Books, 2012, p. 136ff.

36 Cf. Dominique Janicaud, Le Tournant théologique de la phénoménologie française, Combas, Éditions de l'Éclat, 1991; Carlos Enrique Restrepo, "El 'giro teológico' de la fenomenología: Introducción al debate", in Pensamiento y Cultura, 13, 2, 2010 and Hernán

fideism and its increasingly powerful relativism a legitimate philosophical field. Reason has no need to renounce its claims. In order to emphasize the points of dialogue with a phenomenological dimension that incorporates the inapparent, it could be said that the break through the wall towards the great outdoors is compatible with the exploration of a moderate intentionality. Research on this point departs from a close correlation insofar as it is aware of its inability to exhaust the presentation of phenomena, but that does not deny the instruments that organize the other approaches.

The realistic variant of Meillassoux shows that the exploration of exceedance occurs precisely in dialogue with intentional inquiry. As a result, the absolute is glimpsed by intellectual intuition, while thought accedes this realm and experiences it as what is at the basis of the apparent continuity of phenomena.[37] Chaos and its auto-normalization that becomes 'unreason' is not divorced from what arises in correlation.[38] There we find unfolded what does not enter into it, either in the mathematical translation of chaos, or in the withdrawal of the real Harmanian object, or in the exceedance of Marion's concept of saturated phenomena, or in the Henryan immanence that is given beyond hetero-affection. Inapparency contains all these developments that begin to offer the physiognomy of a new field.

Meillassoux recalls Heidegger's longing to write a theology that does not introduce anything philosophical.[39] This purpose portrays the persistent attitude of separating what escapes the intentional structure and renouncing its tools and the possibility of building bridges between differences. In this way, any development of exceedance is foreign to reason. The more recent studies, which Heidegger himself promoted with his idea of a phenomenology of the inapparent, allow us to recognize a scarcely known territory. If we adopt a perspective based on the connected difference between things and their modes of presentation, from the object of the natural attitude to the absolute, exceedance is added to form the structure of a fourfold phenomenology. Indeed, establishment of the relations between the results of the phenomenological currents linked to the theological turn and to the various new realisms are the pending tasks of the phenomenology of the inapparent.

But Graham Harman's thesis on the inexhaustibility of the object also goes hand in hand with inapparency. In this sense, the figures of Husserl and Heidegger are fundamental to this approach, which is an explicit projection of this tradition. Indeed, the dialogue with this line is especially fruitful, which is not surprising

---

Inverso, "De E. Husserl a J.-L. Marion: donación y límites de la fenomenología", in Franciscanum, 159, 2013.

[37] Quentin Meillassoux, Après la finitude, op. cit., p. 111.

[38] Ibid., 88-90. Cf. Thomas Sutherland, "The law of becoming and the shackles of sufficient reason in Quentin Meillassoux", in Parrhesia, 21, 2014, p. 161-173 and Tyler Tritten, "After Contingency: Toward the Principle of Sufficient Reason as Post Factum", in Symposium, 19, 1, 2015, p. 24-38.

[39] Ibid., p. 66. Cf. GA 15, p. 436-437. Cf. Peter Gratton, "Meillassoux's Speculative Politics: Time and the Divinity to Come", in Analecta Hermeneutica, 4, 2012, p. 1-14.

precisely because Husserlian inspiration is emphasized. Harman interprets Husserl's position as an object-oriented idealism, especially considering his early contributions.[40] The references are concentrated in *Logical Investigations* and *Ideas I*, which certainly distort the scope of the Husserlian device, in spite of which Harman is able to capture its potential.

Unlike other authors, he intuits the wealth of possibilities that inhabit this basic conceptual framework.[41] It can be added that, with a broader view, he could have found in Husserl and his thematizations on exceedance many more elements to contemplate the objective pole which he supposes absent in the horizon of the phenomenology in its original version.[42] Indeed, Harman adopts the idea of the intentional object and its unity as a primary notion and praises the connections drawn by Husserl between this pole and the intentional and real qualities.[43] Thereupon, from this perspective, the idealistic choice of Husserl only hides the fourth pole, that of the real object, which is not an item of transcendence, but what withdraws from experience. In Hartman's interpretation, it is necessary to wait till Heidegger's analysis of usefulness to find a treatment on this issue.[44] However, the Husserlian device provides elements to think the 'real object' through the study on exceedance, understood as that which goes beyond the intentional structure.

Moreover, if exceedance, as we argue, is the domain of the phenomenology of the inapparent, phenomenology is fourfold, and this fourfoldness mirrors that which, according to Harman, thrives on objectivity. So, phenomenology understood in this fourfold way, directly dialogues with an object-oriented ontology precisely because the latter stirs up in its own way the analysis of the relationship between the four phenomenological levels, either as a tension between object and quality or between egological and transegological moods. Staticity, geneticity, generativity and inapparency may be alternative names for a similar display of conceptual categories. Even at first glance, the closeness between approaches is striking. Harman characterizes the relationships between poles with terms valuable in a Husserlian realm: time is the relationship between the sensual (or intentional) object and sensual qualities; space is the relationship between the real object and

---

[40] Graham Harman, Guerrilla Metaphysics. Phenomenology and the carpentry of Things, Chicago, Open Court, 2005, p. 21-32; The Quadruple Object, op. cit., p. 20; Bells and Whistles. More Speculative Realism, Washington, Zero Books, 2013, p. 21-22. Cf. also Graham Harman, "On the horror of phenomenology: Lovecraft and Husserl", in Collapse. Philosophical Research and Development, 4, 2010, p. 333-364 and Weird Realism: Lovecraft and Philosophy, Washington, Zero Books, 2012, p. 28.

[41] Graham Harman, Guerrilla Metaphysics, op. cit., p. 39, 55, 154, 196; The Quadruple Object, op. cit., p. 21, 23, 30, 77.

[42] Ibid., p. 26.

[43] Graham Harman, Guerrilla Metaphysics, op. cit., p. 29-31; The Quadruple Object, op. cit., p. 31-32.

[44] Graham Harman, Tool-Being. Heidegger and the Metaphysics of Objects, Chicago, Open Court, 2002, p. 129; Guerrilla Metaphysics, op. cit., p. 73-79; The Quadruple Object, op. cit., p. 34.

sensual qualities; essence is the relationship between the real object and real qualities, and *eidos* is the relationship between the sensual object and real qualities.[45]

We will not dwell here on this point, but only note that a field of fertile dialogue opens up when one considers that spatiality is related to the static approach, while the genetic approach emphasizes time, to the point that it has been seen as its only priority, and it is not difficult to glimpse the way in which the essence prevails in inapparency. Finally, the eidetic intuition which arises in the field of the static approach is also an element of generativity that, in its opening to the historical and cultural aspects, arises from the previous levels and crowns their aims in the realm of intentional analysis. The Harmanian fourfoldness resonates, then, in the four layers of phenomenology, especially because it emphasizes the idea that they are not part of a stovepipe model, but four dimensions in tension where each one offers its tools to account for different aspects of "the things themselves".[46] Indeed, it is possible to develop local studies in each of the four layers through their own devices applied to the things to which they primarily refer, or take their different perspectives in order to study the same thing in its structure, its temporality, its historicity and its exceedance, paying attention to the relationship between the contributions of each layer.

Of course, a longer study on this issue will make clear the dialogue between the phenomenology of the inapparent and other aspects of the new realisms. Here we confine ourselves to suggest this possibility and to discard the views that only emphasize hostility. But can the different variants coexist in the same realm as parts of a unified phenomenology of the inapparent?

On Coexistence in the same Phenomenological Field

It is not unusual to find characterizations that, among the multiple differences between the new realisms, consider as a common denominator a rejection of the position of Husserl. It is time to re-evaluate the extent to which these interpretations build a non-existent adversary and lose the possibility of finding arguments to promote these issues. Let us review in this section some direct points of contact with Husserlian ideas that strengthen, therefore, the proposal of a fourfold phenomenology that can keep this power of dialogue and combine legitimately the different contributions in the same phenomenological field.

It is symptomatic that many studies in this area magnify general references from Husserl, but there are no broad references to more recent sources of phenomenological inspiration, such as Michel Henry and Jean Luc Marion. In this way, it is impossible to detect the common features behind the differences and identify the real opponents. Within the currents of French phenomenology, Michel Henry and Jean-Luc Marion discussed the principles of phenomenology,

---

[45] Ibid., p. 99-101.

[46] Cf. Hernán Inverso, Fenomenología de lo inaparente, op. cit., p. 235-257.

pointing out that they lack radicality. So, they added a fourth principle in order to explain exceedance.[47] The principle "to things themselves" suggests precisely the variety of the "things" of phenomenology, which are not limited to common phenomena. On the contrary, they are different for different types of things. Therefore, exceedance requires the study of the inapparent, which reveals its presence behind all phenomena, in a stratum that prioritizes its perspectives.

This need was noted and taken into account in what Marion calls "counter-method" and "reduction to donation",[48] as well as in the proposal of Michel Henry regarding "radical reduction" and the "inversion of phenomenology".[49] These are variations of phenomenological analysis predicted from the beginning by the method itself, so that the fourfold scheme covers the horizon of phenomenology and accounts for all its aspects. Similarly, in the case of Meillassoux, the method is redefined by pointing to areas where the correlation is broken and through the fissures it is possible to access the absolute. Unlike post-Kantian philosophy, which has limited itself to seek the most original correlation of thought and being, it is necessary to go further.[50]

On the other hand, in agreement with its method, phenomenology deals with intentional objects. However, detractors often overlook that the Husserlian approach includes references to excess and suggests right from the beginning the limits of correlation. These are, therefore, antecedents of Henry's opposition between Greek logos, characterized by phenomenological distance, and Christian gnosis, linked to pure immanence and the flesh, as well as antecedents of Marion's thinking about donation and the saturated phenomena. Indeed, as Vinolo has noted, that, despite the frictions between Marion's donation and the position of Meillassoux, there are ties that should not be omitted.[51]

---

47 See, for instance, Jean-Luc Marion, Réduction et donation, Paris, Presses universitaires de France, 1989, p. 280-305 and Michel Henry, Phénoménologie de la Vie, 1, Paris, Presses universitaires de France, 2003, p. 78- 104; Delia Popa, "Michel Henry, lecteur de Husserl. Apparence, phénoménalité et présence à soi", in Cahiers philosophiques, 3, 126, 2011; Blandine Lagrut, "Deux réductions radicales? Le principe 'autant de réduction, autant de donation' chez Jean-Luc Marion et Michel Henry", in La vie et les vivants: (Re-)lire Michel Henry, ed. Grégori Jean, Jean Leclerq and Nicolas Monseu, Louvain, Presses Universitaires de Louvain, 2013; and Émilie Tardivel, "Monde et donation. Une révision du quatrième principe de la phénoménologie", in Revue de métaphysique et de morale, 85, 1, 2015.

48 Cf. Jean-Luc Marion, Étant donné, Paris, Presses universitaires de France, 1997, p. 13-17. See also Kevin Hart, Counter-experiences: Reading Jean-Luc Marion, Notre Dame, University of Notre Dame Press, 2007, p. 210ff. and Tamsin Jones, A Genealogy of Marion's Philosophy of Religion: Apparent Darkness, Indianapolis, Indiana University Press, 2011, p. 130-154.

49 Cf. Michel Henry, Incarnation Une philosophie de la chair, Paris, Seuil, 2000, p. 35-134. See also James G. Hart, "Who One is. Book 2. Existenz and Transcendental Phenomenology", in Phenomenologica, 190, 2009, p. 167-192.

50 Cf. Quentin Meillassoux, Après la finitude, op. cit., p. 18.

51 Stéphane Vinolo, "Le réalisme spéculatif à l'épreuve de la donation," in Théoremes, 6, 2014.

In fact, Meillassoux points out that the prefix 'co-' is the "chemical formula" that dominates modern philosophy.[52] He emphasizes that it prevents access to an absolute outside the correlation and encloses everything in the intentional relationship. However, saturated phenomena clearly point beyond this scheme. There are phenomena that go beyond correlation and its consequent reduction. They are beyond finitude. Thus, donation transposes the limits of the correlation because of its rejection of reciprocity, which depends on correlative schemes. The triple reduction suggested by Marion precisely suspends the terms of the correlation by postulating a gift without giver, without gift and without receiver. In a context in which the subject becomes *adonné* and leaves the pretension of originality,[53] the triple reduction makes possible a great outdoors, an absolute tied to unreason, and the lack of a rigid intentional correlate.

Let us add that the connection between Marion's phenomenology and this version of speculative realism does not depend on a local communion based on a shared critique that puts them outside the realm of phenomenology. On the contrary, both sides explore a field that belongs to phenomenology and that could even go back, as we said, to its Husserlian origin. From these explorations it is possible to identify some features of the level of the inapparent: an absence of pairing between intention and intuition, ecstatic characterization, impressionality and exceedance, in such a way that the notions of a "saturated phenomenon", as well as the pair "Greek-Christian phenomenon" or the elements of "constructive phenomenology" provide examples of this mechanism without pretending to surpass other levels.

In fact, the phenomenon of phenomenology of the inapparent has peculiar features: it comes to us rather than being constituted by us; it has features of saturation and does not present intention and intuition in pairing; it redefines links with the ecstatic realm and immanence; it has an originary auto-affection and therefore has impressional aspects and exceeds the horizon, unlike other phenomena that can be subsumed in defined hermeneutical horizons. These traits imply that, on this level, the inapparent phenomenon takes control and comes to the subject, inviting him to redefine himself in order to make donation possible. The great outdoors dominates the scene. So, phenomenology of the inapparent dialogues directly with Meillassoux's claim on the facticity and contingency of the correlation.

The proposal for a non-correlative absolute based on the principle of factiality which avoids falling into onto-theology arises from this idea. In this model, factiality is not so much the experience of the limit as the experience of knowledge

---

[52] Cf. Quentin Meillassoux, Après la finitude, op. cit., p. 19.

[53] Jean-Luc Marion, Étant donné, op. cit., p. 371-442 and Le phénomène érotique, Paris, Grasset, 2003, p. 41-116.

of the absolute.[54] It shows variants outside the correlation associated with the "unreason" that the thing can always be another.[55] This is one of the many contemporary re-editions of potentiality as a foremost concept of philosophy. The complex turns of Meillassoux to explain this absolute inherit the irrepressible character that this notion had from its beginnings.

At the same time, to think about the excess linked to the inapparent is a way of warning, as Harman does, against the processes of undermining or overmining objects. The inapparent points to different ways of dealing with things and warns against the risk of reducing them to modes of intentional correlation. A flat ontology, which contemplates things without restricting them, is a way of referring to the whole horizon of phenomenology. From the view of the phenomenology of the inapparent, it is possible to claim, following Harman, that each object is absolute and its excess determines relationships with other objects. Then, while the static, genetic and generative levels emphasize correlation, the phenomenology of the inapparent captures what in all of them otherwise escapes.

Thus, the subject in the phenomenology of the inapparent is different from the subject in other levels. In this stratum, there are explicit traits which refer to the ego as a pole of irradiation, an *Ausstrahlugszentrum*, and as an incidence pole, an *Einstrahlungszentrum*, according to paragraph 25 of *Ideas II*.[56] By gathering irradiation and incidence, we might examine both, and the analysis of the latter coincides precisely with the attitude of the subject required way beyond intentionality.

It is for this reason that Michel Henry's studies about alterity, as well as the status of the *adonné* in Marion and the primacy of the absolute in Meillassoux, etc., are extremely useful to grasp the inapparent, because all of them focus on different aspects of an inexhaustible realm. The level of the inapparent, as we have said, is associated with affectivity and its way of givenness redefines the traits of intentional correlation. Thus, studies on the phenomenology of life and on the phenomenology of donation provide examples of this mechanism, but without implying a failure of the noematic perspective about alterity or the redefinition of the subject as *adonné*.

Likewise, Meillassoux's points of view move in this same horizon. They agree with the phenomenological programme about the importance of accounting for the complete horizon of things by contemplating the excess. Ancestry, on the level of metahistory, which goes beyond generativity, is precisely a thing of the realm of the inapparent. The archi-fossil is not susceptible to constitution according to the parameters of staticity or geneticity or generativity, with its generation that last generations, because they still did not exist, but precisely incarnates donation without correlation.

---

[54] Quentin Meillassoux, Après la finitude, op. cit., p. 72. Cf. Josef Moshe, "Correlationism Reconsidered: On the 'Possibility of Ignorance' in Meillassoux", op. cit., p. 187-206.

[55] Quentin Meillassoux, Après la finitude, op. cit., p. 74-75.

[56] Hua IV, p. 105-105. Cf. also Hua IX, p. 315 and Hua XIV, p. 30. Cf. Eduard Marbach, Das Problem des Ich in der Phänomenologie Husserls, The Hague, Springer, 1974, p. 291-298.

Therefore, philosophical traditions that study limits and boundaries often seek to overcome phenomenology, but from this perspective they rather draw attention to the need to make explicit a realm that is not outside the phenomenological field. Instead, it is involved in all its developments. If, as we see at every step, there is behind excess and apparent points at the same time as inapparent, then recognition of an independent stratum does nothing more than respond to the call of these phenomenal types that exist in the limits of correlation.

Thus, in face of the attempt to overcome all previous developments, there is a synergistic attitude that seeks not so much the rupture as the integration of inquiries that share a general inspiration. This happens precisely in the case of speculative realism, which responds to a widespread concern about the exhaustion of two directions that cross the last decades, associated on the one hand with postmodernism, seen as the total inaction against fanaticism and the vacuity of all references, and, on the other hand, with positions like phenomenology, which did not yield to relativism but contended in a conflictive way with a realm beyond the intentional structure.

Harman's historiographical position is a good example of the unfolding of the ideas present in previous philosophies through the deepening of their achievements in a movement of progressive increase that coincides with what we propose here. This synergic approach aims to strengthen the conjunction of various philosophies by attending to their joint operation rather than multiplying fragmentation for the sake of novelty. The architectural pretension of phenomenology fuels this trend in the same way as Harman's proposal, so that their exegetical efforts are combined instead of opting for "private homespun ontologies easily found in the attics and basements of the internet."[57]

As we have said, the new realisms and the phenomenological variants do not present perspectives so different as to collapse in their complete incompatibility. Donation, immanence, fourfoldness and the great outdoors seem only at first glance elements among which we must choose after discarding the rest. On closer examination, the scenario changes and an enriched phenomenological environment becomes the centre of attention. This phenomenological environment is conscious of the boundaries of the intentional relation, so that it breaks the limits of correlationism. In this sense, the research that has been growing in the last decades forms a framework of different explorations in fairly uncharted territory. The task of the fourfold phenomenology to come lies in part in the study of what has the inquiries on exceedance and their relation to other ways of accessing "things themselves" have in common.

To this end, from the methodological point of view, it is necessary to pay attention to these first explorations in a unified manner, even though they seem inconsistent. It could be said that if what extends beyond the correlation is a new or long abandoned territory, it is expected that the chronicles of the early explorers are divergent and report very different encounters and scenarios that each also

[57] Graham Harman, The Quadruple Object, op. cit., p. 93.

evaluates in contrasting ways. But it is equally possible to turn around and leave the finding because of its confusion and incoherence, or one can choose one of the stories, deny the rest, and build boundaries that cancel the contradictory reports; or you can finally observe the deployment of diversity, releasing it so that it manifests the connections between all its creatures. We are on the point of letting the population grow in the different regions of the field of exceedance and allowing the absolute to nourish the search for a reason freed of its chains.

The phenomenology of the inapparent is a kind of bridge between different views. At the same time, it suggests that phenomenology not only by heresy, as P. Ricoeur said in 1958, but also by explorations that at first sight seem discordant and even think of themselves in this way.[58] However, in another light, seen in a plexus that encompasses them, they take on a positive meaning. All this is an indication of its internal force. Let us recall the aspiration to a foundation of science which subsists in the notions of ancestral objects and facticity in Meillassoux. The discourse of experimental science is based on a "thought of the absolute", and thus, far from the resignation of positivism, "science prescribes the discovery of the source of its own absolute".[59] The task is not any different from that of Husserl in his programmatic text of 1911, *Philosophy as a Rigorous Science*. That same goal leads to excess in its various guises of the inapparent, donation, absolute or great outdoors, as a legitimate phenomenological field.

[58] Cf. Paul Ricoeur, "Sur la phénoménologie", in Esprit, 21, 1958, p. 836.
[59] Quentin Meillassoux, Après la finitude, op. cit., p. 39.

Die genetische Konstruktion der Fakta und ihr Weltzugang im Ausgang von Husserl und Henry

Eine Antwort auf Meillassoux' Einwände gegen den Transzendentalismus

Irene Breuer

Einleitung

Allgemein wird dem Korrelationalismus nachkantischer Philosophie vorgeworfen, das unabhängige „Ansich" in die bewusstseinsmäßige Immanenz „internalisiert" zu haben, wodurch die Objektivität der Welt an die transzendentale Subjektivität gebunden bleibt.[1] Quentin Meillassoux geht diesem Vorwurf nach: Der Transzendentalismus fragt, wie eine Wissenschaft von der Entstehung des Lebens und des Bewusstseins möglich ist. Er fragt nach Bedingungen, die weder entstehen noch vergehen können, nicht weil sie ewig sind, sondern weil sie „nicht zur gleichen Ebene der Reflexion gehören", denn sie sind „‚außerzeitlich' und ‚außerräumlich'". Der Realismus entgegnet, eine Bedingung des transzendentalen Subjekts bestünde darin, dass er in der Zeit „stattfindet". Er stellt sich also die Frage nach dem „Status des Werdens"; d.h. wie eine raumzeitliche Gebung, die jeder bewussten Gebung bzw. dessen Bewusstsein vorausgeht, sich in der Zeit ereignet[2] – ein Einwand, der als ein ‚Argument der Faktizität' bezeichnet werden kann. Ein zweiter Einwand, den Meillassoux als das ‚Argument der Verleiblichung' bezeichnet, besagt, dass das transzendentale Subjekt inkarniert sein soll; dieses gilt als „eine nicht-empirische Bedingung" seiner Faktizität. Meillassoux zufolge darf der Korrelationismus im Sinne eines spekulativen Idealismus das transzendentale Subjekt nicht verabsolutieren, sondern muss sich „die Frage der Zeitlichkeit [...], des Transzendentalen selbst" stellen.[3]

In diesem Sinne widmet sich der erste Teil meines Beitrags dem ersten Argument, i.e. demjenigen der Faktizität. Er wird versuchen zu zeigen, dass Husserl selbst eine Antwort gegeben hat, sowohl im Sinne der Methodologie wie auch im

---

[1] Armen Avanessian, „Editorial", in Realismus Jetzt. Materialismus und Realismus. Spekulative Philosophie und Metaphysik für das 21. Jahrhundert, hrsg. Armen Avenassian, üb. Ronald Voullié, Berlin, Merve, 2013, S. 7–23, hier: 12.

[2] Quentin Meillassoux, Nach der Endlichkeit. Versuch über die Notwendigkeit der Kontingenz, üb. Roland Frommel, Berlin, Diaphanes, 2014, S. 32–40.

[3] Ebd., S. 40–43.

Sinne der Ausarbeitung einer phänomenologischen Genesis der Faktizität. Eine Genesis, die „konstruiert“ wird, die also nicht beschrieben wird, als ob etwas einfach vorgegeben wäre. Die Antwort erfolgt in zwei Schritten: Der erste widmet sich der Frage einer „transzendentalen Erfahrung“[4], um die Möglichkeiten der Erfahrung einer deskriptiven bzw. doxischen Erkenntnis der nach der Reduktion bestehenden Fakta herauszustellen. Die hier vorgeschlagene genetische Konstruktion geht von dem Faktum der „ursprünglichen Sinnlichkeit“ aus, um die Entstehung der ‚Ur-Leiber‘, der ‚Ur-Gegenstände‘ und des ‚Ur-Ortes‘ zu beschreiben.[5] Es handelt sich hier um ein affektiv leibliches Erfahrungsgeschehen, das der aktiven Intentionalität gegenübersteht und im Ausgang von Edmund Husserl und Michel Henry entwickelt wird. Dieser faktische ‚Restbestand‘ der ursprünglichen Sinnlichkeit als „Urhyle“ (Husserl) und der Affektivität (Henry) kann m.E. einen der Phänomenologie spezifischen Realismus begründen, insofern diesen Urfakta ein genetischer Vorrang und eine bewusstseinsunabhängige Gegebenheitsweise gewährt wird. Der zweite Schritt besteht darin, eine klare Unterscheidung zu treffen zwischen der genetischen Konstruktion, die aufbauend ist und passiv dank einer leiblichen Intentionalität erfolgt, und der transzendental-phänomenologischen Sinnkonstitution, die erst nachträglich durch eine aktiv bewusstseinsmäßige Intentionalität in einer Zick-Zack Bewegung geleistet wird.

Der zweite Teil des Beitrags beschäftigt sich mit dem zweiten Einwand Meillassoux‘, demjenigen der „Verleiblichung“, indem der Frage nach der ursprünglichen Faktizität des Leibes bzw. seiner Undurchstreichbarkeit nachgegangen wird. Die konstruktive Genesis der Leiblichkeit hat eine besondere Relevanz in der betreffenden Debatte insofern sie zeigt, dass das Subjekt immer schon in der Welt inkarniert ist. Eine weitere These besagt, dass in Folge der haptischen Konstruktion des Leibes eine Umkehrung des Fundierungsverhältnisses bei der Ding- und Raumkonstitution Husserls gegen 1926/27 stattgefunden hat: Das konstitutiv Erste ist nicht mehr das Ding in seiner Gestalt und Lage, wie noch in Ding und Raum ersichtlich ist, sondern – dank der genetischen Konstruktion – der eigene Leib als „verwirklichtes Zentrum“ bzw. als „Urobjekt“[6] der erfahrenen Welt. Diese Einsichten führen zu der Schlussfolgerung, dass das Subjekt nicht nur ursprünglich verleiblicht, sondern der Ursprung der Weltkonstitution ist. Auf diese Weise wird hier versucht, diesem Wendepunkt in Husserls Denken durch eine

---

[4] Alexander Schnell, Husserl et les fondements de la phénoménologie constructive, Grenoble, Millon, 2007, S. 70. Vgl. vom selben Verfasser, „Phänomenbegriff und Phänomenologische Konstruktion bei Husserl und Heidegger“, in Investigating Subjectivity. Classical and New Perspectives, ed. Gerrit Jan van der Heiden, et al., Leiden/Boston, Brill 2012, S. 43–55.

[5] Vgl. vom Verfasser, „Die haptisch korrelative Genesis von Raum/Ort und eigener bzw. ‚intersubjektiver‘ Leiblichkeit an den Rändern der Phänomenologie Husserls: Die originäre Entstehung der Ur-präsenzen an den Grenzen der Gegebenheit“, in The Yearboook on History and Interpretation of Phenomenology 2015. New Generative Aspects in Contemporary Phenomenology, ed. Jana Trajtelová, Frankfurt am Main, Peter Lang, 2015, S. 95–115.

[6] Hua XIV, S. 540.

haptische Konstruktionsanalyse auszulegen, die den Einwänden des Realismus im Sinne Meillassoux' eine mögliche Antwort bieten kann.

1. Argument der Faktizität

Wenden wir uns allererst der Argumentation Meillassoux' zu. Seine Theorie der Anzestralität untersucht, wie der Sinn eines Diskurses zu denken ist, der sich auf eine anzestrale Wirklichkeit bezieht, d.h. eine Wirklichkeit, die der Entstehung des Menschen vorausgeht. Dabei geht er in zwei Modalitäten des korrelationistischen Interpretation der Anzestralität ein. Während aus dem transzendentalen Gesichtspunkt aus, das Subjekt an dem korrelationellen Horizont gebunden ist, aus dem spekulativen Standpunkt aus wird das Ego oder der Geist verewigt, so dass ein „anzestraler Zeuge" stets die Korrelation absichern kann. Dagegen besteht Meillassoux auf einer strengen Unterscheidung zwischen den Referenten der Aussagen, den Tatsachen, die für sich Bestand haben, und den Aussagen über dieselben, die eine ideelle bzw. logische Realität haben. So wirft er den Korrelationismus die Verdoppelung des Sinnes und der Gegebenheitsweisen vor: Erstens gibt es den „unmittelbar realistischen Sinn", der bei der ursprünglichen Gebung entsteht und dem Sein vorausgeht, und zweitens, einen „ursprünglichen, korrelationellen Sinn", der diese Ursprünglichkeit innerhalb der Korrelation neutralisiert. Insbesondere wirft er den Korrelationisten vor, „eine Retrojektion der Vergangenheit von der Gegenwart" aus zu vollziehen, die der Gebung einen logischen Sinn nachträglich aufprägt. Daher fordert er „nur einen realistischen Sinn", so dass der „buchstäbliche" bzw. ursprüngliche Sinn der Aussage mit seinem „letztmöglichen" koinzidiert.[7]

Zwei mögliche korrelationistische Einwände gegen diese Konzeption zeichnet Meillassoux auf: Erstens, der „Einwand der Zeugenlosigkeit,"[8] der besagt, dass „alles, was ohne Zeugen ist, undenkbar"[9] ist. Hierzu wendet er ein, dass der lückenhafte Charakter des Gegebenen kein Problem darstellt, da dies gerade das wesentliche der Abschattungslehre Husserls ausmacht: "*Wenn es einen Zeugen gegeben hätte*, dank wäre dieses Ereignis auf diese oder jene Weise wahrgenommen worden."[10] In diesem Einwand liegt für Meillassoux eine Verwechslung des Anzestralen mit dem Begriff des „Fernen", denn, in seinen Worten: „Das Anzestrale seinerseits aber bezeichnet keine Lücke im Gegebenen und für eine Gebung, sondern eine Lücke der Gebung selbst".[11] Das Problem liegt also nicht in der Zeugenlosigkeit und dem Entferntsein in der Zeit, sondern in dem „was der Gebung in ihrer Totalität vorausliegt."[12] Es geht also nicht um das Nicht-Wahrgenommene,

---

7 Quentin Meillassoux, Nach der Endlichkeit, op. cit., S. 24-32.
8 Ibid., S. 36.
9 Ibid., S. 35.
10 Ibid.
11 Ibid., S. 37.
12 Ibid.

sondern um einen Übergang von dem Nicht-Gegebensein als solchem zum Gegebensein. Es handelt sich m.E. um den Übergang eines Undenkbaren, das außerhalb jedes möglichen Bewusstseins liegt – daher wesentlich nicht einholbar –, zu einer bewussten Sein– und Sinngebung. Aus diesem Grunde, wie Meillassoux treffend erkennt, ist das Problem kein empirisches, sondern ein ontologisches. Zusammenfassend geht es hier um die Frage, wie der Entstehung der Faktizität Rechnung zu tragen ist.

Eine mögliche Antwort auf die gestellte Frage bietet die Entfaltung einer phänomenologischen konstruktiven Leistung. Husserl sieht nämlich ein, dass, selbst wenn die transzendental-phänomenologische Reduktion zur transzendentalen Subjektivität und ihrem intentionalen Leben führt – in seinen Worten: „Die Wendung zum ego cogito als dem apoditisch gewissen und letzten Urteilsboden auf den jede radikale Philosophie zu begründen ist“[13] –, die Methode sich nicht darauf beschränken kann, die Apodiktizität des „Ich bin“ und die absolute Evidenz der „lebendigen[n] Selbstgegenwart“ aufzudecken. Die phänomenologische Reduktion oder der Abbau müssen darüber hinaus durch eine „konstruktive“ Methode ergänzt werden, die dem nach der Reduktion übrig gebliebenen Restbestand an Objektivem einen Sinn verleiht. Es handelt sich darum, „alles Natürliche, geradehin Vorgegebene in neuer Ursprünglichkeit wieder auf[zu]bauen“ und nicht als schon „Endgültiges“ oder als bereits Konstituiertes zu interpretieren.[14] Es geht also um eine Aufbauleistung, die nicht ‚ex-nihilo‘ vorgeht, sondern „konstruiert“ wird, die nicht beschrieben wird, als ob etwas einfach vorgegeben wäre.[15]

Diesem „ontischen Faktum“ gilt es, einen Sinn zu verleihen. Husserl zufolge ist dies „der Anfang einer radikalen Klärung des Sinnes und Ursprunges (bzw. des Sinnes aus dem Ursprung) der Begriffe Welt, Natur, Raum, Zeit, animalisches Wesen, Mensch, Seele, Leib, soziale Gemeinschaft, Kultur, usw.“[16] Schnell hebt in diesem Sinne hervor, dass es sich hier um eine neuartige Erfahrung handelt – eine „transzendentale Erfahrung“ – insofern „das Erfahrungsfeld des Egos ein transzendentales Erfahrungsfeld ist.“[17] Es geht hier um die Bedingungen der Möglichkeit einer deskriptiven Erkenntnis, die das einfache Erfahren nicht leisten kann, da es ein vorübergehendes Erleben ist. Eine transzendentale Erfahrung muss also sich die Frage nach der Möglichkeit „einer bleibenden Erfahrungswahrheit aus flüchtigen Akten des Erfahrens und Ausdrückens“[18] stellen. Das „mögliche Sein der Welt auszudenken als Möglichkeit“ einer „Unendlichkeit der Erfahrung“, die

---

[13] Hua I, S. 58.

[14] Ebd., S. 165.

[15] Vgl. Hua XIV, S. 180.

[16] Ebd.

[17] Alexander Schnell, Husserl et les fondements de la phénoménologie constructive, op. cit., S. 70.

[18] Edmund Husserl, Erste Philosophie (1923/1924). Erster Teil. Kritische Ideengeschichte, hrsg. Rudolf Boehm, Den Haag, Nijhoff, 1959, S. 476 (abgekürzt Hua VIII).

„konstruierbar“[19] ist, lässt sich Schnell zufolge auf keine einfache eidetische Beschreibung reduzieren, sondern als Leistung gehört es zum „Wesen der Erfahrung“, einer „phänomenologischen Konstruktion“ zu bedürfen.[20]

Husserl stellt sich also die Frage nach der Genesis der Faktizität, die Objekt einer transzendentalen Erfahrung ist. Er bezeichnete diese Konstruktion als eine „neue Methode“ und gründet sie auf einer neu gewonnenen Einsicht: Obwohl alles Objektive nur aus meinen „eigenen Bewußtseinsleistungen“ Sinn erhalten kann, bleibt nach der Reduktion ein „Rest“-Bestand „an Objektivem“, das schlechthin gegeben ist, das nicht reines Subjektives ist.[21] Dieser „Rest“ ist nichts anderes als die Fakten, die an der Grenze der Phänomenalität stehen. Damit sind nicht die „Urtatsachen“ gemeint, die absolut von sich selbst gegeben und Objekt einer „phänomenologischen Metaphysik“[22] sind, sondern diejenigen Fakta, an denen die intentional-deskriptive Analyse eine Grenze findet. Die Phänomenologie steht also vor einer Aporie: Nach dem Rückgang zu den Sachen selbst, soll sie das Erscheinende in den „Schranken“ oder Grenzen beschreiben, „in denen es sich gibt.“[23] Die Phänomenologie geht aber von einem Rest-Bestand – dem ontologischen Apriori[24] – aus, der phänomenologisch nicht ausweisbar ist und eben deshalb ‚konstruiert‘ werden muss. So muss die genetische Konstruktion im Ausgang der ursprünglichen Fakta in einer Zick-Zack Bewegung mit deren Sinnkonstitution erfolgen, damit die konstruktive Anschauung sich ihrer Übereinstimmung mit der phänomenologischen Evidenz vergewissern kann. Diese uneinholbare Grenze ist – der hier vorgeschlagenen These nach – nichts anderes als die „ursprüngliche Sinnlichkeit“[25], die keiner Intentionalität des Bewusstseins, sondern der Triebintentionalität verpflichtet bleibt. Dieser faktische „Rest“ besitzt einen genetischen Vorrang, so dass er auf die erwähnten Einwände Meillassoux‘ eine erste Antwort bieten kann.

So untersucht Husserl die Genesis der Fakta, insofern sie ursprünglich kein Objekt eines intentionalen Bewusstseins sein können, gerade weil sie ontologisch apriori sind. Denn diese Aufbauleistung, die Objekt einer transzendentalen Erfahrung ist, ist die Voraussetzung dafür, dass diese konstruierten Gegenstände nachträglich intentional erfasst werden können. Es ist ja eine wesentliche Einsicht Husserls, dass die Sinngebung nur im Nachhinein erfolgen kann. Diese Einsicht

---

19 Ebd., S. 390.

20 Alexander Schnell, Husserl et les fondements de la phénoménologie constructive, op. cit., S. 71.

21 Hua VIII, S. 139, cf. S. 390.

22 Vgl. László Tengelyi, Welt und Unendlichkeit. Zum Problem phänomenologischer Metaphysik, Freiburg/München, Karl Alber, 2014, S. 297–544.

23 Edmund Husserl, Ideen zu einer reinen Phänomenologie und phänomenologischen Philosophie. Erstes Buch, hrsg. Karl Schuhmann, Den Haag, Nijhoff, 1976, S. 51 (abgekürzt Hua III/1).

24 Vgl. Hua I, S. 180.

25 Edmund Husserl, Die Bernauer Manuskripte über das Zeitbewusstsein (1917/18), hrsg. Rudolf Bernet und Dieter Lohmar, Dordrecht, Kluwer, 2001, S. 275 (abgekürzt Hua XXXIII).

über die rückläufige Sinnkonstitution der bestehenden Fakta verdankt sich der Anerkennung, dass „[r]eales Sein […] nicht nur überhaupt eine faktisch seiende Erkenntnissubjektivität (der formal allgemeine Beweis des transzendentalen Idealismus), sondern reales Sein oder Sein einer realen Welt" zugleich fordert. Eine bloß materielle Welt als Unterstufe erfordert eine existierende Subjektivität, die diese Welt „rückwärts" konstituiert.[26] Übereintreffend hiermit sagt Husserl: „Eine Welt, die notwendig eine konstituierte Welt ist, existiert, auch wenn die Konstitution keine aktuelle ist, und [...] ohne konstitutiv erfahren zu sein."[27] Denn eine existierende Welt ohne Subjekte, „die wirklich sie erfahren [...] ist nur denkbar als Vergangenheit einer Welt mit solchen Subjekten."[28] Dies bedeutet, dass keine der Genesis korrelativen Konstitution vonnöten ist, um die Existenz der Welt zu behaupten, sondern eben nur eine, welche die faktische Realität rückläufig konstituiert. Die Natur ist also Gegenstand einer Rückbesinnung; sie hat ontologischen Vorrang eben deshalb, weil die Konstitution keine aktuelle bzw. gegenwärtige zu sein braucht. Auf diese Weise ist eine „Gebung" in Meillassoux' Sinne denkbar, die „zeugenlos" ist, eben deshalb, weil deren Sinn erst nachträglich konstituiert wird.

Der zweite Teil der Antwort auf die Möglichkeit eines Übergangs von der Nicht-Gebung zum Gegebensein beruht auf der Entfaltung der genetischen Konstruktion und der damit verbundenen Ausarbeitung einer ‚leiblichen Intentionalität' als Intentionalität des Triebes: Die in den Bernauer Ms. dargestellte „Passivität der ursprünglichen Sensualität"[29] eröffnet einen dynamischen Prozess der Bewusstwerdung, der sich von den primären Empfindungen im inneren bzw. leiblichen Bewusstsein als „Urstrom des Erlebens"[30] bis zum eigentlich intentionalen Bewusstsein als ein Eingehen in die Erfahrungssphäre erstreckt. Diese ursprüngliche Sensualität wird also hier als Korrelat eines leiblich passiven Bewusstseins verstanden, die durch Triebe intentional aufeinander bezogen sind.

In seiner genetischen Phänomenologie geht Husserl davon aus, das alles, was uns je affiziert, schon eine sozusagen „blinde" Einheit konstitutiver Merkmale bildet.[31] Die Quelle, aus der die Prädikate schöpfen, sind die Gefühle.[32] Dennoch vollzieht sich die primitivste Entwicklungsreihe unabhängig von allen aktiven Gefühlsleistungen und beginnt bei den hyletischen Daten, die in der „lebendigen Ge-

---

26 Edmund Husserl, Transzendentaler Idealismus. Texte aus dem Nachlass (1908-1921), hrsg. Robin Rollinger in Verbindung mit Rochus Sowa, Dordrecht, Kluwer, 2003, S. 141 (abgekürzt Hua XXXVI).

27 Ebd.

28 Ebd., S. 144, Fn. 2.

29 Hua XXXIII, S. 276.

30 Ebd.

31 Edmund Husserl, Aktive Synthesen. Aus der Vorlesung „Transzendentale Logik" 1920/21. Ergänzungsband zu „Analysen zur passiven Synthesis", hrsg. Roland Breeur, Den Haag, Nijhoff, 2000, S. 15 (abgekürzt Hua XXXI).

32 Hua XXXIII, S. 7.

genwart" miteinander als „affektive hyletische Einheiten" sich homogen verflechten.[33] Es vollzieht sich – aus ursprünglich zeitlicher Kontinuität – eine hyletische Verschmelzung innerhalb je eines Sinnesfeldes für sich.[34] Die „Urhyle" Husserls oder „ursprüngliche Sinnlichkeit"[35], die als Rest nach der Reduktion bestehen bleibt, liegt der Zeitanalyse Husserls zugrunde. Diese Hyle, aus der diese hyletischen Einheiten entstehen, ist keineswegs ein bloßer Auffassungsinhalt, der durch eine intentionale Auffassung affektiv ‚belebt' werden müsste, bzw. ein Etwas, „ein pures affektives Nichts"[36], sondern eine Hyle, die eine „affektive Lebendigkeit"[37] aufweist und aus der ein aus „Unterschiede affektiv wirksamen oder minder wirksamen Daten" bestehendes „affektives Relief"[38] entsteht. Diese Empfindungsdaten sind „eo ipso auch für das Ich, es affizierend".[39] Es ist nämlich eine Grundaufgabe der Affektivität, uns in einem Zustand der Empfänglichkeit gegenüber der möglichen Affektionen durch die Welt zu halten.[40]

Diese grundlegende Affektivität der Hyle bzw. diese „ichlose Sensualität" kann als ein Trieb verstanden werden, als eine „ursprüngliche Lebendigkeit" bzw. als eine „universale Triebintentionalität", die keiner Intentionalität des Bewusstseins bedarf. Diese ursprüngliche Sensualität pflichtet der Intentionalität des Triebes bei, sie ist Husserls Ausführungen zufolge auf eine „passive Intentionalität" zurückzuführen, die m.E. als ‚leiblich' bezeichnet werden kann, da es sich um ichlose sinnliche Tendenzen der Assoziation und Reproduktion handelt.[41] Nur diese „affektive Kraft" der Hyle kann einen leiblichen Trieb erzeugen und sich dadurch in heterogene Sinnesfelder differenzieren. Ursprünglich haben wir keine Körper, sondern jeweils Hyle als materielle Kraft, die sich kinästhetisch abwandelt. Zwischen dieser ursprünglichen Hyle und dem von ihr erzeugten leiblichen Trieb entsteht eine Spannung, die sich nicht in sprachlichen Ausdrücken, sondern in leiblichen Affektionen ausdrückt.

Die vorgeschlagenen Unterscheidungen dienen als Ausgangspunkt einer konstruktiven Aufbauleistung, die in den Sinnelsfeldern ihren Ursprung hat. Die Heterogenität der Sinnesfelder ist nämlich Korrelat der diskontinuierlichen Orte, die sich durch ihre unterschiedliche qualitative Deckung auszeichnen[42]. Ur-

---

[33] Edmund Husserl, Analysen zur passiven Synthesis. Aus Vorlesungs- und Forschungsmanuskripten 1918-1926, hrsg. Margot Fleischer, Den Haag, Nijhoff, 1966, S. 162 (abgekürzt Hua XI).

[34] Ebd., S. 160-162.

[35] Hua XXXIII, S. 275.

[36] Hua XI, S. 163.

[37] Ebd., S. 165.

[38] Ebd., S. 168.

[39] Ebd., S. 162.

[40] Hans-Dieter Gondek und László Tengelyi, Neue Phänomenologie in Frankreich, Berlin, Suhrkamp, 2011, S. 119.

[41] Hua XXXIII, S. 275.

[42] Edmund Husserl, Ding und Raum. Vorlesungen 1907, hrsg. Ulrich Claesges, Den Haag, Nijhoff, 1973, S. 185 (abgekürzt Hua XVI).

sprünglich sind Orte als ausgebreitete Flächen zu verstehen, die mit den Qualitäten deckungsgleich sind; sie sind die Voraussetzung dafür, dass sinnliche Unterschiede und somit Wahrnehmungsfelder in der passiven Ebene konstruiert werden. Die Konstruktion der Orte als Ausbreitung ist daher koextensiv mit der Bestimmung der unterschiedlichen Qualitäten; erst die Verortung verwandelt die Kontinuität des Ganzen in Diskontinuität bzw. in Berührung der Teile. Dies bedeutet, dass sich die kontinuierliche, homogene, unbestimmte und originäre materielle Ausbreitung, durch Qualitäten in unterschiedliche Orte bzw. Sinnesfelder bestimmen lässt. Korrelativ dazu entstehen m. E. die qualifizierten Ausbreitungen, die sich als Ur-Körper bzw. als Ur-Leiber oder Ur-Gestalten vom Hintergrund abheben. Da sie sich untereinander durch die Qualitäten unterscheiden, entsteht ein ‚Ur-draußen' bzw. ‚Ur-drinnen', das kein räumliches, sondern nur ein flächiges (zweidimensionales) ist, insofern jede Gestalt etwas ihr Äußerliches als Hintergrund und Innerliches als Ausfüllung hat.

Erst in einem zweiten Schritt baut die Konstruktion der fremden, diskreten Leibkörper – in ihrer jeweiligen Einzigkeit bzw. Diskretion – auf die erste Schicht auf, die mit der Konstruktion der sie tragenden unterschiedlichen Orte korrelativ ist. Erst in dieser zweiten Ebene entstehen die Entfernungen im Verhältnis zum Nullpunkt des eigenen Leibortes und somit auch die Transzendenzen, so dass die Konstruktion der untereinander unterschiedlichen Raumorte als dreidimensionale Ausdehnungen koextensiv mit derjenigen der einzelnen Leibkörper ist. Es konstruieren sich der reelle Raum, die Objektivität und die Wirklichkeit, und mit den Entfernungen konstruiert sich das „Hier" und „Dort", sowie der leere Raum zwischen den einzelnen Leiborten. So kann, mit Marc Richir gesagt, der architektonische Ort der Stiftung des räumlichen Draußen als jenes bezeichnet werden, das dem Leibkörper exogen ist.[43]

In einem dritten Schritt baut sich m.E. der homogene, dreidimensionale Raum als Verkettung der Orte auf, der korrelativ zur Konstitution der Intersubjektivität – die Leibkörper als aufeinander bezogen und eine gemeinsame Welt bewohnend – ist. Denn nur, wenn das Individuelle der Lage in einem Hier und Jetzt, in einem „umfassenden Raum als Ordnungsform anschaulich" vorgestellt wird, ist der Ort vom Raum zu unterscheiden und zu bestimmen. „Der Raum ist", in den Worten Husserls, „die Ordnung individueller Gleichzeitigkeit sinnlich gegebener (materieller) Dinge".[44] Die Orte in ihrer Gesamtheit sind für die Leibkörper und die darin lokalisierten Dinge a priori äquivalent, eine „Koexistenz", die Richir zufolge als „transzendental" zu bezeichnen ist.[45] Der Raum als Ordnungsform ist aber kein Apriori wie die Urhyle, sondern entsteht aus der Objektivierung der einzelnen Orte. Somit sind sowohl die Anfangsphase als auch die Endphase der

---

[43] Marc Richir, Fragments phénoménologiques sur le temps et l'espace, Grenoble, Million, 2006, S. 271.

[44] Edmund Husserl, Erfahrung und Urteil. Untersuchungen zur Genealogie der Logik, hrsg. Ludwig Landgrebe, Hamburg, Meiner, 1972, S. 219.

[45] Richir, Fragments phénoménologiques sur le temps et l'espace, op. cit., S. 271.

genetischen Konstruktion durch die Unbestimmtheit, Kontinuität und Homogenität des Raumes gekennzeichnet: zum einen der Raum als undifferenzierte Materie, als Hyle, woraus die diskreten Orte und die Formen bzw. Gestalten entstehen, zum anderen als Ordnungsform, die aus der Objektivierung der Ortsverkettung entsteht.

Es ist also die Aufgabe der Triebintentionalität, die Genesis der Faktizität zu gewährleisten. Husserl zufolge wird der Übergang zwischen einer ichlosen Urhyle und den heterogenen Sinnesfeldern, der hier den von Meillassoux gesuchten Übergang zwischen der Nicht-Gebung und der Gebung entspricht, von der affektiven Kraft der Hyle und dem daraus entstandenen Trieb geleistet. Gerade an diesem ersten Übergang kann die hier vorgeschlagene konstruktive Aufbauleistung der Leiber, Gegenstände und Orte ansetzen. Henry stellt sich ebenso die Frage, wie diese sinnlichen Affektionen zur Transzendenz der Welt aufbrechen, d.h. wie der Übergang zwischen dieser passiven Grundlage und ihrer Gebung zu beschreiben sei.

In diesem Sinne sucht Henry einen Sinn von Affektivität, der dem Gegensatz von Aktion und Passion vorgeordnet bleibt. Diese tiefere Ebene wird als die „ursprüngliche ontologische Passivität“[46] begriffen; sie kennzeichnet eine urpassive und zugleich selbstheitsstiftende Affektivität, die letzten Endes das „Wesen der Selbstheit“[47] ausmacht. In Übereinstimmung mit der von Husserl beschriebenen Genesis der Leiblichkeit wird diese affektive, passive und nicht-intentionale Grundlage der ursprünglichen Sensualität als ein „Sich-selbst-Fühlen“ oder „Sich-selbst-Empfinden“ konzipiert. Anders aber als bei Husserl, der diese Konstrutkion als ein Schichtenaufbau versteht, geht es bei Henry um eine reflektierende Bewegung des Fühlens, eine Selbstbezüglichkeit der Stimmungen und der Gefühle, die mit der Idee einer Selbstaffektion einhergeht – in Worten Henrys, „die Affektivität ist das Wesen der Selbstaffektion“.[48] Was sich in den affektiven Zuständen selbst offenbart ist das Leben, das, indem es sich in Stimmungen und Gefühlen selbst erprobt und erfährt, aktualisiert wird. Die Selbstoffenbarung des Lebens erfolgt also aus ihrer Selbstaffektion. Das ursprüngliche Gefühl wird dadurch charakterisiert, dass es „die Gabe ist, die nicht zurückgewiesen werden kann“, d.h. das Wesen des Gefühls liegt in einem „Sich-nicht-entziehen Können“.[49] Die Urpassivität der Stimmungen und Gefühle ist auf ihre Selbstbezüglichkeit zurückzuführen, denn das Gefühl ist dieses „sich-selbst-immer-schon-gegeben-Sein“.[50] Das Gefühl, das es selbst ist, das seine Identität mit sich selbst ausmacht, überschreitet sich selbst bzw. „stürzt in die Wirklichkeit seiner Faktizität“.[51] Weltbezug und Selbstheit erwachsen aus der Selbstüberschreitung der Affektivität. Was aus dieser

46 Michel Henry, L’essence de la manifestation, Paris, PUF, 2011, S. 585.
47 Ebd., S. 581.
48 Ebd., S. 577.
49 Ebd., S. 593, in der Übersetzung von Hans-Dieter Gondek and Laszlo Tengelyi, Neue Phänomenologie in Frankreich, op. cit., S. 121.
50 Michel Henry, L’essence de la manifestation, op. cit., S. 594.
51 Ebd.

Immanenz der Seele entsteht, ist die Transzendenz der Gefühlsgabe, denn sie dringt in die Welt ein. Ihr Auftreten fällt mit der Erfüllung des Triebes zusammen. Der Trieb wird als eine „pathische" Kraft[52] verstanden, woraus die Zeitigung der Zeit erwächst. Es ist die Kraft des Triebes, so Henry, die das Leben auf das Treffen mit sich selbst wirft und somit zu seiner Vermehrung und Intensitätssteigerung führt.[53]

Mit der Ausarbeitung Husserls eines leiblich triebhaften Bewusstseins wird Henrys Kritik, selbst diese Konzeption der Triebe bleibe der aktiven Intentionalität eines „ich tue" verhaftet und verfehle somit die immanente Bewegung des Lebens,[54] entkräftet. Es handelt sich hier um ein affektiv leibliches Erfahrungsgeschehen, das bei Husserl der Triebintentionalität und bei Henry der „Selbstoffenbarung der Erlebnisse"[55] beipflichtet. Der Trieb wird sowohl von Husserl als auch von Henry als eine welteröffnende Kraft verstanden, die den von Meillassoux gesuchten Übergang von der Immanenz der Affektivität zur Transzendenz der Welt und darüber hinaus die konstruktive Aufbauleistung der Transzendenzen ermöglicht.

2. *Argument der Verleiblichung*

Der zweite Einwand Meillassoux' gegen den Korrelationismus ist gewichtiger: Es besteht darin, den transzendentalen Grundgedanken verfehlt zu haben, indem die empirische Frage mit der transzendentalen Frage verwechselt wird. Während die empirische Frage sich der Erscheinung bzw. dem Ursprung bewusster Körper in der Zeit widmet, beschäftigt sich die transzendentale Frage mit der Möglichkeit der Entstehung des Lebens und des Bewusstseins. Das Problem ist „amphibologisch", denn es verwechselt die Objektivität der Körper, die der Zeit unterworfen sind, und den transzendentalen Bedingungen des Wissens über jene Körper; also mit Bedingungen, die „außerzeitlich und außerräumlich" sind. Diese Fragen gehören zu unterschiedlichen Ebenen der Reflexion. Dagegen wendet der Realismus ein, dass es zu den Bedingungen des transzendentalen Subjektes unmittelbar gehört, dass es in der Zeit „stattfindet", denn das „transzendentale Subjekt [ist] von der Inkarnation in einem Körper nicht zu trennen". Das transzendentale Subjekt muss also verleiblicht sein, und dies gilt als eine „nicht-empirische Bedingung", d.h. als eine apriorische, so dass es an die Zeitlichkeit des Werdens a priori gebunden ist. Der konsequente transzendentale Idealismus darf das Subjekt nicht verabsolutieren, sonst schafft er ein ideelles Subjekt. Er muss sich die „Frage nach

[52] Michel Henry, Incarnation. Une philosophie de la chair, Paris, PUF, 2000, S. 204.

[53] Michel Henry, Phénoménologie matérielle, Paris, PUF, 2004, S. 53.

[54] Ebd., S. 158. Vgl. Karel Novotný, Neue Konzepte der Phänomenalität. Essais zur Subjektivität und Leiblichkeit des Erscheinens, Würzburg, Königshausen & Neumann, 2012, 39–40.

[55] Karel Novotný, Neue Konzepte der Phänomenalität, op. cit., S. 40.

der Zeitlichkeit der Bedingungen der Instanziierung und folglich nach dem Stattfinden des Transzendentalen selbst" stellen.[56] Diese Aussagen dürfen m.E. folgendermaßen zusammengefasst werden: Der Korrelationismus muss sich die Frage der Zeitlichkeit stellen, einerseits der Bedingungen für das Auftauchen des Transzendentalen, und andererseits der Inkarnation des transzendentalen Bewusstseins, die, nach Meillassoux' Aussagen zu urteilen, auf Eines hinauslaufen: Die Frage nach dem Entstehen des Transzendentalen, das die Verleiblichung des Subjektes voraussetzt.

In diesem Sinne steht für Husserl fest, dass das Sein der realen Welt „zugleich nur so denkbar" ist, insofern „die korrelative Erkenntnissubjektivität in dieser Welt leibliche Subjektivität, menschliche ist."[57] Wie bereits erwähnt, nur ein existierendes, faktisches Subjekt kann diese materielle Welt nicht nur „rückwärts"[58] konstituieren, wie Husserl erklärt, sondern sie auch konstruktiv „vorwärts" aufbauen; denn dieser Aufbau ist keine reine Bewusstseinsleistung, sondern eine Leistung der Erfahrung, die nur ein verleiblichtes Ego machen kann. Es ist gerade die Aufgabe der erwähnten „transzendentalen Erfahrung" des leiblichen Egos, die Möglichkeitsbedingungen einer deskriptiven Erkenntnis zu bestimmen um in der Lage zu sein, eine auf Erfahrung beruhende Wahrheit herauszustellen. Es handelt sich also um die Suche einer doxischen Wahrheit, deren Bedingungen – da diese dem transzendentalen Erfahrungsfeld des Egos angehören – nur der lebensweltlichen Erfahrung eines Subjektes entspringen können. Einer der ersten Fragen, die sich dem lebensweltlich-erfahrenden Subjekts stellen kann, ist diejenige der Bedingungen der eigenen Selbstkonstruktion bzw. des Selbstaufbaus.

Wie allgemein bekannt, geht der Prozess des leiblichen Aufbaus oder der leiblichen Genesis von den leiblichen Empfindnissen aus. Im taktuellen Gebiet erfolgt eine doppelte Konstitution, einerseits eines äußeren Objektes und andererseits eines Leibobjektes, durch „Doppelempfindungen"; zum einen die zu den äußeren Objekten gehörenden taktuellen, objektiven Empfindungen[59] und zum anderen die der innerlichen, subjektiven „Empfindnisse" des Leib-Objekts[60], worauf die ersteren aufbauen. Erst in einer zweiten Ebene baut die Konstruktion der fremden, diskreten Leibkörper – in ihrer jeweiligen Einzigkeit bzw. Diskretion – darauf auf. Es entstehen dabei die Entfernungen im Verhältnis zum Nullpunkt des eigenen Leibortes und somit auch die „Transzendenzen"[61], so dass erst mit diesem Schritt in die Transzendenz, die Konstruktion der unterschiedlichen und räumlichen Orte als dreidimensionale Ausdehnungen koextensiv mit der der einzelnen

56 Quentin Meillassoux, Nach der Endlichkeit, op. cit., S. 42-43.

57 Hua XXXVI, S. 133.

58 Ebd., S. 141.

59 Edmund Husserl, Ideen zu einer reinen Phänomenologie und phänomenologischen Philosophie. Zweites Buch. Phänomenologische Untersuchungen zur Konstitution, hrsg. Marly Biemel, Den Haag, Nijhoff 1952, S. 68 (abgekürzt Hua IV).

60 Ebd., S. 145-147.

61 Hua III/1, S. 87.

Leibkörper geleistet wird. Es entsteht somit der reelle Raum, die Objektivität und die Wirklichkeit.

Auf diese Weise bilden die primären Empfindungen die „stoffliche Unterlage“ für die intentionalen Erlebnisse der Erfahrungssphäre, bzw. für die Konstruktion der äußeren Objekte.[62] Es ergibt sich also eine Unterscheidung zwischen den hyletischen Empfindnissen, die leiblich bewusst erlebt werden und den kinästhetischen Empfindungen, die leiblich bewusst erfahren werden.[63] Während das subjektive Sein an die Erlebnisse gebunden ist, die am Leibkörper selbst perzipiert werden, z.B. das Fühlen, ist die subjektive Habe an die Erfahrungen gebunden, die jedermann mit der sinnlichen Welt und mit sich selbst als „leib-seelische Einheit“ machen kann.[64] Es ist die Aufgabe der hier vorgeschlagenen ‚immanenten leiblichen Intentionalität“, zwischen dem sich-selbst-empfindenden Leib und den objektiven Leib zu vermitteln, um eine Einheit zu bilden. Das genetisch Erste ist also die haptische Konstruktion der Leiblichkeit in sich[65], die aus der Einheit der Außen- und Innenleiblichkeit besteht. Einerseits werden die Empfindungsdaten der Tastsphäre, wie Wärme und Kälte, als gehörig zu verschiedenen Sinnesorganen konstituiert, andererseits werden die Kinästhesen, die subjektiven als Empfindungen und die objektiven als äußerliche Bewegungen, in die Tastorgane hineinverlegt. Die Bewegungsempfindungen verdanken „ihre Lokalisation nur der ständigen Verflechtung mit primär lokalisierten Empfindungen“ oder „sinnlichen Gefühle“[66], wie Wärme, Kälte, Schmerz u.dgl. Aus diesem Grunde könnte „ein bloß augenhaftes Subjekt [...] gar keinen erscheinenden Leib haben“[67], denn nur die Empfindnisse machen ihn zum Leib, nicht die bloßen Bewegungen. Als allererstes gilt also die Konstruktion der eigenen Leiblichkeit als empfundene. Es handelt sich bei Husserl nicht um eine Aktintentionalität als „Bewusstsein von“ eines äußeren Phänomens, sondern um ein affektiv leibliches Erfahrungsgeschehen, das m.E. durch eine leibliche Intentionalität als leibliches „Bewusstwerden“ der Einheit des Leibes charakterisiert ist, und sich daher in der immanenten Sphäre des Leibes abspielt.

Infolge der genetischen Analysen kehrt sich das Fundierungsverhältnis um: In den späten Schriften um 1926/7 nämlich, ist die räumliche Präsenz, also die Erscheinungsweise des Raumes als die um den Leib orientierte Welt diejenige, worauf sich die Gesamtkonstitution des Raumes und das objektive Ortssystem, d.h. die „bloße Form“, rückbeziehen muss.[68] In der früheren Auffassung dagegen entsteht konstitutiv als erstes die Dingheit als objektive, d.h. als ideelle Einheit und

---

62 Ebd., S. 152.

63 Vgl. Karel Novotný, Neue Konzepte der Phänomenalität, op. cit., S. 17-45.

64 Hua IV, S. 215.

65 Hua XIV, S. 330.

66 Hua IV, S. 152.

67 Ebd., S. 150f.

68 Hua XVI, S. 539.

der objektivierte Raum als die Form der Dingordnung und Dinggesetzmäßigkeit.[69] Diese Aussagen deuten auf einen Wendepunkt hin: Der Leib ist nun etwas mehr als der Nullpunkt der Orientierung und Träger des Bewusstseins. In den späten Schriften ist er „das Nullobjekt, das Bedingung der Möglichkeit anderer Objekte ist"; er gehört „nach seiner Raumgestalt und seinen konstitutiven Bestimmungen zum Nahraum, zum Urphänomen des Raumes, und zu seinem Ursein".[70] Demzufolge ist das konstitutiv Erste nicht mehr das Ding in seiner Gestalt und Lage, wie noch in *Ding und Raum* ersichtlich ist, sondern der Leib, als „verwirklichtes Zentrum"[71] der erfahrenen Welt. Im Gegensatz zu den früheren Schriften, nach welchen der Raum erst durch die Kinästhese des Gehens entsteht, ermöglicht der ruhende Leib die Konstruktion eines primordialen Raumes als Einheit der Raumstellen der Dinge.

Diese Aussagen stellen klar fest, dass die Bedingung der Möglichkeit der Transzendenzen die genetische Konstruktion der eigenen Leiblichkeit ist. Die Sinnkonstitution, wie wir gesehen haben, kann dagegen nur nachträglich erfolgen, da sie eine ursprüngliche Konstruktion der Leiblichkeit voraussetzt. Dennoch verläuft dieser Prozess in einer Zick-Zack Bewegung, da jede Konstruktion sich in ihrer rechtmäßigen anschaulichen Evidenz ausweisen muss. Es stellt sich also heraus, dass das Subjekt ursprünglich ein inkarniertes Subjekt ist, eine Einsicht, die Meillassoux' Einwand entkräftet, wenn nicht sogar widerlegt.

Fazit

Aus diesen Erwägungen geht hervor, dass die Bedingungen für das Auftauchen des Transzendentalen nur durch eine transzendentale Erfahrung eines verleiblichten Subjektes bestimmt werden kann. Diese Bedingungen erweisen sich als diejenigen Bedingungen, die ein Prozess der Konstruktion der eigenen Leiblichkeit erfordert: Es handelt sich um die affektive Lebendigkeit einer Urhyle, aus der die Empfindungsdaten entstehen, die dem noch undifferenzierten Urleib affizieren. Es sind gerade diese Affektionen, die den Aufbauprozess der eigenen Leiblichkeit in Gang setzen und Gegenstand einer transzendentalen Erfahrung sind. Die Affektionen dieser ursprünglichen Welt-Materie bilden gerade die Möglichkeitsbedingung einer transzendentalen Erfahrung, die eine doxische Kenntnis bzw. Wahrheit begründen kann. Dieser faktische „Rest"-Bestand der Reduktion als Urhyle (Husserl) bzw. als urpassive Affektivität (Henry) kann einen der Phänomenologie spezifischen Realismus begründen, insofern diesem Faktum ein genetischer Vorrang und eine der aktiven Intentionalität unabhängige Gegebenheitsweise zugeschrieben wird.

---

[69] Ebd., S. 239.
[70] Hua XIV, S. 540, Fn. 2.
[71] Ebd.

Die Unwiderruflichkeit des Weltwerdens

Zu einer Phänomenologie der Anzestralität

Guillermo Ferrer

Die rückläufige Konstitution der anzestralen Zeit. Ihr phänomenologischer Sinn und ihre Grenzen

In seinen *Späten Texten über Zeitkonstitution* (C-Manuskripte) wirft Edmund Husserl die Frage auf, wie das transzendentale Subjekt eine vorgeschichtliche Welt konstituiert und sich auf sie intentional bezieht. Um diese Frage zu beantworten, stützt er sich vor allem auf die Analyse einer besonderen Modifikation der Erinnerung, durch die sich das Subjekt in die der Entstehung des Bewusstseins vorausgehende Welt hineindenken kann. Das Subjekt blickt auf die Fernvergangenheit zurück, als ob es da gewesen wäre. Husserl bezeichnet dies als eine „rückläufige Konstitution" der fernvergangenen Welt. Aber mit dem bloßen Bezug auf diesen Ausdruck ist noch nicht gesagt, wie diese ihrer Konstitution im und durch das Bewusstsein faktisch vorangeht. Hierzu muss man noch einen anderen Aspekt der Husserlschen Analyse zur Konstitution der Vorzeit und darüber hinaus des physikalischen Ursprungs der Welt hervorheben. Die Konstitution einer „anzestralen" Welt lässt sich nur insofern thematisieren, als dass eine weitere Reduktion innerhalb der transzendentalen Reduktion erforderlich ist, nämlich die Reduktion zu der primordialen Sphäre des Subjekts, wobei sein Leib und ein Abschnitt des „Weltwerdens" zu Phänomenen werden.

Husserl verbindet die rückläufige Konstitution der Vorzeit mit einer genetischen Erweiterung dieser primordialen Welt. In dieser weist sich schon eine „Naturhistorie", d.h. eine Typik der „Gewordenheiten des natürlich Werdenden [...]" auf.[1] Es handelt sich hierbei zunächst um eine Erfassung des „naturhistorischen Generativen" in meiner wirklichen Erfahrungssphäre, welches mir in verschiedensten Werdensstufen gegeben wird. Insoweit das gegenwärtige Weltwerden einen und denselben Stil darstellt, kann ich immer mehr in die Naturgeschichte zurückreichen: „Welche Phase ich auch anschaulich mache, sie hat den-

[1] „Ich hätte keine wirkliche Erinnerung mehr, aber das Naturhistorische erzählte mir sozusagen, was ich damals gesehen hatte oder hätte sehen können." Edmund Husserl, Späte Texte über Zeitkonstitution (1929-1934). Die C-Manuskripte, hrsg. Dieter Lohmar, New York, Springer, 2006, S. 167 (quoted Hua Mat VIII).

selben Stil, weist also auf Vergangenheit naturhistorisch zurück, der Baum auf Samen, die Samen auf frühere Bäume etc."[2] Diese rückläufige Konstitution veranlasst zu einer eidetischen Typik des anschaulich gegebenen Weltwerdens. Aber über diese subjektive und intersubjektive, endliche Erweiterung der primordialen Welt auf das Historische hinaus, kommt deren Verunendlichung[3] in Frage. Die Erweiterung der primordialen Sphäre lässt sich bis zu einer Fernvergangenheit erstrecken, die der Entstehung jeglicher Bewusstseinsform vorausgegangen ist. Dabei stellt sich die phänomenologische Frage nach dem genetischen Ursprung einer anzestralen Welt.

Husserl legt nun Nachdruck darauf, dass das Weltwerden ursprünglich als jenes einer „Nahwelt verharrenden Seins" gegeben ist. Daraus zieht er eine wichtige Konsequenz: Die Erinnerung an eine vergangene Welt könne nur die Erinnerung an eine verharrende Welt sein, „[...] und darin liegt, dass sie, in die Erfahrung tretend, schon war."[4] Aus diesen Zeilen geht auch hervor, inwiefern eine Phänomenologie der Anzestralität mit einem einheitlichen Weltbegriff, weiterhin mit einem philosophischen Konzept des Weltwerdens verbunden werden soll. Die „Als-ob-Erinnerung" an eine vorzeitige Welt ist nur dadurch möglich, dass diese verharrt, indem sie wird.[5] So lässt sich zunächst das Rätsel lösen, welches die Verunendlichung der Weltzeit uns aufgibt. Da die vorzeitige Welt gleichsam immer noch verharrt, indem sie *wird* und aus „Gewordenheiten" besteht, gehört jede Erinnerung in den Horizont einer anzestralen Welt hinein und ist dazu imstande, diejenige Modifikation des „Als-ob" aufzunehmen, wodurch sich das Subjekt in die Vorzeit und den physikalischen Ursprung der Welt zu versetzen vermag.

Demnach bedarf es einer gewissen „Einklammerung" der Korrelation Subjekt-objektive Welt (in welcher beide Bezugspunkte zunächst als gleichzeitig in der lebendigen Gegenwart des Bewusstseins erscheinen), um eine konkrete, verkörperte Erfahrung des „naturhistorischen Generativen" und weiterhin des physischen, realen Weltwerdens zu beschreiben.[6] Noch anders ausgedrückt: Nach

---

[2] Hua Mat VIII, S. 167.

[3] Hierbei erweist sich der Begriff des Unendlichen als eine phänomenologische Grundkategorie des realen Weltwerdens und freilich des theoretischen Zugangs zur Anzestralität selbst.

[4] Hua Mat VIII, S. 161.

[5] „Verharrend-Sein ist Werden in einem weiten Sinn, der Unverändert-Bleiben als Grenzfall des Sich-Veränderns in sich schließt. Und Werden in diesem Sinn ist schon In-die-jeweilige-Gegenwart-hinein-geworden-Sein. So gehört zu jeder Erinnerungsgegebenheit schon ein apperzeptiver Horizont von zeitlicher Vergangenheit" Hua Mat VIII, S. 161.

[6] Der baskische Philosoph Xavier Zubiri macht einen Unterschied zwischen Generation und Entwicklung. Diese ist eine ständige Verwirklichung von den Potenzialitäten der dynamischen Struktur der Realität, welche ihrerseits spezifische Virtualitäten der Arten und einzelnen Lebewesen hervorbringt. Dennoch müssen sich diese Virtualitäten, die jedes Lebewesen einem anderen seiner Art weitergibt, nicht unbedingt an den Entwicklungsprozess anpassen. Der Schwerpunkt liegt aber hier darin, dass sowohl Generation als auch Entwicklung ein Gemeinsames aufweisen, dass ihre dynamische Struktur in einem Sich-Einsetzen (dar de sí) besteht. Dieses lässt sich, so Zubiri, als das Eigentümliche der dynami-

dieser Reduktion innerhalb der transzendentalen Reduktion bleibt ein einzelnes, reales Ich übrig, welches sein „organisches Geschehen“[7] in einer wechselnden Umwelt thematisieren kann. Davon ausgehend ist es nun imstande, das Weltwerden bis zu seinem Ursprung zurückzuverfolgen. Dank dieser ergänzenden Betrachtung lässt sich der Sinn einer phänomenologischen Analyse der Prähistorizität und gar einer ständigen Ursprünglichkeit des realen Weltwerdens besser verstehen. Das leibliche Subjekt erfährt jedes Mal neue organische und bewusste Zustände sowie reale Weltvorkommnisse, welche es keineswegs in die früheren umkehren kann. In dieser Hinsicht sind diese notwendigerweise *irreversibel*. Diese Feststellung eines unwiderruflichen Weltwerdens innerhalb der primordialen Sphäre kann wohl Licht in den Abgeschlossenheitscharakter der Erinnerungsprotentionen bringen, welche sich auch in der Als-ob-Erinnerung an eine Fernvergangenheit abspielen. Die schon erfüllten Wahrnehmungsprotentionen, die in jeder Wiedererinnerung vergegenwärtigt werden, zeichnen sich dadurch aus, dass sie weder offen sind noch sich wieder öffnen lassen. Deswegen ist jeder Erinnerungsprozess, im Gegenteil zu einem offenen Wahrnehmungsprozess, vorgerichtet und gar nicht imstande, frühere subjektive Zustände oder Weltvorkommnisse wiederzubringen, wie sie sich tatsächlich bzw. aktual ereigneten.[8]

---

schen Wirklichkeitsstruktur, also des Werdens (devenir) überhaupt begreifen. Ob und inwiefern dieser Gedanke Zubiris mit der Husserlschen Idee einer verharrenden und gerade deshalb immer noch werdenden Welt verbunden werden könnte, ist eine interessante Frage. Vgl. Xavier Zubiri, Estructura dinámica de la realidad, Madrid, Alianza Editorial/Fundación Xavier Zubiri, 2006 (erste Auflage 1989), S. 158-161.

[7] Ich gebrauche diesen Terminus von Erwin Schrödinger, weil er aus einer naturwissenschaftlichen Perspektive vier Grundideen (Organismus, Umwelt, Umwandlung und Bewusstwerden) aufeinander bezieht, welche man erst nach der Reduktion zu der primordialen Sphäre und dem in ihr gegebenen Weltwerden klären kann. In dieser Hinsicht sind folgende Zeilen für eine Phänomenologie des realen Weltwerdens sehr anregend: „Soweit der Organismus Organe besitzt, welche den ganz speziellen wechselnden Umweltbedingungen gegenüber in wechselnder, sich jeweilig anpassender Weise in Funktion treten und auf diese Weise, durch die Umwelt noch beeinflusst, eingeübt und umgewandelt werden […], soweit ist das organische Geschehen von Bewusstsein begleitet.“ Erwin Schrödinger, Mein Leben, meine Weltansicht. Die Autobiographie und das philosophische Testament, 2018 (erste Auflage 1985), S. 108-109. Der Schwerpunkt liegt hier in einer Verbindung von organischem Geschehen, Welt- und Bewusstwerden, welche die Phänomenologie vertiefen könnte.

[8] „Jeder ursprünglich konstituierende Prozess ist beseelt von Protentionen, die das Kommende als solches leer konstituieren und auffangen, zur Erfüllung. Aber: der wiedererinnernde Prozess erneuert erinnerungsmäßig nicht nur diese Protentionen. Sie waren nicht nur auffangend da, sie haben auch aufgefangen, sie haben sich erfüllt, und dessen sind wir uns in der Wiedererinnerung bewusst.“ Edmund Husserl, Zur Phänomenologie des inneren Zeitbewusstseins (1893-1917), hrsg. Rudolf Boehm, Den Haag, Martinus Nijhoff, 1966, S. 57 (quoted Hua X); „Die Erfüllung im wiedererinnernden Bewusstsein ist Wieder-Erfüllung (eben in der Modifikation der Erinnerungssetzung), und wenn die ursprüngliche Protention der Ereigniswahrnehmung unbestimmt war und das Anderssein oder Nichtsein offen ließ, so haben in der Wiedererinnerung eine vorgerichtete Erwartung, die all das nicht offen lässt, es sei denn in Form ‚unvollkommener‘ Wiedererinnerung, die eine andere

Dies gilt auch für die Als-ob-Erinnerung an eine fernvergangene Welt: Phänomenologisch gesehen besteht ihr reales Werden, welches sich von ihrem physikalischen Ursprung bis zur Gegenwart erstreckt, aus irreversiblen Vorkommnissen, die kein theoretischer Zuschauer in ihren ursprünglichen Zustand wiederbringen könnte, sondern höchstens sie durch physikalische Experimente rekonstruieren. Es handelt sich also um die Vergegenwärtigung typischer Strukturen eines irreversiblen Weltwerdens, wobei jetzt weitere Fragen entstehen. Schon wegen dieses Doppelcharakters der Erinnerung an eine Fernvergangenheit (Modus des „Als-ob“ und Unwiderruflichkeit all jenem, was sie vergegenwärtigt) sind jeder rückläufigen Konstitution der Vorzeit Grenzen gesetzt. Da jede Als-ob-Modifikation für das Vergegenwärtigte gewisser „Lückenbüßer“ bedarf, mischen sich unumgänglich Phantasievorstellungen eines Phantasie-Ich in jene Konstitution ein. Sie sind wohlbegründet, sofern sie auf anzestralen Materialien – den „Archifossilen“, so Quentin Meillassoux – und Experimenten beruhen; sie versprechen den Erfolg einer „phantasievollen Rekonstruktion“, um mit Alfred North Whitehead zu reden. Gleichwohl geht es hierbei um eine mit Fiktionscharakteren versehene, rückläufige Konstitution der anzestralen Welt. Wobei sie sich von jenem abhebt, was sie konstituiert bzw. rekonstruiert.[9]

Zudem erweist sich die rückläufige Konstitution der anzestralen Welt als eine Art von „Gegenstück“ zum Weltwerden. Sie rückprojiziert auf die Fernvergangenheit einen Zuschauer, der in die Gegenrichtung des realen, auf die Zukunft offenen Weltwerdens geht, um es gemäß den typischen Strukturen seiner gegenwärtigen Gegebenheit zu rekonstruieren. Es handelt sich hierbei um eine Rekonstruktion der „Vorvergangenheit“ durch eine Typik des Weltwerdens. Dessen rückläufige Konstitution beruht zwar auf der eidetischen Typisierung sich wiederholender Strukturen, jedoch lässt sich das reale Weltwerden keineswegs auf eine Aufeinanderfolge derartiger Strukturen beschränken – man könnte sogar sagen, dass auf einer metaphysischen Ebene das Weltwerden jedwede Wiederholung *stricto sensu* ausschließt.

Nichtsdestoweniger sagt Husserl, dass die Welt einen induktiven Stil habe[10]. Was diesem Stil eventuell zuwiderläuft, sei weiter nichts als eine bloße Widrigkeit, welche die induktive Typik der Erfahrungswelt keineswegs gründlich in Frage

---

Struktur hat als die unbestimmte ursprüngliche Protention. Und doch ist auch diese in der Wiedererinnerung beschlossen.“ (Hua X, S. 58).

[9] Es wäre jedoch ein Irrtum, die anzestrale Welt auf eine bloße Vorstellung oder ihr „Erinnerungsbild“ zu beschränken. Die Erkenntnis der anzestralen Welt ist erst dadurch möglich, dass diese immer noch verharrt, also in der Einheit eines realen Weltwerdens zu fassen ist. Daher lassen sich gar Spuren der Weltentwicklung und der Vorzeit im organischen Geschehen und sogar dem Bewusstwerden feststellen. Die damit zusammenhängenden Problemkonstellationen sind den Naturwissenschaften (Physik, Biologie, Paläontologie usw.) und Geisteswissenschaften (Psychologie, Ethologie und Anthropologie) nicht unbekannt und können auch der phänomenologisch angelegten Philosophie einen eigenen Forschungsbereich bieten.

[10] Vgl. Hua Mat VIII, S. 162

stellt. Er fügt noch hinzu, dass diese Erfahrungswelt gemäß „ihrer ganz ursprünglichen Sinnbildung" induktiv sei. Demnach gibt es ein „Allgemein-Historisches", welches Husserl mit einem Fluss vergleicht. Diesen sieht und erfasst das Subjekt „als fließend aus einem Geflossensein von irgendwoher – zuletzt werde ich auf eine Quelle verwiesen, aber von da aus wieder weiter verwiesen"[11]. Es wirft sich jedoch die Frage auf, inwiefern dieses Konzept einer Rückprojizierung desselben Stils auf die „Vorvergangenheit" der Ergänzung und teilweise einer Korrektur bedarf, um die Gefahr einer amphibolischen Auffassung des Weltwerdens abzuwenden. Solange es die Rede von einer Typik des induktiven Stils des Weltwerdens ist, welche auf die Fernvergangenheit Gleichheiten und Ähnlichkeiten („der Baum [verweist] auf Samen, die Samen auf frühere Bäume etc. [zurück]") überträgt, trägt man dem realen Weltwerden, vor allem der Aufdrang des Neuen, noch nicht völlig Rechnung. Man sollte also das Schema der rückläufigen Konstitution von innen her flexibilisieren und, wenn nötig, umgestalten.

Da, phänomenologisch gesehen, das Weltwerden wesentlich mit seiner Unwiderruflichkeit zusammengehört, soll der Ursprung ihres Begriffes im Bewusstsein weiter erläutert werden. Husserl versuchte zunächst, die Unwiderruflichkeit des Vergangenen mit Blick auf das retentionale Abklingen der Urimpressionen zu beschreiben. Das retentionale Bewusstsein, selbst wenn dessen Inhalte immer noch „frisch" sind, lässt sich als ein Prozess der Verdunkelung und Verallgemeinerung früherer Urimpressionen beschreiben.[12] Gerade deshalb schafft jede Retention einen Kontrast zu dem impressionalen Inhalt, den sie beibehält, wie das Allgemeine zu dem Individuellen und Einmaligen. Die Wiedererinnerung entleiht dem retentionalen Untergrund Inhalte, die schon mit Allgemeinheitscharakteren behaftet sind. In der Hinsicht lässt sich der die Unwiderruflichkeit des Vergangenen ausmachende Prozess mit einer perspektivischen Entfernung von der Gegenwart vergleichen.

Dennoch ergibt sich die Erfahrung des unwiderruflichen Weltwerdens nicht nur aus der perspektivischen Ferne der Vergangenheit, sondern auch aus der verlorengegangenen Zukunftsoffenheit dessen, was das Subjekt als schon Geschehenes vergegenwärtigt. Aus dieser Unwiderruflichkeitserfahrung stellen sich jene faktischen Bedingungen heraus, die jedem individuellen Gedächtnis und darüber hinaus jeder rückläufigen Konstitution der anzestralen Welt vorangehen. Meiner Ansicht nach kann eine phänomenologisch angelegte Philosophie dieses Problem ansprechen, sofern sie Schemata bildet, welche die verschiedenen Aspekte der Erfahrung des unwiderruflichen Weltwerdens zusammenzuhalten vermögen. Einerseits besteht das reale Weltwerden selbst in dem dynamischen, inhaltsreichen Verharren *einer* raumzeitlichen Welt; andererseits kann das Subjekt dieses Weltwerden nur aus einer perspektivischen Ferne, indem es zugleich die in ihrem Lauf geschehene, unwiderruflich gewordene Vorgänge rekonstruiert, erfahren.

Der spekulative Realist könnte nun gegen die Phänomenologie folgendermaßen argumentieren:

---

[11] Ibid., S. 162

[12] Vgl. Hua XXXIII, S. 55.

> Um den tieferen Sinn der fossilen Daten zu begreifen, muss man dem Korrelationisten zufolge nicht von der anzestralen Vergangenheit ausgehen, sondern von der korrelationellen Gegenwart. Das bedeutet, dass wir *eine Retrojektion der Vergangenheit von der Gegenwart aus vollziehen müssen.* Was uns gegeben ist, ist in der Tat nicht etwas der Gebung Vorausliegendes, sondern nur ein gegenwärtig Gegebenes, das sich als solches gibt [...]. Es ist nicht die Anzestralität, die der Gebung vorausgeht, sondern das gegenwärtig Gegebene, wie es scheint, anzestrale Vergangenheit zurückwirft. Um das Fossile zu verstehen, muss man daher von der Gegenwart in die Vergangenheit gehen, einer logischen Ordnung gemäß, und nicht von der Vergangenheit in die Gegenwart, einer chronologischen Ordnung gemäß.[13]

Es stellt sich jedoch die Frage, ob dieser Einwand wirklich ihr Ziel trifft. Denn man kann phänomenologisch nachweisen, dass die rückläufige Konstitution erst dann einsetzt, wenn wir bereits eine Erfahrung des unwiderruflichen Weltwerdens gemacht haben. Die schematische Interpretation setzt somit ein solches Erfahrungsgeschehen voraus, um mit László Tengelyi zu reden.[14] Es geht also nicht nur um eine „Retrojektion der Vergangenheit von der Gegenwart aus" – wobei Meillassoux zu Recht die Frage nach einer Faktizität der Korrelation gegenüber der anzestralen Welt in den Vordergrund stellt. Die rückläufige Konstitution der Vorzeit besteht zwar in einer gegenwärtigen „Erinnerung" an eine anzestrale Weltzeit, „als ob" wir da *gewesen* wären – wobei die brisante Frage entsteht, wie das Subjekt dazu kommt, seine Abwesenheit in diesem anzestralen Szenarium denken zu müssen; dennoch wäre das Subjekt niemals imstande, diese rückläufige Konstitution durchzuführen, wenn das reale Weltwerden keine Spuren im seiner primordialen Sphäre hinterließ. Eben dies motiviert das Subjekt zu einer rückläufigen Konstitution.[15]

Um diese Faktizität der rückläufigen Konstitution zu vertiefen, möchte ich nun einen weiteren phänomenologischen Wesenszug der Unwiderruflichkeitserfahrung in Betracht ziehen. Bei jeder Erinnerung reflektiere ich auf mein vergangenes Ich, welches sich mit meinem gegenwärtigen Ich deckt. Jenes hält jedoch einen zeitlichen Abstand zu mir.[16] Demnach gehört eine vielschichtige Ichspaltung mit der Erfahrung einer perspektivischen Entfernung und der Unwiderruflichkeit des Vergangenen zusammen.

---

[13] Quentin Meillassoux, Nach der Endlichkeit. Versuch über die Notwendigkeit der Kontingenz, Wien/Berlin, Diaphanes, Neuaufl. 2014, S. 32.

[14] Zum Begriff des Erfahrungsgeschehens Vgl. László Tengelyi, Welt und Unendlichkeit. Zum Problem phänomenologischer Metaphysik, Freiburg/München, Karl Alber, 2014, S. 194-200.

[15] Und weiterhin unbewusste, symbolische und oft leiblich eingeprägte Repräsentanzen des Anzestralen. Denke man etwa an die „Trauma der Geburt", die nach Hans Blumenberg an den Übergang vom Meer aufs Land erinnert. Vgl. Hans Blumenberg, Höhlenausgänge, Frankfurt am Main, Suhrkamp, 2019 (erste Auflage 1996), S. 20-28.

[16] Dies gilt selbstverständlich für die Analyse der rückläufigen Konstitution einer Fernvergangenheit, die der Entstehung des bewussten Lebens vorausgegangen ist. Das Subjekt

Indem ich mich an etwas in meiner Lebensgeschichte erinnere, bin ich sowohl ein gegenwärtiges als auch ein früheres, vergegenwärtigtes Ich. Diese Ichspaltung ist deswegen möglich, weil dazwischen Zeitstrecken des Weltwerdens abgelaufen sind. Dies gilt auch, wenngleich nach einer Verunendlichung der Fernvergangenheit im Bewusstsein, für den Als-ob-Zuschauer der anzestralen Welt, freilich unter dem Vorbehalt, dass die naturwissenschaftliche Erkenntnis ihn dazu veranlasst, gleichsam die Gleichzeitigkeit der Korrelation in Klammern zu setzen und gar ein absolutes Vorausgehen der Welt zu begreifen.[17]

Die Frage ist nun, ob dieses absolute Vorausgehen der Welt und die damit verbundene Abwesenheit des Zuschauers vor der Entstehung des Bewusstseins irgendwie phänomenologisch erfahrbar oder erlebbar sind. Zweifelsohne handelt es sich hierbei auch um ein Grenzphänomen, über welches man eher sagen sollte, dass es höchstens aufgrund gewisser Erfahrungs- und Erkenntnismotivationen zum Thema einer theoretischen Betrachtung und sogar einer „spekulativen Philosophie" werden kann – etwa im Sinne Whiteheads, da seine Schemata zur Interpretation der Erfahrung des Weltwerdens oft in phänomenologisch aufweisbaren Analysen liegen.[18] Selbstverständlich könnte kein Zuschauer der anzestralen Welt gegen den Zeitstrom schwimmen, um bei ihrem realen Ursprung zu sein. Er verfügt vielmehr über Spuren, „Archifossilen" der Vorzeit und des physikalischen Weltursprungs, deren Sinn auch durch eine Phänomenologie des realen Weltwerdens geklärt werden kann. Sie schaffen eine phänomenologische Basis für die wissenschaftlichen Theorien der anzestralen Welt. Die Frage, ob die Auseinandersetzung mit dem spekulativen Realismus heutzutage das Bedürfnis einer Art von phänomenologischer Kosmologie[19] weckt, welche dem realen Weltwerden Rechnung trägt, möchte ich nun offenlassen.

---

spaltet sich in ein als-ob erinnerndes Ich und ein als-ob erinnertes Ich, welches dabei ein Als-ob-Zuschauer der anzestralen Welt geworden ist.

17 Eine ähnliche Idee lässt sich vielleicht aus dieser Stelle des Werkes Maintenant la finitude von Michel Bitbol herauslesen: „Loin de confondre le passé avec un depot d'annales mortes, le corrélationiste conséquent sait que ce passé ne cesse de vivre et de renaître en lui, en nous; et il va jusqu'à admettre que, por que le passé vive sans arrière-pensé, il est souvent utile de refouler provisoirement […] sa relativité à nous-présents." Michel Bitbol, Maintenant la finitude. Peut-on penser l'absolu? Paris, Flammarion, 2019, S. 329. Die Frage ist nun, ob die konsequente Reduktion innerhalb der transzendentalen Reduktion, wovon hier die Rede ist, nicht eher die Setzung einer Gleichkzeitigkeit der Korrelation Subjekt-anzestrale Welt bzw. deren Relativität auf das Subjekt irgendwie ausschalten muss, um die Abwesenheit des Subjekts in ihr überhaupt denken zu können.

18 „Spekulative Philosophie ist das Bemühen, ein kohärentes, logisches und notwendiges System allgemeiner Ideen zu entwerfen, auf dessen Grundlage jedes Element unserer Erfahrung interpretiert werden kann. Mit diesem Begriff der ‚Interpretation' meine ich, dass alles, dessen wir uns als Erlebnis, Wahrnehmung, Wille oder Gedanke bewußt sind, den Charakter eines besonderen Falles im allgemeinen Schema haben soll". Alfred North Whitehead, Prozess und Realität. Entwurf einer Kosmologie, Frankfurt am Main, Suhrkamp, 2018 (erste Auflage 1987), S. 31.

19 Bekanntlich hat Whitehead das Konzept einer philosophischen Kosmologie eingeführt, welches man auch phänomenologisch auszuarbeiten versuchen könnte.

Phenomenology as Experiential Realism

A Meta-Philosophical Proposal

Nicolás Garrera-Tolbert

For my struggling brothers and sisters
fighting for justince in the city and beyond

I. The New Realisms' Challenge to Phenomenology

The "new" or "post-phenomenological" realisms[1] are generally critical of the tradition of transcendental philosophy and, in particular, of phenomenology (broadly construed), understood as its last historical instantiation. One of the main motivations of the new realists[2] is the urge to build a philosophy–with a particularly emphasis on ontology–capable of integrating the immense variety of "things" or "beings" that have been generally discredited by philosophical thought all along its historical development. Indeed, multiple things and classes of things, as well as certain types of experiences, have traditionally been considered philosophically unworthy. It seems to be a good principle (one that should be thought of as being both ontological as well as axiological in nature) that at the most fundamental level of ontological inquiry, we do not exclude anything from philosophical consideration. At this level, as Garcia puts it, "all things are equal." And he writes: "if things were not *in a sense equal*, the inferior would systematically disappear into the superior."[3] Thus, these new realist philosophies insist on rejecting all forms of global or radical reductionism, ontological and hermeneutical. Even local, circumscribed forms of reductionism are seen as suspicious as long as they are not clearly and legitimately justified.

Is phenomenology distinctively reductionist in nature? When Meillassoux argues that phenomenology denies the possibility of an absolute knowledge of the

---

1 The main references I have in mind when I refer to the "new realisms" are: Markus Gabriel, Fields of Sense. A New Realist Ontology, Edinburgh, Edinburgh University Press, 2015; Tristan Garcia, Forme et objet: Un traité des choses, Paris, Presses universitaires de France, 2011; Graham Harman, The Quadruple Object, Washington/Winchester, Zero Books, 2012; and, to a lesser extent, Quentin Meillassoux, Après la finitude. Essai sur la nécessité de la contingence, Paris, Seuil, 2006. Obviously, the list could and should be extended to many other important contributions.

2 I will be speaking of the "new realists" in a rather vague way. As there are major fundamental differences among the new realists, I think that this is the only way in which the discussion can reach a certain degree of generality ("meta-philosophical"), the level at which I would like to discuss the issues.

3 Tristan Garcia, Forme et objet, op. cit., p. 109.

absolute ("the real" *as such*) because it mistakenly believes that thought is confined within the limits of the subject/world correlation, what he is claiming is, precisely, that *phenomenology ends up by embracing its own reductionist stance*, precluding thereby the access to what lies beyond the correlation itself. Of course, the crux of the issue is to know whether such a proposal–an absolute knowledge of the absolute–can actually be carried out as an attainable philosophical project. As we know, Husserl argued that the way of *accessing* to the object is constitutive of the *being* of the object.[4] As the proponents of the new realist ontologies are aware of this, they are critical of any form of naïve realism and they explicitly acknowledge the need of confronting, instead of ignoring, phenomenology. Thus, for instance, Meillassoux, in *Après la finitude. Essai sur la necessité de la contingence*, claims that it is only by *radicalizing* phenomenology that one will be able to realize that the correlation *ego-cogitum-cogitatum*, which is at its methodological core, has ultimately no ground, i.e., that this correlation is necessarily contingent. From this, he claims, it is possible to find a way in the direction of what he calls, "Le Grand Dehors" ("The Great Outdoors"): the Absolute or In-Itself that speculative thinking (and mathematical-physics) would be capable of attaining without thereby making it relative to the subjective effectuations involved in this process.

Despite their sometimes questionable arguments, what the new realists manage to describe, often in an eloquent and imaginative manner, is *a certain exhaustion* of the correlationist paradigm in philosophy, whose most apparent manifestation is its incapacity to welcome what one may call "the proliferation of things."[5] It is a question of restituting ontological dignity to the real in all its vastness and complexity. In effect, a whole series of "things" have been traditionally regarded as "unworthy" of being reflected upon. Indeed, one may wonder if a way of thinking that is organized around a hierarchy of being(s) is able *not* to make violence against all the things, entities, ontological regions, phenomena, or objects that are placed somewhere in the lower ontological layers.[6] This is why the new realists propose radically flat ontologies or defend ontological views that allow them to accommodate many more "things" than traditional ontologies: *it is therefore a question of criticizing all forms of reductionism at least inasmuch as they are not strictly local and well-grounded.* To my mind, *this* is a legitimate motivation that lies at the basis of most, if not all, the new realist ontologies–one that nicely fits a decisive motivation of historical phenomenology since its Husserlian foundation.

What I have in mind is a phenomenology based on a *comprehensively pluralistic ontology*, the heart of which would be a radical anti-reductionism. Of course, there is a reductionism intrinsic to the sciences (think, especially, of the natural

---

4 For a lucid explanation of this crucial feature of phenomenological method see Emmanuel Levinas' Réflexions sur la technique phénoménologique (in Gaston Berger et al., Colloque de Royaumont: Husserl, Paris, Editions de Minuit, 1969, pp. 95-118).

5 Garcia talks of an "epidemic of things" (Tristan Garcia, Forme et objet, op. cit., p. 7). See also Graham Harman's The Quadruple Object, op. cit., esp. pp. 7-20.

6 These terms are clearly not interchangeable, but in this context, it is not necessary to make the relevant distinctions.

sciences). This is a perfectly legitimate kind of reductionism; it may be called "constitutive reductionism." Actually, the sciences can only proceed by implementing this kind of reduction. Also, as constitutive of the very *idea* of science, this is a reductionism embedded in Galileo's inaugural decision of founding Modern science. This decision instituted a quite singular split in reality by dividing it into two distinctive ontological realms: on the one hand, the domain of primary or (allegedly) *intrinsic* properties of things; on the other, the domain of secondary or relational properties, i.e., those properties that emerge as a consequence of interactions (causal or otherwise) between subjects and objects. Thus, science, by principle, can *only* proceed on the basis of this reduction of the real to its "intrinsic," "mind-independent," properties. By doing so, the object of science becomes circumscribed to the realm of the mathematizable. In fact, Galileo acknowledges that there cannot be either a science of *everything* or a science of reality *itself*. As a rule, *any* demarcation of the object of a particular science leaves aside other domains of being and reality.

If there is no *single* ontological domain whatsoever, a basic ontological stratum that exhausts the real, it might well be because being *itself* is plural. Consequently, the possibility of ontology as the discipline that inquiries into being *qua* being is not granted: it may well be the case that ontology so construed could only exist as a purely *speculative* discipline. Rejecting ontological monism is not enough; it is also necessary to abandon the notion that one can conceive of reality as a hierarchical order organized as a series of distinctive levels, among which there would be the most *fundamental* one to which all the others would be in principle reducible—one may want to call this, "metaphysics." As the work of the new realists show eloquently, we have excellent reasons to believe that reality is not *universally* hierarchical in nature. Rather, a much more plausible and realistic view is that hierarchies are at most *locally justified*, i.e., that they are legitimate *within specific ontological domains*. If this is right, ontology as a discipline is then immediately *decentered* into a multitude of regional ontologies.

Let me just mention, very briefly, three important reasons for adopting an encompassing pluralistic ontological view.

First, both ontological monism and metaphysics are ethically problematic. Indeed, the ontological undermining of certain domains of reality has been historically (and sometimes logically) correlative to an ethical undermining of the corresponding objects. Historical examples of this are in abundance. One may just think, for instance, of the typical neglect, all along the history of Western philosophy, of affective phenomena in the name of the preeminence of reason and of the ethical and political consequences of committing to this stance.

Second, all forms of reductionism are based on ultimately groundless assumptions about the ultimate nature of reality. Assuming that there is one fundamental level of reality that can be explained through one or multiple principles of the same epistemological kind (say, the laws of physics) is, in virtue of evidence suggesting the contrary, a wild claim. Despite its relative popularity, adopting this assumption as an ontological and methodological guide is at best an expression of a non-warranted enthusiasm for scientific progress, but still nonetheless something that lacks a solid rational basis. This is why all forms of scientism, including naturalism, should be *prima facie* rejected.

Finally, third, the evidence is that there is just a multiplicity of dimensions of reality and there is no clear criterion that immediately obligate us to think of certain domains of reality (for instance, the implicit ontologies affirmed by the formal and natural sciences) as reality *proper*. Again, the evidence is that there are simply many, perhaps countless, dimensions of reality that are–at least at first sight–irreducible to one another (think, for instance, of unique historical and political events: how could these events be conceived as physical or biological in nature and explained by the natural and formal sciences? How could we even start conceiving of such an explanation?) In this sense, the burden of the proof is on the side of those who defend, or simply assume, any form of generalized ontological and epistemological reductionism–ontological monism being its most radical expression.

Such a comprehensive pluralistic ontology can also be seen as an attempt to respond to the new realists' claim that phenomenology has focused excessively on the subjective-pole of the correlation in detriment of the objective-pole. Thus, Garcia writes, "my aim is to put to the test a thought *about things* rather than a thought *about our thought about things*," the latter being, precisely, a characterization of what is taken to be the *predominant* way of proceeding in phenomenology.[7] This essay deals with this objection or concern about phenomenology, and not with the allegedly more challenging question, namely, that phenomenology is, by principle, incapable of thinking what falls beyond the strict boundaries of the correlation. Naturally, the latter would become an objection to phenomenology only if it had been shown that such a thing is actually possible. Although I don't think a satisfactory argument in that direction has been developed yet, I take it that the real challenge posed to phenomenology by the new realisms is an important, but quite *modest* one, namely, *the challenge of conceiving of phenomenology as having the capacity to investigate experience without reducing it to its transcendental condition, conceived as the series of subjective effectuations that make it possible*. One of the reasons why I claim that this is a modest challenge is because phenomenology, in its historical development, has already engaged into that project–one may think of the Munich and Göttingen schools and, especially, the works of Max Scheler and Nicolai Hartmann. These are still extraordinary resources for the Contemporary researcher interested in developing a phenomenology along realist lines.

Having subscribed to the new realists' commitment to epistemological and ontological pluralism, which I linked to an anti-reductionist and comprehensive stance on both levels, I will now sketch an idea of a realist phenomenology by following the thread of the concept of experience.[8] This phenomenology shares

---

7 Tristan Garcia, Forme et objet, op. cit., p. 8.

8 Even Meillassoux, allegedly the most severe critic of phenomenology, claims that "phenomenology remains (…) a formidable descriptive enterprise of the complexities of the given: that is to say, of the world as it is presented to consciousness. We ought to protect

with the new realisms (I) the urge to embrace (though never in the form of a synthesis) being in all its multiple manifestations;[9] and (II) a radical anti-reductionism according to which the different approaches that thematize being in its irreducible instantiations are thought of in their productive tension and sometimes even in their agonistic interaction.

II. Experience in a Realist Phenomenology

As I understand it, a *realist* phenomenology (hereafter, "phenomenology") has as its own exclusive domain the realm of experience proper [*Erfahrung*; hereafter, "experience"].[10] I think of experience, so construed, as a speculative re-construction *of* lived-experience [*Erlebniss*] aiming to describe lived-experience as a specific *kind* or *type* of experience, in such a way that this reconstruction, as a description (it is not a matter of genealogy), can be interpreted as capturing the "universal" or "transcendent" element present in all lived-experiences. This element is precisely the account of such type or kind of experience (amorous, religious, musical, etc.) and can be seen as the hypothetical formulation of the convergence point of all adequate (i.e., provisionally, intersubjectively validated), but necessarily partial, accounts of the plurality of lived-experiences associated with them.

The object of phenomenology is not, then, lived-experience [*Erlebniss*] in its "singular" or "biographical" character. Experience, when described phenomenologically, is an experience whose subject *could* eventually be anyone–at least in the sense that it is not necessarily required that the description is validated by any *particular* subject. And this is true even when each concrete experience is characterized by a temporal mark: its occurrence at a given moment in time in the life of some*one*. In this sense, phenomenology brings to each of us the possibility of trespassing, through the activity of speculative thinking, the domain of our own particular lived-experiences, always transcending the ways in which experience is factually given to us, in the direction of *possible* experiences that may lie in future horizons of our existence. What I called the "transcendent" or "universal" element of experience can be thought of as containing all these possibilities *as announced in experience itself*. Further, the analysis of experience in this "realist" sense is, so to speak, "existentially vital:" what we find in it attests to the possibility of con-

the richness with which it restores our experience of the sensible, in particular against all the contemporary reductionisms that want to eliminate our historical being in favor of our inorganic naturality or materiality alone." Graham Harman, Quentin Meillassoux. Philosophy in the Making, Edinburgh, Edinburgh University Press, 2011, p. 170.

9 As we will see–within the boundaries of the given!

10 It should be clear that my proposal leaves open the possibility of conceiving other ways of doing phenomenology and does not reject a priori other modalities of phenomenology (material, genetic, etc.).

ceiving our life as different from what it is in its current state or form: phenomenological analysis, then, points in the direction of a possible, future *transfiguration* of life.

The *reality* of experience–say, its typical "tonality," "dynamics," and "legality"–is given to us through experience itself, in the event of its taking-place. Let us think, for instance, of erotic phenomenon: if we know something about love it is precisely because "we have been there," i.e., we have been taken by the reality–or, more precisely, the "*eidos*" or "truth"–of erotic experience. This is why we can say that we have "first-hand" knowledge of love. Not only this: if I now say "love," you surely understand what I mean (although there is *always* the essential risk of misunderstanding); further, you understand what I mean on the basis of your non-transferable experiences of love. At the same time, however, the truth of an experience is not realized once and for all, and this in at least two senses that explain, in turn, the essentially dynamic, open (non-totalizable), eventful, and unstable character of all experience.

That the truth of an experience is not accomplished in a definitive manner means that all experience takes place in time and is constantly affected by world events that shape it in concrete ways; further, its truth always runs the risk of being betrayed: we go through an experience always from our factual, subjective determinations (biographical, historical, etc.), in such a way that we cannot know with certainty what in the reality of experience is intrinsic to its truth and what belongs to the cultural forms in which it has been instituted, fixed, stabilized. Indeed, the truth in each kind of experience tries to break through the historical forms that threaten to limit its potency, its potentially maximal expression: the deployment of its *eidos*. This is so because it is typical of every culture to domesticate these "wild essences"–say, love, art, ethical difference, god, etc.–in such a way that they become "cultural institutions." The truth of an experience is not accomplished once and for all because we can never know when the potential of an experience has been fulfilled completely, without a remnant, i.e., when its promise has been exhausted irrevocably. This is why all experience is lived as harboring both the promise of a more perfect accomplishment and the threat of its exhaustion. There is, thus, a subtle play within experience between its full and its partial accomplishment, between the realization of its potential and its definitive exhaustion.

III. Realist and Transcendental Phenomenology

Having proposed a formal characterization of experience as seen from the perspective of a realist phenomenology, the question should be raised as to the difference between "immanent" and "transcendental" analysis of experience. I propose that this difference is not thought of as an opposition: one does *not* need to choose. By contrasting transcendental and realist phenomenology, the nature of the latter will become clearer.

A classic characterization of phenomenology as transcendental philosophy is Eugen Fink's *Was will die Phänomenologie Edmund Husserls?* In this essay, Fink argues that the main theme of phenomenology is phenomenological reduction and, as its necessary correlate, transcendental subjectivity: "The 'phenomenological reduction,' he writes, is the *permanent ground-theme* of the phenomenological task as such, namely, as a process of questioning back–proceeding continually under the direction of the phenomenon of the world–into the originally achieving life [*leistenden Leben*], out of which the unity of the constantly accepted world becomes understandable."[11] However, even though this has been indeed a main theme of historical phenomenology, i.e., phenomenology as we know it, the question can be posed if transcendental, constituting subjectivity *must* be the *sole* theme of phenomenology and, moreover, if phenomenological reflection so construed is or can be thought of as the *foundation* for phenomenological praxis. The answer to this question must be, I believe, resoundingly negative.

As Claude Romano showed in *Au coeur de la raison, la phénoménologie*, it may be said that Husserl's conception of phenomenology as transcendental idealism rests on three "hardly incompatible" theses: (I) A realist-inspired thesis: what we perceive is the thing itself (our knowledge of it does not modify the nature of the thing); (II) A Cartesian-inspired thesis: there is an essential heterogeneity between pure consciousness and reality; and (iii) A Kantian-inspired thesis: pure consciousness *constitutes* reality as its transcendental correlate.[12]

From a perspective inspired in Scheler, I think we have good reasons to oppose to the previous three statements the following ones:

(I) It is possible to access to what I have been calling "the *eidos* of an experience," which is the very essence of that experience or its irreducible core. At least when it comes to these *eide*, phenomenology can access to the self-given *as given by and for itself as it is*. So here we have the landmark of what I would call "experiential realism," which is essentially a radical anti-reductionist stance in relation to experience.

(II) It is not true that consciousness as such is *always and necessarily* in a heterogeneous relation to reality: the *eide* of experience are, while remaining other to consciousness, on its same level of immanence. These *eide* don't *necessarily* require that we abandon this level of immanence to embrace a transcendental stance. In Scheler's *Formalismus* we find the following, absolutely essential, insight:

> The mistake is that one does not simply ask *what* is given in meaning *[meinenden]* intentionality *itself*, but instead one *mixes* into the question *extraintentional* viewpoints and theories (...) of an objective or even a causal

[11] Eugen Fink, "Was will die Phänomenologie Edmund Husserls? (Die Phänomenologische Grundlegungsidee)", in Studien zur Phänomenologie (1930-1939), Den Haag, Martinus Nijhoff, 1966, p. 157-178; p. 171; Eng. trans. by Arthur Grugan, "What Does the Phenomenology of Edmund Husserl Want to Accomplish? The Phenomenological Idea of Laying-a-Ground", in Research in Phenomenology, 2, 1972, p. 5-27, p. 20.

[12] Claude Romano, Au coeur de la raison, la phénoménologie, Paris, Gallimard, 2010, p. 537ff.

> sort. But in this simple question of *what* is given (in an act), one must focus solely on this *what.* Every conceivable objective extraintentional *condition* for the occurrence of the act–e.g., that an "ego" or "subject" performs the act, that the subject has "sensory functions," "sense organs," or a lived body *[Leib]–pertains* no more to the question of *what* is "given" in having a sound or the color red and how this kind of givenness looks than the claim that a man has lungs and two legs pertains to his seeing a color.[13]

The passage proposes to examine experience in what in it is *irreducible* to any element (causal, objective) that is not *immanent* to "meaning intentionality itself." However, the fact remains that between "consciousness" and "reality" there *can* be a radical heterogeneity, an ontological abyss: this is the case when it comes to the relation between consciousness and the *pure or mere existence* of that which is entirely independent of it–that which has not appeared to consciousness in *any* way.

(III) Only some kinds of reality are constituted by consciousness. For instance, one may raise the question as to the phenomenological status of genuinely "traumatic" experiences, where consciousness unexpectedly encounters a sense emerging that it cannot immediately thematize. This "short-circuit" of consciousness seems to indicate that in this kind of experiences–or *events*–there is a certain *suspension* of the primacy of possibility over actuality, of subjectivity–as a series of distinctive constituting powers–over the "real." Experiences like these suggest that it is necessary to distinguish between different levels of reality (and, therefore, alterity) *within* the realm of consciousness. As a rule, the very fact that something enters as a sense into the subjective realm does *not* mean that it is fully given to it, as if its being were exhausted as soon as the thing becomes an appearance. Further, it may be said that what is not and cannot be constituted by consciousness is what may be deemed the *inexhaustible character of reality in its very appearing to consciousness.*

IV. Beyond the Alleged Dichotomy Realism/Idealism

Thus, the generic alternative "realism vs. idealism" is simply a false dichotomy: there are many dimensions of "reality," only *one of which* may be identified with the transcendental realm. The transcendental domain *is correlative to an attitude* that may or may not be adopted when examining the different ontological levels–alternatively, a scientific outlook, for instance, could be taken. On the basis of our previous discussion, it may be claimed that each domain of reality has its *own* style and structural organization; moreover, its truths reveal themselves according to the *domain*'s essential features. Generalizing what Scheler writes in *Vom Ewigen im Menschen* about the religious domain, it may be said that the criterion for truth and for any other cognitive value in a particular ontological domain can only be

---

13 Max Scheler, Der Formalismus in der Ethik und die materiale Wertethik. Neuer Versuch der Grundlegung eines Ethischen Personalismus, Bern, A. Francke A.G., 1980, p. 74.

found in the essence of that domain. It is the irreducible reality of this essence what generates the modalities in which this domain appears to us in its truth(s). *This* is precisely why I speak of a *realist* phenomenology: *each ontological domain is preserved in its ontological singularity and the analysis of this domain respects this fundamental fact.* Moreover, the nature of the phenomenological experience of its truth must be posed case by case, because depending on the essential features of the domain, our symbolic and phenomenological access to it will be different.

Following another insight by Scheler, it may be argued that the question of *being* should be elaborated philosophically by examining it in strict proximity to the question of the *givenness* of being. In this sense, it is clear that no positive ontology can be built from the *outside* of givenness itself. The point of departure of any ontology is not then the subject (in its anthropological constitution, subjective capacities, etc.), nor the "world" as a naively posited "in-itself," but *the givenness itself as an event* or, to say it with Scheler, the manifestation by and for itself of that singular kind of "fact" that he calls "phenomenological fact." In this sense, the main object (*Sache*) of phenomenology is the *self-given*. He writes,

> SOMETHING CAN BE self-given only if it is no longer given merely through any sort of symbol; in other words, only if it is not "meant" as the mere "fulfillment" of a sign which is previously defined in some way or other. In this sense *phenomenological* philosophy is a continual *desymbolization of the world.*[14]

Thus, phenomenological experience is seen as the experience of an *immediate contact* with facts themselves. Further, this self-given is the givenness of a special kind of facts: *a priori essential facts*. From an ontological standpoint these facts are primordially real; from an epistemological standpoint they are susceptible of being known objectively. The realist phenomenology I am advocating is then *an objectivist ontology of a priori essential facts*. With Scheler, one can say that these facts have a particular kind of existence. These singular kinds of "facts," even if they owe their power of manifestation to a living subjectivity,[15] *transcend* this subjectivity inasmuch as something in them surpasses the subject's sense-giving power: phenomenological facts "resist" all attempts to constitute them and reveal themselves as *already accomplished* facts. Here lies their foreign character: *they come, so to speak, from the very outer boundaries of the correlation itself.*[16]

---

14 Max Scheler, "Phenomenology and the Theory of Cognition," in Selected Philosophical Essays, Evanston, Northwestern University Press, 1973, p. 143 (Scheler's italics).

15 Here I refer to Michel Henry's thesis according to which revelation always presupposes, as a real condition, the actual existence and work of a living subjectivity.

16 This poses a whole series of delicate epistemological problems because it seems difficult to give a straightforward answer to the question about the possibility that we can intuitively grasp the real complexity of these facts through a unique, singular instantiation of our intuition. This is perhaps the most problematic aspect of Scheler's epistemology. Indeed, for Scheler, in phenomenological experience the "given" and its "meaning" are inseparable; moreover, they coincide, and it is in this coincidence that the phenomenon appears. It may be asked, though, what kind of coincidence occurs between the immediately given and its

V. Concluding Remarks

We shall not cease from exploration, and the end of all our exploring will be to arrive where we started and know the place for the first time.
T.S. Eliot, *Four Quartets*

If phenomenology, comprehensively construed, must be in part a form of transcendental idealism, it is because part of its concern consists in reflecting upon experience in its concretion, which *requires* to posit a transcendental dimension of it: the constituting effectuations of a sense-giving subjectivity, the genesis of that subjectivity, and that of the symbolic institutions within which all this is possible. But once these strata of analysis and reality are fully recognized, the difference between the *immanent* and the *transcendental* dimension of experience must be, in turn, fully acknowledged. Here there is not *one*, but *two* realities at stake. Between the two, there is a *correlation*–not an identity. Even if this correlation is thought of as a subordination, ontological or hermeneutical, of one level to the other, *nothing prevents us from giving full autonomy to the properly experiential level*, thereby opening the door for the justification of the thesis that *it is possible to give meaning to an experience without abandoning its plane of immanence*, that is, *without surpassing the boundaries of what is shown in the experience within the limits of its own phenomenality*. Embracing phenomenological realism as experiential realism requires then to attempt the impossible: analysis must create meaning in such a way that one remains faithful to what has been shown to us in a "pre-thematized experience." Scheler's notion of phenomenology as a constant "de-symbolization" of experience can be read as a call for the phenomenologist to remain as close as possible to this peculiar instance where experience confronts him in its *status nascendi*. Thus, interpreting phenomena in a phenomenologically realist key is always challenging. In particular, it runs the unwavering *risk* of betraying the meaning of experience by taking it as *mere* lived-experience, as a purely psychological phenomenon, that is, by interpreting it as an expression, manifestation, sign, or even a symptom *of something else*. The latter may well be legitimate if the phenomenol-

meaning. Is it a sort of "mute" manifestation that accomplishes itself without the active intervention of the subject and before it is adequately attested in linguistic expression? The later Scheler seems to follow this path through the thesis that knowledge is an ontological relation where the subject takes part in a being without there being any change in this being in virtue of this participation. So it seems that what is at stake in the phenomenological experience of the self-given is the status of a "primordial Saying/Manifestation," that doesn't need of language to take place, but that requires from us a sort of radical epoché that brackets off all the "objective," pre-constituted ways of understanding reality. But even assuming that such extreme form of epoché is possible, the problem remains: how is it that we should understand a radical phenomenological experience that seems to emerge from beyond language (directly emanating from the non-symbolic, non-representational realm)?

ogist works on the correlation between lived-experience and those realms of human experience and reality meaningfully connected to it (attempts to naturalize phenomenology, etc.). However, the aim of experiential phenomenology is to deepen and *at the same time* remain on the level of experience itself. This can only be done in one way: by *creating* new meaning. But, contrary to what happens in the domain of art, there is *nothing* arbitrary in phenomenological creation. The phenomenologist should never sacrifice the truth of the appearing (the "eidos" of experience) in the name of a non-cognitive value such as beauty, simplicity, or rhythm. Rather, the phenomenologist's aim is to *re-create* what *comes* to him demanding to be expressed in an articulated language. His call is to tell the story, as faithfully as possible, of his encounter with the very emergence of reality, *as if* looked for the first time.

Verwirklichungen

Überlegungen zu einem realistischen Konzept des Werdens[1]

Sandra Lehmann

I. Die Ausgangslage

Eine Motivation der aktuellen neuen realistischen Philosophien ist das Ungenügen am poststrukturalistischen Denktyp, der den kontinentalen Diskurs seit den 1960er Jahren bestimmte.[2] Kontinentales Denken zeichnete sich im weitesten Sinne dadurch aus, dass es sich von der transzendentalen Problemstellung Kants herschreibt, also „postkantianisch" ist. Die poststrukturalistische Variante des kontinentalen Diskurses charakterisierte, dass sie die transzendentalen Bedingungen der Möglichkeit von Erscheinen und Erfahren verzeitlicht und so – in der Nachfolge v.a. Friedrich Nietzsches und Martin Heideggers – eine Philosophie radikaler Endlichkeit inauguriert.

Ich rekonstruiere in aller Kürze das realistische Ungenügen am Poststrukturalismus, indem ich es mit meinem eigenen Ungenügen und (als Kehrseite) Interesse an einer realistischen philosophischen Option verknüpfe.

Zunächst eine grobe Charakterisierung des poststrukturalistischen Denkens: Allgemein gefasst – und dies betrifft gleichermaßen den Vitalismus von Gilles Deleuze wie die sprachphilosophischen Theoreme der poststrukturalistischen Mehrheit – bedeutet die poststrukturalistische Verendlichung von Denken und Sein, die Kategorie des Wirklichen aufzulösen zugunsten eines elementaren Begriffs des Werdens. Das, was ist oder erscheint, verdankt sich so verstanden allein dem Werden, dem zeitlich-endlichen Vollzug, der Genese. Entsprechend gibt es kein Ansich der Seienden, das sich als spezifisches „Was", als überzeitlicher Gehalt separieren ließe. Vielmehr ist der Gehalt je schon in die Genese eingegangen als ein Moment, das ihr zugehört und sich mit ihr auflösen müsste. Die Suggestion des

---

[1] Ich danke Peter Gaitsch, Alexander Schnell und Jan Voosholz für anregende Kommentare und Nachfragen, die produktiv in diesen Text eingegangen sind.

[2] Vgl. prominent Tom Sparrow, The End of Phenomenology. Metaphysics and New Realism, Edinburgh, Edinburgh University Press, 2014. „Kontinental" wie „poststrukturalistisch" sind nicht als definitorische, sondern als pragmatische Markierungen zu verstehen. Vgl. die Diskussion bei Leon Niemoczynski, „21st Century Speculative Philosophy: Reflections on the New Metaphysics and its Realism and Materialism", in Cosmos and History: The Journal of Natural and Social Philosophy, 9, 2, 2013, S. 13.

Gehalts, es könne so etwas wie eine reine und damit erfüllte Präsenz der Seienden geben, ist demnach ein leeres Versprechen. Allenfalls verweist das, was ist, weiter auf ein zukünftiges Moment der Genese. Ohne die Genese löste sich der Gehalt in nichts auf.

Die neu-realistischen Einwände richten sich vor allem gegen das System der Aufschübe und Simulakren, das aus dieser Denkfigur resultiert. Entsprechend stimmen die neu-realistischen Ansätze tendenziell darin überein, dass sie den Gehalt des Seienden und damit auch das wirkliche, d.h. vom Seienden selbst handelnde, Sprechen zurückgewinnen wollen. Jedoch schließen sie nicht an eine überkommene Metaphysik der Substanz oder überhaupt ein System der eindeutigen Gehalte und Zuschreibungen an. Vielmehr hat das Wirkliche der neuen Realismen einen pluralen und offenen oder unabgeschlossenen Sinn. Für das neu-realistische Projekt ist es m.E. entscheidend, diese Pluralität und Unabgeschlossenheit des Sinns des Seienden zu denken. Sie ruft nach einem genetischen Konzept von Wirklichkeit, das den poststrukturalistischen Werdensphilosophien gleichrangig wäre. Die neuen Realismen müssten zeigen, dass sie den Poststrukturalismen auf deren eigenem Terrain begegnen können, um sich als überzeugende Alternativen zu ihnen zu erweisen.

Ich möchte in diesem Beitrag eine realistische Konzeption des Werdens skizzieren, wobei ich der Methode nach phänomenologisch verfahre. Das Problem des Werdens ist dem neuen realistischen Diskurs bislang nicht entgangen. Vor allem die neuen Materialismen, die vom Primat der materiell emergierenden Formen vor den sprachlichen Formen ausgehen und sich damit zu den neuen Realismen zählen lassen, betonen den genetischen und prozessualen Charakter der Seienden. Die starke deleuzianische Schlagseite dieser Entwürfe kann ich hier nicht angemessen diskutieren. Von ihnen übernehmen möchte ich jedenfalls die ontologische Annahme, das Sein der Seienden zeichne sich durch eine plurale, dynamische Relationalität, eine „im Werden begriffene agentielle Intraaktivität“[3] aus, wie es Karen Barad in ihrer Schrift „Agentieller Realismus“ formuliert. Allerdings haben die neuen Materialismen häufig den Mangel, dass sie keine genuin philosophische Methode ausbilden und sich stattdessen an die Episteme der einen oder anderen Naturwissenschaft anhängen. Markus Gabriel hat zu Recht kritisiert, dass sie damit unbesehen den Cartesianismus der Naturwissenschaften übernehmen und so bei aller Betonung der Vielheiten monistisch denken.[4]

Allerdings hat Gabriel selbst bislang kein überzeugendes Konzept des Werdens vorgelegt, auch deswegen, weil er bislang das Problem der Zeit kaum berührt hat. Der statische Eindruck, den Gabriels Sinnfeldontologie damit hinterlässt, hat aber m.E. nur vordergründig mit dem fehlenden Zeitthema zu tun. Tatsächlich hängt er mit dem Logizismus von Gabriels Methode zusammen, die sich im Stile

---

3 Karen Barad, Agentieller Realismus, Berlin, Suhrkamp, 2012, S. 22.

4 Markus Gabriel, „Vitaler Materialismus und Neuer Realismus“, in +ultrA. gestaltung schafft wissen, ed. Nikola Doll, Horst Bredekamp und Wolfgang Schäffner, Leipzig, E.A. Seemann, 2016, S. 63.

der analytischen Ontologie daran ausrichtet, „was es gibt", statt phänomenologisch daran, „wie es sich gibt" bzw. „wie sich die Sachen selbst zeigen". Die Sinnfeldontologie ist damit substantivisch organisiert. Die Sinnfelder sind Ansammlungen von Gegenständen. Um die Sinnfelder wie die Gegenstände in Bewegung zu setzen, um die ihnen eigene Dynamik zu denken, wäre der verbale, zeitwörtliche Aspekt hinzuzunehmen, also eben der Aspekt des Erscheinens, das sich gibt, bzw. der Seienden, die sich im Erscheinen zeigen.

Auch Quentin Meillassoux, der aufgrund des Paradigmas des „Korrelationismus" bis dato einflussreichste unter den „neuen Realisten", verfährt methodisch über logische Operationen, statt den Aufweis über die „sich zeigenden Seienden" zu suchen. Daher ist es konsequent, dass er die Kontinuität verneint, die ein Sichzeigen als sich vollziehender Prozess voraussetzt. Wird das Sein des Seienden als Absolutes, d.h. im strengen Sinne an sich selbst gedacht, erweist es sich Meillassoux zufolge als bestimmt durch eine „Zeit ohne Werden"[5]. Auf der basalen ontologischen Ebene gilt das Modell der „Epicurean atoms, devoid of any subjectivity"[6]. Das heißt, es gibt keine Trägerinstanzen (*sub-iecta*), weder kognitiv noch leblos, von denen aus sich Synthesen oder Relationen organisierten. Angesichts dieser radikalen Vereinzelung ist es nicht möglich zu sagen, inwiefern Seiendes sich vollzieht und wird, also im herkömmlichen Sinne „ist". Gelten muss vielmehr, dass Seiendes übergangslos in jedem Moment anders sein kann, als es gerade ist: „l'affaire de la philosophie n'est pas l'être, mais le peut-être".[7]

Wie dieser kursorische Blick auf maßgebliche neu-realistische Ansätze andeutet, halte ich ihnen vor allem methodische Mängel vor. Die Methode, die ich alternativ zu ihnen vorschlage (und die ich in Abschnitt IV genauer darstellen werde), verstehe ich in dem Sinne als phänomenologisch, als sie vom Sich-zeigen der Seienden in einem zumindest dualen, in der Regel aber multiplen Erscheinenszusammenhang ausgeht. Phänomenologie ist demnach begrifflicher Nachvollzug des Vollzugs, in dem sich die Seienden einander zeigen und auf diese Weise erscheinen, aber auch einander zur Erscheinung bringen. Der Hinweis auf den möglichen multiplen Charakter des Erscheinens legt bereits nahe, dass ich nicht bewusstseinstheoretisch ansetze. Vielmehr folge ich der hermeneutischen Phänomenologie von Martin Heideggers *Sein und Zeit* und deute das Erscheinen als Prozess einer vorbegrifflichen Erschlossenheit. Allerdings möchte ich den Primat des menschlichen „Daseins" zurücknehmen und dieses ins Gesamt der phänomenalen Prozesse integrieren. Die Korrelation von menschlichem Seinszugang und Sein verliert damit die theoretische Schlüsselstellung. Anders als Meillassoux ziele ich damit jedoch nicht auf ein atomisiertes All, sondern im Gegenteil auf eine gleichsam ubiquitäre Relationalität, die man – wäre es nicht irritierend – auch „Ko-relationalität", durchaus aber mit Barad „Intraaktivität" nennen könnte.

---

[5] Quentin Meillassoux, Time without Becoming, Mimesis International, 2014, S. 7.

[6] Rick Dolphijn and Iris van der Tuin, „Interview with Quentin Meillassoux", in New Materialism: Interviews and Cartographies, ed. Rick Dolphijn und Iris van der Tuin, Ann Arbor, Open Humanities Press, 2012, S. 79.

[7] Quentin Meillassoux, Time without Becoming, op. cit., S. 27.

Trotz des anderen Theorieweges teile ich mit Meillassoux und Gabriel die methodische Grundfigur, nämlich das „Prinzip der Faktualität" (Meillassoux) bzw. das „Argument aus der Faktizität" (Gabriel). Kurz gefasst, besagt das eine wie das andere, dass jeder Diskurs über das Seiende, aber auch alle Weisen, in denen Seiendes erscheint, voraussetzt, dass Seiendes überhaupt da ist oder existiert. Es zeichnet sich damit eine existenzielle Unhintergehbarkeit des Seienden oder vielmehr *der Seienden* ab, die verhindert, dass diese sich auf ein einheitliches Paradigma (das Subjekt, die Idee, das Leben etc.) festlegen lassen. Ontologisch leitend wird vielmehr die existenzielle Unhintergehbarkeit selbst.

Kaum zu übersehen ist, dass der neu-realistische prinzipielle Status der Faktizität auf Heideggers Fundamentalontologie zurückgeht. Ein wesentlicher Teil der Auseinandersetzung zwischen den neuen realistischen Ansätzen, aber auch zwischen ihnen und dem poststrukturalistischen Theorietyp entzündet sich also am Denken des frühen Heidegger (in gewissem Sinne gilt das schon für Heideggers späteres Seinsdenken). Auch dies ist ein Grund, warum ich meine eigenen Überlegungen passagenweise nah an *Sein und Zeit* entwickele.

Ich diskutiere zunächst, wie ich auf das Problem der Faktizität zugreife, wobei ich mich von den Entwürfen Gabriels und Meillassouxs absetze (II.). Anschließend entwickele ich mit dem sog. „existenziellen Gehalt" meine ontologische Schlüsselfigur (III.) und zeige, wie man methodisch zu ihr gelangt (IV.). Auf dieser Grundlage skizziere ich zuletzt meinen Werdensbegriff (V.).

II. Faktizität

Wie ich annehme, im gegebenen Rahmen allerdings nur mehr oder weniger thetisch darlegen kann, hat Faktizität keinen gegenständlichen Sinn. Das bedeutet einmal, dass Faktizität (oder auch „Existenz" oder auch „dass-etwas-ist")[8] keine Eigenschaft eines Seienden oder eines „etwas" bezeichnet, obwohl diesem zukommt, dass es existiert. Zum anderen bedeutet es, dass sich Faktizität nicht in einem modalen Sinn wie dem des Wirklich-seins resp. – nach Meillassoux – des Anders-sein-könnens erschöpft. Faktizität ist Wirklichkeit vor der Alternative von „wirklich" und „möglich", d.h., Faktizität ist Wirklichkeit des Vermögens, etwas zu sein, ebenso wie Wirklichkeit der verwirklichten Möglichkeit, etwas zu sein. Um nach dem Vorbild der Spätphilosophie Schellings auf eine Denkfigur Thomas von Aquins zurückzugreifen: Faktizität, Dass-Sein, bei Thomas *„esse"*,

[8] Im Folgenden gebrauche ich „Faktizität" synonym mit „Dass-Sein", „dass-etwas-ist", „Existenz". Die jeweilige Wahl erfolgt operativ. Sie richtet sich danach, welches erschließende Potenzial ein Terminus in einem bestimmten Sachzusammenhang entfaltet.

hat den ontologischen Primat vor dem, was etwas ist, d.h. vor seiner gegenständlichen Washeit (*quiditas*) oder Wesenheit (*essentia*), die ein Seiendes als Gegenstand oder Ding (*res*) ausweist.[9]

Ich stimme mit Gabriel darin überein, dass sich Existenz und Was-Sein nicht hypostasieren lassen, dass also „alles, was existiert, so-und-so ist, [und] jeder Gedanke eines reinen Dass-Seins, dem wir prinzipiell kein Was-Sein zuordnen können, ins Leere läuft".[10] Dass-Sein und Was-Sein sind als grundlegende Aspekte oder Register des Seienden je schon ineinander geschlungen. Dass-etwas-ist bezieht sich also je schon auf „etwas", d. i auf ein spezifisches Seiendes, das sich gegenständlich aussagen lässt. Meines Erachtens folgt daraus jedoch nicht, dass Existenz vom Was-Sein her zu denken ist, wie es bei Gabriel der Fall ist. Existenz nämlich, so Gabriel, sei die „Tatsache, dass ein Gegenstand oder einige Gegenstände in einem Sinnfeld erscheinen".[11] Dass ein Seiendes ist, wird davon abhängig gemacht, dass ihm ein gegenständlicher Sinn in einem umfassenderen Sinnkontext zukommt. Das Dass-Sein ergibt sich also mit dem Was-Sein, und entsprechend wird es von Gabriel auch weiterhin im gegenständlichen Register verstanden, nämlich als „die ontologische Eigenschaft *par excellence*"[12].

Gegen diese essentialistische Ontologie, für die sich auf Autoren wie Platon, Duns Scotus oder – wie Gabriel selbst es tut[13] – Hegel verweisen lässt, möchte ich Autoren wie Thomas, Kant oder dem späten Schelling folgen, die zeigen, dass die Existenz eines Seienden nicht durch sein Was-Sein, seine Form, seinen *logos* (gegebenenfalls den *logos* eines Sinnfelds) impliziert wird, und sei es im Sinne einer vollkommensten Bestimmung, der „Letztheitscharakter"[14] zukommt. Vielmehr ist die Existenz ein eigenständiges Moment des Seienden, das sich entsprechend auch nicht durch das Was-Sein und im Weiteren, d.h. im Fall des Urteils, die begriffliche Bestimmung einholen lässt. Das „dass-etwas-ist" ist dem „was-etwas-ist" inkommensurabel. Gleichwohl – und gegen jede falsche Hypostasierung – bleibt das „Dass" auf das „etwas" bezogen. Es ist nicht leer, sondern es meint dieses spezifische Seiende, das als „etwas" gegenständlich da ist oder auch *erscheint*.

Es lässt sich an dieser Stelle angeben, wie ich den Terminus des „Erscheinens" verwende. „Erscheinen" bezeichnet im Kontext meiner Überlegungen den zeitli-

---

9 Vgl. einschlägig capitulum IV von Thomas von Aquin, Das Seiende und das Wesen/De ente et essentia, trans. and ed. with a commentary by Frank Leo Beeretz, Stuttgart, Reclam, 2008, S. 49-53 (De ente, c. IV, Ed. Leon., S. 376-377).

10 Markus Gabriel, „Repliken", in Eine Diskussion mit Markus Gabriel: Phänomenologische Positionen zum Neuen Realismus, hrsg. Peter Gaitsch, Sandra Lehmann und Philipp Schmidt, Wien, Turia + Kant, 2017, S. 224.

11 Markus Gabriel, Sinn und Existenz. Eine realistische Ontologie, Berlin, Suhrkamp, 2016, S. 184.

12 Ibid., S. 78.

13 Markus Gabriel, „Repliken", op. cit., S. 224.

14 Martin Heidegger, Die Kategorien- und Bedeutungslehre des Duns Scotus, hrsg. Friedrich-Wilhelm von Herrmann, Frankfurt, Klostermann, 1978 [1916], S. 26 (abgekürzt GA 1).

chen Prozess, in dem sich ein Seiendes in Relation zu anderen Seienden als gegenständliches „etwas" zeigt und sich entsprechend aussagen lässt. „Seiendes", „Gegenstand" und „Phänomen" sind so verstanden Synonyme, wobei der Terminus „Phänomen" allerdings eine komplexe Konstitutionsgeschichte des „Zur-Erscheinung-kommens" anzeigt. Mit Alexander Schnell, der hierin Marc Richir weiterdenkt, lässt sich auch von einer „generativen" Dimension sprechen,[15] der Dimension eines „Dass-überhaupt", die im jeweiligen Phänomen wirksam ist, ohne mit ihm zusammenzufallen.

Eine Hypostasierung der Faktizität liegt bei Quentin Meillassoux vor, wenn er Faktizität als „Anders-sein-können" versteht. Um den absoluten Status des „Anders-sein-könnens" aufzuweisen, geht Meillassoux von der Situation der endlichen Erfahrung aus, die der sog. „starke Korrelationismus" entwirft, indem er jeden Zugang zu einem An-sich bestreitet. Laut starkem Korrelationismus ist es für uns unhintergehbar, dass wir in einem Sein existieren, das sich gemäß unserer Endlichkeit gestaltet. Gerade weil das korrelative Sein jedoch endlich, also nicht absolut ist, ist – so schließt Meillassoux für den starken Korrelationismus[16] – zumindest die Möglichkeit zuzugeben, dass es ein anderes Sein, zumal ein Sein „ohne uns" geben kann. Die Faktizität der korrelativen Situation, von der der starke Korrelationismus handelt, eröffnet für Meillassoux so die Möglichkeit, dass das bestehende, faktische Sein durch ein ebenso faktisches, aber schlechthin anderes Sein ersetzt wird.

Meillassoux sieht richtig, dass es sich bei der Faktizität um ein Absolutes handelt, denn die Faktizität ist dasjenige, durch das die Korrelation von (menschlichem) Subjekt und (nicht-menschlichem) Objekt je schon ermöglicht ist und auf das sie selbst keinen Einfluss hat. Statt jedoch diesen Ermöglichungscharakter zu denken, füllt Meillassoux die Faktizität inhaltlich und versteht sie als die „immer währende Beschaffenheit dessen, was ist"[17]. Die Faktizität, das „Dass" der Korrelation wird damit versachlicht. Es ergibt sich eine Art negative Ontotheologie, ein „spekulativer Atheismus", der an die Stelle Gottes das Hyperchaos setzt[18].

III. Der existenzielle Gehalt

Wenn das Dass nicht leer ist, sondern sich auf ein jeweiliges „etwas" bezieht, anders gefasst: wenn das Dass für das jeweilige „etwas" zwar inkommensurabel ist, aber dennoch das Dass dieses „etwas" ist, dann hat es selbst einen Gehalt. Der

---

15 Vgl. Alexander Schnell, Wirklichkeitsbilder, Tübingen, Mohr Siebeck, 2015.

16 Vgl. Meillassouxs Diskussion einer „Zukunft post mortem" in Quentin Meillassoux, Nach der Endlichkeit. Versuch über die Notwendigkeit der Kontingenz, Berlin, Diaphanes, 2008, S. 80-84.

17 Ibid., S. 78.

18 Es besteht hier eine Parallele zum spätmittelalterlichen, nominalistischen Konzept eines absoluten Voluntarismus Gottes, namentlich bei William von Ockham, über die sich nachzudenken lohnte.

Gehalt liegt in dem Bezug des Dass auf das spezifische „etwas". Qua Bezug ist das Dass nicht nichts. Vielmehr *meint* das Dass das „etwas", jedoch ohne selbst „etwas" zu sein. Ich nenne diesen Gehalt, der einem Seienden oder Phänomen qua Existenz zukommt, „existenziellen Gehalt".

Wie im Falle des Dass-Seins gilt, dass der existenzielle Gehalt sich nicht separieren lässt, sondern je schon einbezogen ist in das gegenständliche Erscheinen des „etwas", das in hermeneutischer Relationalität oder, um Barads Terminus aufzugreifen, Intraaktivität mit anderen „etwas" ist, was es ist. Dieses Ineinander von Dass-Sein und Was-Sein hat drei zentrale Aspekte:

1. Der existenzielle Gehalt ist absolut, insofern er sich durch die phänomenale Ebene nicht einholen lässt. Er vergegenständlicht sich nicht, er mündet nicht in eine spezifische Washeit, er lässt sich entsprechend auch nicht vollständig begrifflich fassen. Gleichwohl geht der existenzielle Gehalt konstitutiv in die Erscheinung ein, d.h., das Was des Phänomens rekurriert auf ihn, der Begriff, der sich der Sache selbst so verstanden immer nur annähert, wäre ohne den existenziellen Gehalt leer.[19] Indem der existenzielle Gehalt für das Erscheinen des Phänomens konstitutiv und zugleich unerschöpflich ist, fungiert er in ihm als eine innere Transzendenz. Er ist dem Phänomen innerlich, weil er das Phänomen inseparabel, von diesem selbst her, eben ihm zuinnerst, ermöglicht. Er ist dem Phänomen transzendent, indem er es kontinuierlich übersteigt. Der existenzielle Gehalt ist immer mehr als das Phänomen, ja, weil er inkommensurabel und daher absolut ist, ist er sogar absolut mehr als das Phänomen. Jedoch meint er mit diesem „mehr" das Phänomen selbst. Indem er das Phänomen übersteigt, führt er es daher zugleich über sich (das Phänomen) hinaus. Der existenzielle Gehalt steht dafür, dass das Phänomen immer mehr ist als das, als was und wie es aktuell erscheint.

2. Indem der existenzielle Gehalt ins Erscheinen verwoben ist, handelt es sich bei ihm weder um eine definitive Substanz, um die sich Akzidenzien anordnen, noch um eine bis zum Erlöschen aufgeschobene Präsenz. Je nach phänomenaler, „intraaktiver" Situation erscheinen die Phänomene anders und *sind* damit auch anders. Jedoch hat jedes Phänomen dank des ihm zukommenden existenziellen Gehalts eine eigene Kontinuität, die auch die Kontinuität der Situationen verbürgt, in denen es mit anderen Phänomenen erscheint. Jedes Phänomen oder Seiendes oder „etwas" ist etwas Definitives, das sich allerdings erst *post factum* oder – mit Alain Badiou – im *futur antérieur* ganz angeben lässt. Es wird sich nicht immerwährend entzogen haben. Sondern es wird in einem absoluten Sinne gewesen sein. Nicht die schlechte poststrukturalistische Unendlichkeit des Aufschubs bildet seine Mitte, sondern eine absolute Zukunft, dank derer es sich in jedem Augenblick übersteigt und zugleich zusammenhält (*continuare*).

3. Für die Frage eines neu-realistischen Konzepts des Werdens ist es wichtig, wie sich der existenzielle Gehalt zur Zeitlichkeit verhält. Ich werde in Abschnitt

[19] Das Problem des phänomenalen Logos und der begrifflichen Erkenntnis bedürften einer eigenen ausführlichen Diskussion, was im gegebenen Rahmen leider nicht möglich ist. Ansatzweise habe ich sie geführt in Sandra Lehmann, Die metaphysische Bewegung. Das Verhältnis von Philosophie und Politik: Rancière, Platon, Wien, Turia + Kant, 2014, S. 68-90.

V ausführlicher darauf eingehen. Vorgreifend lässt sich sagen, dass der existenzielle Gehalt durch seine Beziehung zum zeitlichen Erscheinen eine eigene Dynamik impliziert. Man könnte – wiederum gegen Meillassouxs „Zeit ohne Werden" – von einem „zeitlosen Werden" sprechen, das in den Phänomenen arbeitet und verhindert, dass sie ganz im Erscheinen aufgehen.

IV. „Sich" und „selbst": die phänomenologische Methode

Ich möchte an dieser Stelle einen Schritt zurück machen und klären, wie sich der existenzielle Gehalt methodisch erschließen lässt. Damit verknüpft sich das Problem, wie das „sich" und das „selbst" der „sich selbst zeigenden Phänomene" in einer realistischen Phänomenologie zu verstehen sind, denn der existenzielle Gehalt bildete den Kern von beiden.

Um Missverständnissen vorzubeugen, sei angemerkt, dass die Momente, die sich auf den einzelnen methodischen Stufen ergeben, nur analytischen Status haben. Sie sind Momente dessen, was im phänomenalen Vollzug ein Ganzes bildet. Dies gilt nicht zuletzt für den existenziellen Gehalt, der ungegenständlich ist, den der gegenständliche oder formale „Was-Aspekt" eines Phänomens jedoch voraussetzt, wenn mit ihm tatsächlich die „Sache selbst" erscheinen soll. Es geht also methodisch darum, aus dem Gegenständlichen (dem Phänomenalen) das Ungegenständliche zu rekonstruieren. Alternativ könnte man auch sagen: Es geht darum, die Wirklichkeit des Gegenständlichen zu rekonstruieren, die verhindert, dass dieses zur Sache der bloßen Iteration kontingenter Bedeutungen wird (wie im Falle des Poststrukturalismus). Diese Formulierung impliziert, dass sich Wirklichkeit nur rekonstruieren und nie etwa konstruieren, also durch einen gegenständlichen Begriffsapparat erfassen lässt (in diesem Punkt stimme ich mit dem Poststrukturalismus überein). Das Denken kommt der Wirklichkeit nahe. Aber es tut das nachträglich, es ist – wie in Abschnitt I eingeführt – Nachvollzug eines komplexen prozessualen Gefüges.

Wie oben bemerkt, ist mein Ausgangspunkt Heideggers Fundamentalontologie. Ihr gelingt, was neue Realisten wie Meillassoux oder Gabriel bislang nicht vermögen: die Seienden von der Faktizität her zu denken; zu zeigen, wie sich die Seienden auf der ungegenständlichen Grundlage, dass sie sind, als Phänomene entfalten und sich erst von da aus und in einem abgeleiteten Sinne als „Gegenstände" begreifen lassen, denen „Existenz zukommt". Allerdings bricht der phänomenologische Realismus, der sich damit andeutet, bei Heidegger nicht durch, weil dieser das menschliche „Dasein" nicht nur zum methodischen Ausgangspunkt, sondern auch zum inhaltlichen Horizont macht, von dem sich die Seinsbestimmungen oder „Existenzialien" herschreiben. Heideggers „Hermeneutik der Faktizität" ist so eine Hermeneutik der spezifisch menschlichen Faktizität. Hingegen bleibt das Erscheinen der nicht-menschlichen Seienden, ihr Sich-selbst-zeigen und Einander-auslegen, ausgespart.

Die methodische Strukturformel für den phänomenologischen Realismus, den ich entwickeln möchte, findet sich gleichwohl in *Sein und Zeit*, genauer in § 7 C: „Das, was sich zeigt, so wie es sich von ihm selbst her zeigt, von ihm selbst her sehen lassen".[20] Um den fundamentalontologischen Primat des menschlichen Daseins aufzulösen, ist an diese Strukturformel eine doppelte Reduktion zu schließen, die mit der von Peter Gaitsch vorgeschlagenen „zweistufig erweiterten phänomenologischen Methode"[21] verwandt ist.

Zunächst lässt sich das „Dasein" oder genauer, der menschliche hermeneutische Zugriff auf den Erscheinenszusammenhang reduzieren oder einklammern. Das menschliche Seinsverstehen bildet zwar den Einstieg in den hier entworfenen Realismus, insofern es für uns eröffnet, „dass ich bin" und „dass andere Seiende sind". Aber indem das Dass sich eröffnet, erweist es sich schon als größer denn das Verstehen, das sich auf es bezieht. Dies ist kein Einwand gegen das cartesianische Cogito, das die neuzeitliche Metaphysik einleitet. Es ist vielmehr ein Versuch, die ontologischen Implikationen des Cogito zu entfalten. Es stimmt: Ich denke, also muss ich existieren. Aber dieses Existieren kann ich nicht denken. Ich bin je schon darin, und das Existieren vollzieht sich, ob ich denke oder nicht. Eben deswegen ist es möglich, dass ich nicht da bin und doch alles, was mit mir da ist, weiterbesteht. Ich kann das Dass der anderen Seienden ebenso wenig denken wie mein eigenes Dass. Ich kann das Existieren nur übernehmen und mein Denken als einen Fall des Existierens unter unendlich vielen anderen Fällen denken. Ihrer existenziellen Situation nach, also qua Faktizität, sind daher alle anderen Seienden dem Ich analog. Sie vollziehen Existenz, indem sie sich auf andere Seiende beziehen. Sie agieren hermeneutisch, d.h., sie bringen einander zum Erscheinen, sie legen einander aus. Sie sind, was sie sind, indem sie für-, mit- und gegeneinander sind. Die Korrelation von Cogito und Seiendem erweitert sich aus dieser Perspektive zu einem universalen hermeneutischen Relationismus. Das Erscheinen ist durch unzählige Beziehungen organisiert. Es gibt keinen ontologischen Solipsismus.

Allerdings erschließt die erste Reduktion zwar realistisch den universal-relationalen Charakter des Erscheinens und damit die Struktur, in der das „sich" und das „selbst" der Phänomene relevant werden. Sie hat „sich" und „selbst" aber noch nicht explizit freigelegt. Dazu ist eine zweite Reduktion nötig, die die gerade aufgewiesene Relationalität einklammert und sich auf das Dass der Phänomene richtet, insofern diese stets als einzelne erscheinen. Diese zweite Reduktion führt weder auf einen Atomismus noch auf den gerade abgewiesenen Solipsismus. Vielmehr führt sie in die Relationen hinein und auf das, worum es ihnen geht.

Das Ergebnis der zweiten Reduktion ist der existenzielle Gehalt. In ihm liegt zunächst das „sich". Das „sich" ist die reine, ungegenständliche Geste der Identität. Es ist die Beziehung des Phänomens, das noch „nichts", also kein Gegenstand

---

[20] GA 2, S. 34.

[21] Peter Gaitsch, „Die Sinnfeldontologie als phänomenologischer Realismus", in Eine Diskussion mit Markus Gabriel: Phänomenologische Positionen zum Neuen Realismus, hrsg. Peter Gaitsch, Sandra Lehmann und Philipp Schmidt, Wien, Turia + Kant, 2017, S. 52.

ist, auf die Faktizität. Mit dem „sich" entfaltet sich das Existieren als gegenstandslos, aber doch gesammelt und konturiert.[22]

Das „selbst" baut auf dem „sich" auf. Es bezeichnet das „sich", insofern dieses ins Erscheinen involviert wird. Entsprechend ist es das „selbst", auf welches das Phänomen rekurriert, wenn das „sich" mit dem Erscheinen verbunden ist. Das „selbst" ist die Singularität, die das Phänomen in die hermeneutischen Relationen einbringt, um zugleich „etwas" und mehr als „etwas" zu sein.

Der eigenständige ontologische Rang von „sich" und „selbst" erlaubt es, die Seienden analytisch aus den Relationen zu anderen Seienden zu lösen und sie allein hinsichtlich ihrer Beziehung zum Erscheinen zu denken. Zwar haben sie volle *Konsistenz* erst in Relation zu anderen Seienden, was eine Relation zum menschlichen Cogito einschließen kann. Unabhängig davon jedoch verfügen sie über eigenes Beharren oder *Insistenz*, d.h., sie sind vor jeder Hermeneutik oder vielleicht besser: auf der Schwelle zu ihr, von sich selbst her Seiende. Als solche treten sie ins Erscheinen ein, das erst in der Folge „Erscheinen mit anderen Seienden" ist.

V. Werden und Verwirklichung

Vor dem dargelegten Hintergrund lassen sich für das Werden zwei Aspekte unterscheiden, die den beiden ontologischen Registern von Faktizität oder Dass-Sein und gegenständlichem Erscheinen oder Was-Sein korrespondieren. Das Werden ist zum einen der endliche Prozess des universalen hermeneutischen Erscheinens, in dem die Seienden intraaktiv „als etwas" erscheinen. Zum anderen ist das Werden die Bewegung, die der existenzielle Gehalt im Medium des endlichen Prozesses initiiert, ohne von diesem tangiert zu werden. Vielmehr schreibt der existenzielle Gehalt eine absolute Dynamik in das endliche Werden der Phänomene ein. Man kann so von einem endlich-hermeneutischen Werden und von einem absoluten Werden sprechen, die sich jedoch zu einem einzigen Werden ineinander winden.

Um das endlich-hermeneutische Werden zu charakterisieren, lässt sich auf die oben angeführte erste Reduktion zurückgreifen. Geht man anders als Heideggers Fundamentalontologie davon aus, dass es auch ohne noetisches Vermögen („Seinsverstehen") jedem Seienden um das eigene Sein geht, dass also jedes Seiende durch ein eigenständiges, insistentes „sich" und „selbst" ausgezeichnet ist, lässt sich auch das Existenzial der Zeitlichkeit für alle Seienden annehmen. Zweifellos ginge es zu weit, allen Seienden die fundamentalontologische „Sorgestruktur" zu unterlegen. Gleichwohl sind auch die nicht-menschlichen Seienden nicht

[22] Mit der Figur des „sich" nähere ich mich Michel Henrys Konzept der „Ipseität", vgl. v.A. Michel Henry, Ich bin die Wahrheit. Für eine Philosophie des Christentums, Freiburg/München, Karl Alber, 1997. Allerdings teile ich Henrys Monismus des Lebens nicht und deute das „sich" als universale ontologische Struktur.

einfach „in der Zeit", sondern vollziehen die Zeit. Die Zeitextasen von Vergangenheit, Gegenwart und Zukunft sind für sie virulent, auch wenn sie dies in ihrem Seinsvollzug nicht eigens reflektieren, sondern es unmittelbar austragen.

Heidegger selbst arbeitet dieser Sicht zu, wenn er in *Sein und Zeit* bezüglich der als „Zeug" ausgewiesenen leblosen Seienden schreibt: „*Ein* Zeug ‚ist' strenggenommen nie. Zum Sein von Zeug gehört ein Zeugganzes darin es Zeug sein kann, das es ist".[23] Die damit exponierte Relationalität der nicht-menschlichen Seienden fordert, dass auch sie – gemäß der drei Momente der Sorgestruktur – durch „In-Sein", „Bei-Sein", „Entwurf" charakterisiert sind. Eben dies macht ihre Konsistenz aus, eine Konsistenz, in der es den Seienden darum geht, dass sie sind, während sie zugleich werden, d.h. entstehen, sich verändern, sich bewegen, vergehen, sich auflösen, sich neu bilden etc.

Allerdings kennen diese endlichen Seienden im Unterschied zum menschlichen Dasein den Tod nicht. Die „Möglichkeit der schlechthinnigen Daseinsunmöglichkeit"[24] besteht für sie nicht. Relevant für sie ist einzig die Wirklichkeit, dass sie sind, und auf Grund dieser Wirklichkeit möglich sind. Man kann hierin die Wahrheit der nicht-menschlichen Seienden und ihre Überlegenheit über die menschliche Wahrheit erkennen, die Wahrheit von Fels, Baum, Pferd, Engel, die Heideggers Anthropozentrismus zurückstellt.[25] Das Dass-Sein ist unantastbar und verleiht den Seienden eine nicht-phänomenale Integrität, über das hinaus, was zeitlich erscheint – einschließlich ihrer selbst, insofern sie zeitlich erscheinen. Dagegen investiert Heidegger die Faktizität restlos in die menschliche Endlichkeit und schneidet jede Inkommensurabilität durch den Tod ab.

Die Dynamik des absoluten Werdens ergibt sich daraus, dass der existenzielle Gehalt in das zeitliche Erscheinen der Seienden eingeht und in ihm wirkt. Die Seienden erscheinen „als etwas", sie sind Phänomene im Rahmen des intraaktiven, hermeneutischen Prozesses. Aber dass sie überhaupt „etwas" sind, das sich „als etwas" zeigt, verdanken sie dem existenziellen Gehalt. Der existenzielle Gehalt ist also einerseits für die Phänomene konstitutiv. Andererseits jedoch ist er selbst nicht-phänomenal und für das Erscheinen inkommensurabel, d.h., er bleibt dem Erscheinen transzendent.

Für die Phänomene ist der existenzielle Gehalt das, worauf sie in ihrer hermeneutischen Bewegung rekurrieren und das zugleich konstant über sie hinausreicht. Sie suchen also, indem sie erscheinen, diese eigene innere Transzendenz. Sie sind in der Bewegung des Erscheinens zugleich Bewegung auf den eigenen

---

[23] GA 2, S. 68.

[24] GA 2, S. 250.

[25] Vgl. Martin Heidegger, „Einleitung zu ‚Was ist Metaphysik?'", in Martin Heidegger, Wegmarken, hrsg. Friedrich-Wilhelm von Herrmann, Frankfurt am Main, Klostermann, 1976 [1949]), S. 374 (quoted GA 9): „Der Mensch allein existiert. Der Fels ist, aber er existiert nicht. Der Baum ist, aber er existiert nicht. Das Pferd ist, aber es existiert nicht. Der Engel ist, aber er existiert nicht. Gott ist, aber er existiert nicht." Die Frage des Seins Gottes wäre gesondert zu behandeln.

transzendenten Gehalt zu, der ihnen aber je schon zugrunde liegt und aus dem sie sind.

Man kann diese Bewegung „absolut" nennen, weil sie zwar im Medium der endlichen Zeit stattfindet, jedoch die Pole, zwischen denen sie sich vollzieht – der existenzielle Gehalt als Grund und als Zukunft –, absoluten Charakter haben. Die Phänomene erreichen weder die Faktizität, aus der sie sind, noch die Faktizität, um deren willen sie sind. Die existenzielle Fülle, aus der sie sind, und die existenzielle Fülle, auf die sie zuhalten, bleiben ihnen im Rahmen des Erscheinens entzogen. Existenz und Wesen fallen für sie unmöglich zusammen, auch wenn beide aufeinander bezogen sind.

Der Mangel des poststrukturalistischen Denktyps, v.a. der Dekonstruktion von Jacques Derrida, besteht darin, beim Entzugsmoment des Absoluten stehenzubleiben. Die Beziehung von Existenz und Wesen – die Rückbindung des Was-etwas-ist an das Dass-etwas-ist – wird zwar gesehen, aber das Dass-etwas-ist wird leer gelassen. In Fortschreibung von Heideggers späterem Seinsdenken ist der letzte und abschließende phänomenale Ausdruck des Dass-Seins das Nichts. Mit dieser Auflösung des absoluten Kerns wie Fluchtpunkts der Phänomene, d.i. des existenziellen Gehalts, wird der hermeneutische Prozess beliebig. Man kann das auch als Beschreibung der postmodernen *conditio* lesen: Die Phänomene zeigen sich als etwas, aber sie bestehen nur aus dem, was sie sind, und einer abgründigen Leere, die sie aushöhlt. Einzig das zeitliche Werden hält sie zusammen und verleiht ihnen Konsistenz – Konsistenz ohne Insistenz.

Demgegenüber versucht der hier vorgeschlagene Realismus, die Rückbindung des Was-etwas-ist an die Existenz inklusive des dabei statthabenden Entzugs positiv zu wenden. Dass-etwas-ist ist nicht Nichts, es hat einen Gehalt, der sich in der Rückbindung entfaltet als ein absolutes Werden. Aufgrund des absoluten Werdens haben die Phänomene nicht nur Konsistenz. Vielmehr bilden sie eine eigenständige Stelle im Erscheinen, sie insistieren, sodass der hermeneutische Prozess sie nicht beliebig erfasst. Ebenso aber kann der hermeneutische Prozess sie nie ganz erfassen, denn was sie einerseits insistieren lässt, macht sie andererseits inkommensurabel. Während die Phänomene erscheinen, geht es ihnen um das Absolute, das sie selbst sind. Sie vollziehen damit im Erscheinen, dass sie mehr sind als das, als was sie erscheinen.

Es geht ein Riss durchs Erscheinen, aber dieser Riss ist nicht der poststrukturalistische Riss des Abgrunds, der die Seienden rettungslos verschlingt, sondern der Riss der Hoffnung. Mit ihm deutet sich in den Phänomenen eine Öffnung an: in die totale Verwandlung über alle Metamorphosen hinaus; in die Fülle jenseits des Erscheinens. Angesichts dieser Wirklichkeit sind alle Phänomene wirklich, indem sie Verwirklichungen sind. Sie sind nicht wirklich, wo sie begrifflich erfasst und im Begriff präsent oder „da" sind. Sie sind auch nicht wirklich, wo sie ziellos immer weiter werden. Vielmehr sind sie wirklich, indem sie in der endlichen Zeit die absolute Wirklichkeit suchen, diese Wirklichkeit im Rahmen des Erscheinens, aber über es hinauszielend vollziehen, aus ihr und auf sie zu werden – wirklich werden.

Le réalisme spéculatif et la dénégation ruineuse de la finitude

Stanislas Jullien

Introduction

Comment ne pas parler de la finitude? Comment éviter d'en parler? C'est à la lumière de ces questions que je voudrais faire une courte halte dans le livre de Meillassoux intitulé *Après la finitude*. Si de telles questions peuvent paraître au premier abord énigmatiques, provocantes même peut-être au regard du titre du livre, nous tenterons d'en exposer pourtant toute la portée philosophique. Comment commencer à s'y orienter? En précisant d'abord qu'il ne suffirait pas de traiter de la finitude, d'en faire le thème ou le titre d'un livre pour éviter d'en parler: l'évitement suggéré par nos questions liminaires serait au contraire constitutif du mode de traitement expresse de la finitude par un certain type de discours ou de positionnement philosophique – en l'occurrence, celui qui s'attribue ici le nom de «réalisme spéculatif». On avancera alors que si Meillassoux n'évite pas cet évitement de la finitude, c'est parce que la finitude serait la mal-traitée du réalisme spéculatif. À quoi se laisserait alors reconnaitre ce mauvais traitement dans le texte de Meillassoux? À au moins trois indices marquants: 1) le premier renvoie à la parcimonie des occurrences du terme de «finitude» dans le texte, parcimonie qui serait insignifiante, si ce terme n'apparaissait dans le titre comme la cible prégnante (et donc fuyante) du livre; 2) le second indice concerne l'absence d'avenir à laquelle serait irrémédiablement et impérieusement vouée la finitude: ceci donc que l'époque de la finitude serait une époque révolue, et «réalisme spéculatif» nommera la pensée se donnant pour tâche d'accomplir cette révolution; 3) le troisième indice nous fait comprendre que s'il faut être intraitable avec la finitude, si son congédiement dans l'«après» n'est pas négociable, c'est parce qu'elle aurait elle-même trait, dans son essence même, à ce que Meillassoux détermine sous le nom de corrélationnisme, de sorte qu'au sein de ces noces inaugurales de la finitude et de la corrélation la première serait la *ratio essendi* de la seconde, et inversement la seconde serait la *ratio cognoscendi* de la première; mieux: ce n'est pas seulement avec la finitude qu'il faudrait rompre, mais encore avec la suture proprement phénoménologique qu'elle enveloppe *a priori* entre la corrélation, la phénoménalisation et le transcendantal.

Mais alors, qu'est-ce qui, dans la perspective du réalisme spéculatif (noté RS), justifierait ces trois indices témoignant du mauvais traitement infligé à la finitude? Au moins ceci: qu'une telle suture entrainerait inévitablement une dés-absolutisation désastreuse de la pensée par où celle-ci renoncerait, en raison (sans pourquoi) de sa finitude même, à ménager un accès à l'absolu, et à partir de ce ménagement, à connaitre le réel dans son absoluité, c'est-à-dire dans son absolue indépendance à l'égard de la pensée. Un tel désastre se déclinerait lui-même en fonction des deux versions du corrélationnisme exposées par Meillassoux: dans sa version faible, inaugurée par Kant, la dés-absolutisation correspondrait à ce que Meillassoux nomme «le pas de danse moderne[1]» de la corrélation par où il faut entendre la déchéance native et irréversible de la phénoménalisation dans la représentation ou représentativité, c'est-à-dire dans un mode d'idéellisation du réel-donné qui, corrompu par le cercle claustral de la phénoménalisation, réprime le Grand Dehors de cette réalité par où celle-ci devrait imposer à la pensée son indépendance absolue; quant à sa version forte, allant de Schelling à Deleuze – rien de moins –, et revendiquée notoirement par les penseurs contemporains partisans de la «finitude radicale[2]» (c'est-à-dire les tenants de ce qui s'est nommé «déconstruction»), elle porterait la dés-absolutisation de la pensée à son comble. Pourquoi? Parce que pour cette version, l'en soi ne serait pas seulement inaccessible à la pensée, ni même inconnaissable, mais définitivement impensable: impensabilité qui, en abandonnant l'absoluité de l'en soi à l'irrationnalité du Tout-autre, resterait non seulement prisonnière et complice du principe de raison que le corrélationnisme fort était censé excéder, mais plus gravement encore, déchoirait dans l'ère post-métaphysique du fidéisme-sceptique.

À partir de là, nous voudrions soutenir l'hypothèse de lecture selon laquelle cette mal-traitance de la finitude par le RS aurait pour ressort caché le processus d'une *dénégation*, si on entend par là la manière dont non seulement un discours se contre-dit en disant le contraire de ce qu'il *cherchait* expressément à dire, mais plus encore, produit et entérine ainsi la contradiction *au moment même et dans la manière même* dont il veut énoncer thématiquement son opposition à celle-ci, risquant ainsi en retour l'effondrement ruineux de sa position philosophique. Or c'est la production par le RS d'une telle dénégation à l'endroit même de la finitude et les répercussions sur les principes ou contraintes de pensées matricielles de cette position philosophique que nous chercherons donc à esquisser.

I) Les ressources de la dénégation

1) La première esquisse s'appuierait sur la *contrainte de l'accès* qui ne cesse de jalonner le livre de Meillassoux[3]: dans le RS, la pensée *se donne en effet pour mission primordiale de ménager un accès au réel-donné pour y déceler son absoluité*, c'est-à-

[1] Quentin Meillassoux, Après la finitude, Paris, Seuil, 2006, p. 19.
[2] Ibid., p. 71
[3] Voir, entre autres: ibid., p. 51, 59, 82, 98.

dire son indépendance absolue. Or nous soutenons qu'une telle contrainte ne peut qu'obéir aux injonctions de la finitude, qu'elle en porte la marque la plus ineffaçable car la pensée y éprouve sa limite: celle de ne pas pouvoir se donner par ses propres forces l'existence de l'étant-donné, reconnaissant ainsi dans l'antécédence et l'extériorité de son existence factuelle l'indépendance irréductible de son altérité. Et si cette prescription de la finitude est inévitable – si on ne transige pas avec elle –, c'est parce que, comme Kant nous l'aura appris définitivement, elle constitue le ressort même d'une émancipation à l'égard de toute métaphysique dogmatique. Pour autant, l'insuffisance du geste critique – et sur ce point nous suivons Meillassoux – aura consisté à niveler l'indépendance au seul plan ontique de l'étant-donné, laissant la porte ouverte au pas de danse évoqué plus haut. Or puisque l'étant ne peut avoir le caractère limitatif du donné qu'à la condition qu'il soit donné (à la pensée) *par* une instance qui *diffère* de la pensée, alors il s'agit pour celle-ci de radicaliser l'affirmation de sa finitude en reconnaissant dans l'indépendance ontique du donné le pli d'un niveau *ontologique* de l'indépendance.

Ce *second niveau* doit être reconduit à la puissance limitative de la Chose en soi en tant que puissance ontologique «d'engendrer des choses physiques[4]» comme l'écrit Meillassoux: puissance qui dans l'étant, n'est rien d'étant car puissance de l'être-donné du donné, et à laquelle il s'agit d'accéder depuis et comme ce que Meillassoux détermine sous le concept d'*hyper-chaoticité*[5] du réel. Mais il y a plus: la pensée doit consentir à sa finitude native et irrévocable dans la reconnaissance d'un *troisième plan* de l'indépendance: celui de *l'irraison(nabilité)*[6] de la limite en entendant par là la manière dont l'absoluité limitative de l'hyper-chaos emporte la factualité du réel-donné dans la nécessité d'une contingence porteuse d'infinité c'est-à-dire d'illimitation dans l'ordre de l'essence, voire même, à l'égard de cet ordre.

Dès lors, si le Dehors du réel est Grand quand il cumule et articule ses trois niveaux d'indépendance (que Meillassoux ne distingue pas clairement lui-même, ne cessant de les confondre), alors l'endurance philosophique d'un accès au Grand Dehors, loin de raturer la finitude devrait l'affirmer au contraire. Et puisque chez Meillassoux cette endurance est comprise, à bon droit d'ailleurs, comme celle d'une dynamique qui *ex-centre*[7] la pensée, c'est dans cette *ex-centricité ou ex-centrement* que cette affirmation devrait s'attester. Est-ce le cas? Oui – mais en un sens seulement: celui par lequel l'excentricité nommerait la façon dont il ne s'agit pas seulement pour la pensée de reconnaitre l'indépendance absolue du réel, mais de reconnaitre sa dépendance à l'égard de cette absoluité même; de sorte qu'il ne s'agirait pas seulement de penser ce qui peut s'absoudre de la pensée, mais d'expliciter la façon dont la pensée ne peut se passer de l'absolu pour en déterminer idéellement l'absoluité: ceci que la pensée doit, pour parler comme Hegel, s'é-loigner de soi et s'enfoncer dans l'absoluité du contenu afin de puiser dans *sa rencontre*

---

4 Ibid., p. 41.
5 Ibid., p. 100.
6 Ibid., p. 123.
7 Ibid., p. 49.

avec l'altérité absolue du Grand Dehors (car absolument ontique, ontologique et irraisonnée) les conditions non quelconques de sa détermination.

Pourquoi alors avoir annoncé que ce mode opératoire de l'ex-centricité n'était lisible chez Meillassoux qu'en un sens *seulement*? Pourquoi cette réserve? Parce que nous avançons qu'en déniant les affinités électives de la finitude et de l'excentricité, c'est la compréhension même de ce mode opératoire qui est déniée, et avec elle, la possibilité même de l'ex-centrement. Comment une telle dénégation se laisserait-elle remarquer? On répondra: dans ce qui, pour le RS, est censé exclusivement accomplir cette sortie de la pensée hors d'elle-même, soit: non pas seulement dans le régime scientifique de l'idéellisation du réel, mais dans le déploiement *mathématique* d'un tel régime, pour autant que, thèse cardinale du livre, seule cette idéellisation mathématique détiendrait le privilège et la capacité de discourir sur le Grand Dehors – et donc, d'accomplir cette expérience excentrique de la pensée[8]. Qu'est-ce qui justifie une telle hypothèse de lecture? En guise d'annonce, on répondra: la manière dont, dans et pour cette mathématicité telle qu'elle est présentée et assumée par le RS, l'absolu serait si délié de la pensée que celle-ci pourrait aller jusqu'à défaire son lien avec lui: la manière dont l'en soi serait si indépendant que la pensée ne dépendrait plus que d'elle-même au moment d'en saisir et d'en concevoir la détermination idéello-conceptuelle, de sorte que tout se passe comme si l'expérience de l'excentricité de la pensée était comme déconnectée, délivrée de la *réceptivité* à l'égard du Grand Dehors – et donc déniée dans son essence même.

Certes, une telle déconnexion est inévitable pour la formation des énoncés ancestraux en vertu de leur caractère diachronique, lequel annule d'entrée de jeu la possibilité même d'une *confrontation phénoménale* avec le Grand Dehors, c'est-à-dire d'une *rencontre* avec lui. Mais alors que signifie pour la pensée sortir de soi, si dans cette sortie, le Grand Dehors se fait si petit qu'il n'a plus ni existence ontique, ni consistance ontologique *effective* auxquelles la pensée serait redevable pour accomplir la formation de ces énoncés? Cela signifie tout simplement ceci: rester chez soi, en demeurant au plus près de soi-même, *de sorte que dans cette mise à demeure, la pensée, loin de briser le cercle claustral de la corrélation, ne ferait que le consolider plus que jamais pour se laisser enfermer dans la circularité inflexible d'un régime représentationnel de l'idéellisation*. Cela signifie donc ceci: que la possibilité même de l'énoncé ancestral *reposerait moins sur l'effacement du témoin que sur celle du réel*, et qu'en cet effacement, on assisterait à une dénégation du Grand Dehors, de l'excentricité qu'elle exige, et de la finitude originaire qui l'habite.

Or une telle dénégation peut déjà trouver son attestation dans la manière dont Meillàssoux ne se contente pas de reconnaitre à la seule science la capacité de former les énoncés ancestraux, ni même à la mathématicité de leur discursivité, mais à la façon dont il élève cette capacité au statut d'essence de la science *moderne* telle qu'elle s'inaugure historialement dans la révolution galiléo-copernicienne, car

8 Ibid., p. 48

celle-ci «portait en elle la transmutation possible de toute donnée de notre expérience en objet diachronique[9]». Entendons bien: *elle porte en elle l'extension généralisée à la totalité de nos rapports avec l'étant-donné d'une fiction théorique par laquelle la pensée pourra former un énoncé ancestral sur le réel-synchronique en faisant comme s'il n'y avait plus que les conditions du réel-diachronique, c'est-à-dire comme s'l n'y avait plus que les conditions non d'«un élément d'un monde se donnant à nous comme indifférent, pour être ce qu'il est, au fait d'être donné ou non[10]» comme le suggère Meillassoux, mais les conditions d'un effacement généralisé du réel-donné, d'une perte généralisée de l'irréductibilité du réel en train de se donner.* Et si c'est par une telle fiction que doit s'accomplir l'absolutisation spéculative de la pensée, alors celle-ci coïncide avec une *dé-mondanéisation du réel*, si par monde on entend ce qui du réel *en tant que donné* prescrit à la pensée les lignes de sa détermination idéelle. Or c'est précisément l'interdiction d'une telle prescription qui fait l'essence même de l'énoncé ancestral et avec elle de la révolution galiléo-copernicienne, déniant par-là l'excentrement de la pensée revendiquée pourtant comme la tâche irrémissible du RS: ce qu'il y a en effet de révolutionnaire dans cette révolution, c'est l'avènement époqual d'une force centripète de la pensée qui éteint ou étouffe sa force centrifuge pourtant impérativement requise par l'ex-centricité.

Mais si ce qui est dénié ainsi, c'est la façon de considérer la finitude non comme le prédicat adventice de l'excentricité mais tout à la fois comme sa condition de possibilité et son mode de déploiement insigne, et si cette modalité coïncide elle-même avec la corrélation en vertu de sa correspondance structurelle avec la finitude du rapport phénoménal, alors c'est l'originarité de la relation et la portée phénoménalisante de celle-ci qui se trouveraient emportées dans le mouvement de cette dénégation. Et c'est encore dans la contrainte d'un accès au Grand Dehors, maintes fois revendiquée par le RS, que l'on pourrait trouver les signes probants de cet emportement. Comment? En suivant deux autres accentuations de l'accès en question: 1) la première permettrait d'avancer que si il appartient à la pensée, grâce à son pouvoir d'idéellisation, de frayer un accès originaire au Grand Dehors, et si ce frayage doit se déployer sur le mode de l'ex-centricité en vertu de la finitude qui réclame et affecte à la fois cette accessibilité idéelle, alors on voit mal comment cette opérativité idéelle ne puisse pas se confondre avec l'ouverture d'un mode d'orientation originaire vers le réel-donné *qui ne soit rien d'autre qu'un mode de relation originaire* avec lui en et comme lequel la pensée se trouve initialement trans-portée et ex-portée hors d'elle-même vers le Dehors: ceci donc qu'il n'y aurait pas d'accessibilité sans la facticité d'une ouverture intentionnelle de la pensée; 2) la seconde accentuation poursuit la précédente en qualifiant d'archi-phénoménale et d'archi-transcendantale l'initialité de cette relation idéelle au réel constitutive de l'accès: en effet, si la pensée a besoin d'ouvrir un accès vers le Dehors, ce n'est pas seulement en raison de la finitude originaire de la pensée, mais parce que c'est le Grand Dehors lui-même qui réclame cette ouverture, car il n'est

[9] Ibid., p. 172

[10] Ibid.

pas capable d'apporter avec lui les conditions de cette accessibilité par lesquelles il pourrait s'*annoncer comme tel* à la pensée.

Qu'est-ce à dire? Ceci: que si le Grand Dehors est absolument indépendant du point de vue ontique, ontologique et irraisonnable, il n'est pas absolu au point de se suffire à lui-même pour pouvoir dire/discourir, déterminer et donc *montrer* son indépendance même à partir de lui-même: *il y a donc une finité absolue de l'absolu* en ce sens que son indépendance avérée et reconnue se déployant elle-même encore sur un mode intransitif, l'absoluité du Grand Dehors a elle-même besoin d'un comportement capable de lui apporter les conditions lui accordant une dimension au sein de laquelle il pourra se rapporter *médiatement* à lui-même, et ainsi manifester *en tant que* tel son absoluité à l'égard de la pensée – mais seulement *grâce* à elle; et tel serait le privilège, transcendantal donc, du comportement pensant en tant que comportement performant la délivrance transitive d'une dimension idéelle qui dispense au Grand Dehors les conditions de sa monstration phénoménale – y compris lorsque cette idéellisation se déploie sur le mode de la mathématisation. Voilà donc ce qui semblerait indéniable – mais voilà ce que Meillassoux s'évertuerait à dénier au moment même où il formule cette question, cruciale: «Comment un être peut-il *manifester* [nous soulignons] l'antériorité de l'être sur la manifestation?[11]». On répondra: à condition qu'il n'y ait jamais eu ni de subsistance de la pensée – mais seulement une *ek-stase* originairement intentionnelle de celle-ci vers le Grand Dehors, ni de sub-sistance de ce dernier – mais l'intransitivité ou l'immédiateté de son indépendance en demande originaire de médiation phénoménologico-idéelle.

II) La confirmation de la dénégation par la portée phénoménologique du mathématique

Mais le remarquable c'est que notre hypothèse de lecture, cherchant à traquer dans l'exigence même d'un accès au Grand Dehors revendiquée par le RS cette dénégation de la finitude (et de ce qui s'ouvre en et par elle: le déploiement phénoménologico-transcendantal de la corrélation) pourrait à bon droit s'appuyer sur et se justifier par la méditation heideggerienne du mathématique telle qu'il l'expose dans *Qu'est-ce qu'une chose?*[12]. Amorçons donc une très courte halte dans ce texte, en commençant par rappeler la manière dont Heidegger y explicite *le* mathématique:

> Le mathématique est cela même qui des choses est manifeste, en quoi nous nous mouvons toujours déjà, et d'après quoi nous les expérimentons comme choses en général et comme telle ou telle chose. Le mathématique est cette position fondamentale envers les choses, dans laquelle notre prise nous pro-

[11] Ibid., p. 48.

[12] C'est à partir du livre de Jean-Philippe Milet, aussi lumineux que décisif, intitulé, L'absolu technique – Heidegger et la question de la technique (Paris, Kimé, 2000) que nous interprétons une telle méditation.

> pose les choses eu égard à ce comme quoi elles nous sont déjà données et doivent l'être. Le mathématique est la présupposition du savoir des choses.[13]

Il y a lieu de s'étonner d'abord d'une telle approche car en celle-ci, le mathématique ne possède rien de moins que les caractères de l'ouverture herméneutique, si on entend par là cette pré-compréhension ontologique par où l'être (en tant que rien d'étant) est anticipé comme dimension *a priori* de la phénoménalité depuis, par et vers laquelle la pensée dépasse d'avance l'étant en vue de refluer vers lui pour le porter au phénomène. Sauf que cette mathématicité (de la différence ontico-ontologique se déployant comme transcendance du *Dasein*) est elle-même susceptible d'une double accentuation passant à l'intérieur de son herméneuticité et donc de la phénoménalisation. Mieux: cette unité duplice du mathématique va non seulement elle-même être articulée depuis la différence entre une mathématicité consentant à sa/la finitude et une autre établissant le projet de s'y soustraire; mais plus encore, une telle différenciation va elle-même être présentée par Heidegger depuis l'opposition entre deux types de savoir ou de connaissance anticipée: celui constitutif de la théorie aristotélicienne du mouvement, et celui constitutif de la théorie du mouvement dans la physique moderne, telle qu'elle est inaugurée par Galilée et Newton. Ce point est connu, mais puisque le bien connu est souvent mal connu, il convient de s'y arrêter un tant soit peu afin d'y prélever les motifs philosophiques permettant d'étayer et de justifier notre hypothèse de lecture concernant la portée dénégatrice du mathématique tel qu'il est thématisé par Meillassoux.

Qu'en est-il de la théorie du mouvement chez Aristote? On mentionnera au moins deux de ses principes: 1) celui d'une différenciation qualitative du mouvement selon le fil conducteur des catégories; 2) celui, *central*, qui depuis cette différenciation catégoriale, reconnait dans la nature ou *physis* le principe du mouvement et de repos de chaque étant naturel, en entendant dans cet *archè kinèsis* une puissance d'auto-manifestation anté-phénoménale ou pré-intentionnelle, qui, *en tant que rien d'étant*, achemine à sa manière – c'est-à-dire à partir d'elle-même – l'étant dans l'apparition en le faisant croître – non sans accident – vers son repos limitatif (*peras*) afin qu'il puisse atteindre son visage (*eidos*) et s'épanouir ainsi dans l'é-vidence de son aspect (*morphè*): appelons performance génésique (*génésis*) la factualité de cette puissance de surgissement ou d'éclosion possibilisée et déployée dynamiquement par la *physis* comme puissance de donation du donné[14].

Dès lors l'induction ou *épagogè* aristotélicienne suppose un regard orienté phénoménalement sur l'étant capable de laisser se montrer dans ce qui apparaît – dans les corps en mouvement – ce qui ne s'y montre pas comme un étant, mais

---

13 Martin Heidegger, Qu'est-ce qu'une chose?, trad. Jean Reboul et Jacques Taminiaux, Paris, Gallimard, 1971, p. 87.

14 C'est le génie d'Aristote d'avoir su penser la physis conne archè kinésis, c'est-à-dire comme une dynamique monstrative immanente au réel en tant que dynamique initialement productrice/donatrice du réel-donné, une dynamique génés/tique donc si genesis se laisse traduire par le venir-au-paraitre ou le faire-surgir. C'est aussi le génie de Heidegger d'avoir su donner une interprétation si puissante de cette dynamique dans «Comment se détermine la physis», in Questions I et II, Paris, Gallimard, 1990.

d'où l'étant puise la ressource de sa monstration initialement génésique, soit: la puissance limitative de la *physis* comme rien d'étant – et donc rien de visible. Il ne suffirait pas alors de dire que ce regard inductif ou épagogique serait mathématique en vertu de sa portée phénoménologico-herméneutique. Il faut aller jusqu'à dire qu'un tel regard délivre à cette mathématicité son allure et sa tournure proprement *excentrique*: ceci que le mathématique comme présupposition fondamentale du savoir des choses nommerait ce mode de connaissance qui reconnait à celles-ci l'antécédence limitative d'une certain savoir de soi immanent à la choseité; auto-supposition du savoir se déployant alors sur le mode encore intransitif de l'*hypokeimenon*, c'est-à-dire de ce qui, de l'étant-donné et donc de ce qui s'est déjà avancé dans la manifestation depuis la puissance physico-génésique en lui, s'impose à la pensée en pro-posant à son regard phénoménologique de ne le dépasser aprioriquement que pour accueillir en retour son contenu catégorial préalablement déterminé par la choséité et recueillir celui-ci en vue de le faire apparaître *comme tel* dans la médiation de la phénoménalité idéelle et donc transitive. Cette reconnaissance par le mathématique de sa *dépendance* irrémissible mais *féconde* à l'égard de la choséité n'est donc rien d'autre que celle de sa finitude, entendue non plus donc comme l'impuissance restrictive du pouvoir phénoménologico-mathématique de la pensée, mais comme la puissance d'une sortie originaire de celui-ci qui, recevant de la performance limitative de la *physis* la mesure de son savoir, puise dans la finitude du rapport phénoménal au dehors de l'étant-donné et donc dans la rencontre de son altérité, les ressources et les orientations d'une connaissance déterminée du mouvement physique.

Où l'on voit que dans cette première accentuation du mathématique, celui-ci coïncide avec le déploiement d'un partage de l'apparaître en entier entre deux régimes de manifestation (phénoménalo-idéelle et génésico-physique) qui, chacun à leur manière, prennent part au déploiement processuel de cette totalité sur le mode d'une dépendance mutuelle, c'est-à-dire co-relationnelle.

Qu'en est-il maintenant de la physique moderne? Loin de se laisser guider par ce que les corps en mouvement montrent à partir d'eux-mêmes, la science newtonnienne dicte et prescrit à ses corps leur mode d'apparition en déterminant celui-ci depuis la loi d'inertie. L'important dans cette prescription n'est pas tant l'inobservabilité d'un corps inerte soumis à cette loi puisque la puissance génésique de la *physis* se soustrayait aussi à la visibilité, mais que cette invisibilité ne soit plus puisée dans l'auto-monstration de la choséité, et par là même, soit privée de toute consistance ontologico-génésique. Le trait caractéristique de la science newtonnienne, c'est donc la suppression d'un dehors de la pensée comme dehors de la *physis*: la suppression d'une dynamique monstrative absolument indépendante de la pensée. Mais une telle suppression ne supprime ni les phénomènes, ni la phénoménalité: ce qu'elle supprime, c'est la *finitude du mathématique*, c'est-à-dire la façon dont l'opération phénoménologico-herméneutique de ce dernier n'est plus indexée sur les modes d'auto-manifestation de l'étant-donné, ne se règle plus sur les modes de déterminations de celui-ci auxquels l'oblige la *physis*. Et une telle suppression, voilà ce qui pour Heidegger donnerait à la seconde accentuation –

moderne – du mathématique, son caractère propre: celle d'une *prétention* à ne vouloir plus rien savoir d'un savoir de soi des choses, à ne plus rien apprendre de ce qui se découvre comme, dans et grâce au déjà-là du donné, à ne plus recevoir aucune indication ni direction épistémo-logique de la puissance physico-limitative[15] immanente au réel, entrainant ainsi la physique sur la voie d'une uniformisation du mouvement et de l'homogénéisation du *cosmos* qui en découle.

Dans une telle prétention, la présupposition du savoir des choses (par quoi se définissait le mathématique) consiste en un mode de phénoménalisation qui loin d'endurer une ex-centricité de la pensée, confine bien plutôt en une con-centration au sein de laquelle le sujet constituant confisque unilatéralement la détermination du savoir en fixant par avance et depuis son propre fond les traits eidétiques de l'étant, soumettant ainsi la totalité de celui-ci au cloisonnement phénoménal d'une ob-jectivation dans lequel le sujet ne rencontre (rien d'autre) que lui-même – ruinant du même geste la possibilité même de la rencontre. Une telle prétention, c'est celle dans laquelle l'ouverture anticipative de la phénoménalité *a priori* propre au mathématique adopte un régime représentatif d'idéellisation, réprésentativité par où la phénoménalisation obéit intégralement au *cercle claustral* de la corrélation pour reprendre les termes de Meillassoux.

Or le remarquable, c'est que cette prétention toute circulaire est repérée par Heidegger là même où Meillassoux voudrait y voir la possibilité inaugurale d'une brisure du cercle: là, c'est-à-dire dans la révolution galiléenne. Voici en effet ce qu'écrit Galilée dans les *Discorsi*, cités par Heidegger: «je me *représente* un corps jeté sur un plan horizontal en l'absence totale de tout obstacle: il résulte».[16]

Pour Heidegger – et comment ne pas le suivre ici – l'accentuation du mathématique du côté de sa prétention représentative s'accomplit comme projet mathématique ou projection mathématique de la nature: la nature, privée de toute consistance ontologique, est alors l'horizon que s'ouvre la représentation et sous lequel elle détermine par avance, sur le mode du cercle claustral, la manière dont les choses se montrent. En tant qu'il cherche à apprécier d'avance les modalités de manifestations des choses, le projet est axiomatique, *axio-o* voulant dire en grec: j'apprécie. De ce point de vue, la physique moderne (inaugurée par Galilée et accomplie par Newton) est axiomatique, non pas au sens où elle serait organisée comme un système formel, mais au sens où la détermination de son savoir ne suppose plus un domaine d'é-vidence pré-donné par la *physis*, mais est institué par la représentation sur le fond d'une *mente conceptio*, d'un «se représenter en esprit» qui, pour Heidegger, a sa provenance chez Platon et qui trouve son expression métaphysique accomplie chez Descartes, telle qu'elle s'annonce déjà dans les *Règles pour la direction de l'esprit*. En effet, ces règles ne sont pas des formes mathématiques – c'est-à-dire intramathématiques –, mais cristallisent le contenu de

---

15 «C'est dans une telle prétention que réside le mathématique, c'est-à-dire la fixation d'une détermination de la chose qui n'est pas puisée dans la chose elle-même par voie d'expérience, et qui pourtant est la base de toute détermination des choses, la rend possible et lui ménage un espace»: Martin Heidegger, Qu'est-ce qu'une chose?, op. cit., p. 100.

16 Ibid., p. 100.

l'essence moderne du mathématique. Ce sont donc les règles du projet mathématique comme projet d'une *mathésis universalis*.

Et il est alors étonnant de constater que là où Meillassoux lit dans ce projet mathématique tel qu'il est thématisé par Descartes la possibilité d'une brisure du cercle claustral de la représentation en vertu même de la capacité de ce projet à *concevoir* l'en soi depuis et comme la *conception* des qualités premières du réel, Heidegger y lit – à bon droit – tout autre chose, à savoir: la culmination même de la représentation et de son cercle dans la forme d'un calcul généralisé de l'étant, si calculer signifie rendre axiomatisable les propriétés de l'étant en réglant d'avance les traits eidétiques de leur contenu sur les prestations égoïques de la pensée, de sorte que celle-ci en vient à réduire la phénoménalisation à la planification rigide d'un domaine *a priori* d'apparition d'ob-jets régi par une économie idéelle du Même, et au sein duquel par conséquent toute dynamique hylé-morphique du réel-donné est perdue – et avec elle, toute évènementialité mathématico-phénoménologique.

Conclusion

Que retenir alors de cette halte dans *Qu'est-ce qu'une chose?* Au moins trois points:

- 1) Elle permet de justifier notre hypothèse de lecture selon laquelle *Après la finitude* repose sur une dénégation de la finitude qui menace de ruiner les décisions philosophiques qui soutiennent le projet du RS tel que Meillassoux l'expose.

- 2) Elle ne demande pas à Meillassoux de ratifier l'approche heideggerienne du mathématique ni de se rallier à son amplitude historiale – de se dénier donc, mais au moins de *s'expliquer* avec elle: ce qu'il ne fait pas. Pourquoi? Par manque de *païdeia* philosophique, par négligence ou même évitement stratégique? Il ne s'agit pas pour nous de faire des procès d'intentions, mais de regretter une telle omission à l'égard de cela même avec quoi le RS aurait l'ambition de rompre. Car une telle omission permet de faire l'impasse sur ce qui semble pourtant incontournable – et donc indéniable, à savoir: a) que lorsque la corrélation phénoménologico-transcendantale est rigoureusement comprise depuis le souci de la finitude originaire, alors la différence entre le durcissement du cercle claustral de la représentation et la possibilité de sa brisure ne peut plus passer entre le corrélationnisme et le RS, mais à l'intérieur de celui-là, entre sa version faible et sa version forte; mieux: si comme nous y invite Heidegger, on ne peut penser la phénoménalité sans mathématiser le phénomène de sorte que le mathématique coïncide avec l'intégralité du processus phénoménal, alors la différence en question passe à l'intérieur de cette mathématicité, entre ses deux accentuations; b) que cette brisure interne à la corrélation n'entraine pas une dés-absolutisation de la pensée, mais exige au contraire *une ré-absolutisation qui soit non seulement réinscrite au sein même de la finitude du rapport phénoménal, mais rendue possible par cette finitude même*.

- 3) Elle nous autorise à avancer que l'évitement de cette impasse aurait sans doute permis à Meillassoux d'éviter l'évitement de la finitude, mais encore, d'éviter de confondre les tenants de la finitude radicale ou essentielle avec les penseurs fanatiques du fidéo-scepticisme. Cette confusion repose sur une mécompréhension *totale* du sens à donner à cette radicalité ou essentialité: au fond, Meillassoux s'en tient à une entente pauvre, appauvrissante, déceptive et restrictive de la finitude, celle-là même qui se réduit à la finitude de l'entendement, déterminée et déployée par lui; entendement qui, par ressentiment à l'égard de cette finitude comprise comme son impuissance native à l'égard de l'absolu, déploierait sa vengeance soit sur le mode de la représentation corrélationnelle réprimant l'altérité-donnée, soit sur le mode du fidéo-scepticisme abandonnant cette altérité à l'impensabilité fanatiquement pieuse du tout-autre.

Or il y va dans cette conception cloisonnée et réactive de la finitude originaire soutenue par Meillassoux d'une double faute philosophique du réalisme spéculatif: celle par où, comme on a essayé de le montrer, le RS, loin de résister à cette vengeance, la reconduit et l'alimente à l'endroit même où il prétend promulguer cette résistance, c'est-à-dire dans le privilège exorbitant accordé à la prétention mathématique de la révolution galiléenne; celle par où Meillassoux se méprend totalement sur la mutation historiale que la philosophie contemporaine a voulu et su imprimer à la pensée en se donnant pour tâche de radicaliser et d'essentialiser la finitude originaire de celle-ci: mutation qui sous le nom de «déconstruction» visait à faire de cette radicalisation de la finitude la condition et la ressource même d'une résistance non seulement à cette vengeance de l'entendement, mais plus encore, à son double masque représentationnel et fidéo-sceptique.

Il y a là dans cette double faute une inconséquence proprement spéculative majeure car source d'une nouvelle dénégation à l'égard des décisions philosophiques les plus explicites de ce qui s'est nommé, sous l'impulsion de Derrida, «déconstruction»: décisions posant que le dépassement de la finitude d'entendement – et de son ressentiment – *doit passer lui-même à l'intérieur d'une installation patiente et rigoureuse dans les arcanes de la finitude pour y découvrir que son originarité, loin de se confondre avec une certaine débilité native de la pensée, rime bien plutôt avec sa créativité initiale: créativité qui culminerait dans la manière dont la pensée doit trouver dans la finitude même du rapport phénoménal au réel-donné, et grâce à cette finitude, les conditions de libération d'une infinité inédite, c'est-à-dire, d'un mode inédit d'infinitisaton du processus de phénoménalisation à partir duquel seulement se laisserait approcher une ré-absolutisation de la pensée qui soit interne à la corrélation; de sorte que, loin de céder aux facéties pseudo-religieuses de l'impensable, il s'agit pour la déconstruction de penser l'incalculabilité de l'absolu.*

L'ironie de l'histoire, c'est que, on pourrait le montrer, seule la déconstruction serait capable d'accomplir les principes fondamentaux du réalisme spéculatif (la préservation du Grand Dehors, le ménagement d'un accès excentrique à ce dernier, l'ontologie factuale du réel et son irraison, l'accomplissement matérialiste de l'idéalisme), car seule la déconstruction éviterait la dénégation de la finitude et la ruine des principes en question que cette dénégation entraine inévitablement. Un tel mode d'accomplissement pourrait prendre alors l'allure d'*un constructivisme phénoménologique se déployant sur le mode de ce qu'on appellerait une «phénoménologie du Dehors» au sein de laquelle le transcendantal y souffre une complication car il reste toujours en prise avec la dynamique hylé-morphique du réel-donné dans sa concrétude par la puissance chaotique de la physis, et donc toujours potentiellement surpris et dépris par l'évènementialité métamorphique de sa nécessaire contingence, là où dans le RS, la pensée post-transcendantale semble se replier sur l'inertie glaciaire de qualités premières et abstraites aussi inflexibles qu'insensibles car absolument prévisibles*[17]. «Phénoménologie du Dehors» nommerait alors une traversée de la pensée dans la médiation où l'intentionnalité est affectée d'une archi-corpor(éis)ation en même temps que la phénoménalité idéelle se trouve emportée dans une archi-inscription matérielle, là où il nous semble que dans le RS, la pensée se réfugie dans l'immédiateté d'une intuition intellectuelle aussi désincarnée que dématérialisée.

Exhiber les ressources philosophiques de cette ironie, c'est donc affirmer que l'«après» de la finitude ne doit plus s'entendre comme le congédiement, encore naïf historialement, de celle-ci et somme toute, un peu gris spéculativement, mais comme la promesse de son avenir, de cet à-venir d'où nous pro-venons à nous-mêmes. Et ainsi, «après la finitude», cela se laisserait dire dorénavant: *l'absoluité de la finitude infinie*. C'est cette dictée que nous voudrions faire entendre, car elle ne se contenterait pas de s'opposer au réalisme spéculatif, ni même de pratiquer une sorte d'*Aufhebung* de ses motifs principaux depuis et grâce à l'approche déconstructrice de la finitude infinie, mais en déplace décisivement l'approche et la portée philosophique en même temps qu'elle bouleverse de fond en comble la phénoménologie elle-même, en vue de penser ceci, tout-contre Heidegger: que s'il ne peut y avoir de réalisme conséquent que phénoménologique, il ne pourra y avoir de *réalisme phénoménologique inédit*[18] qu'à la condition *d'une endurance dans laquelle la phénoménologie s'ex-pose à la limite d'elle-même en exposant la phénoménalisation à ce qui, de la limite, bascule dans l'illimitation – qu'à la condition donc de ne plus passer outre la finitude du rapport phénoménal mais de s'y enfoncer à corps perdu pour y découvrir l'outrance de la finitude en et comme laquelle elle libère du dedans d'elle-même l'infinitisation de la phénoménalisation sur le mode d'une outre-phénoménologie, autre nom pour dire «phénoménologie du Dehors»*.

C'est cette outrance que le RS aurait si mal-traitée sur le mode d'une dénégation et qui fragilise considérablement son coup de force philosophique en risquant non seulement de réduire celui-ci à un coup de menton réactif sans lendemain

---

17 C'est évidemment avec ce qu'Alexander Schnell a su penser, de manière singulière et décisive, sous le titre de phénoménologie constructive et générative qu'il faudrait confronter ce que nous nommons ici constructivisme phénoménologique, lequel se déploie sur le mode d'une phénoménologie du Dehors et depuis le site hors-sol de la finitude infinie. Nous ne pouvons, l'espace d'une note, amorcer les points d'accroches (dans tous les sens du terme) par lesquels devrait s'expliciter cette confrontation.

18 Inédit car se distinguant, voire s'opposant, pour des motifs philosophiques essentiels et à chaque fois différents, à d'autres versions contemporaines du réalisme phénoménologique: celle d'une phénoménologie rationnelle au grand cœur (Romano) et celle d'une phénoménologie métaphysico-cosmologique (Barbaras).

époqual, mais encore, de ruiner la possibilité d'un dialogue fécond entre le RS et la déconstruction. C'est l'amorce de ce dialogue dans le différend que nous voulions exposer aujourd'hui.

Perception and Speculative Materialism
Meillassoux on Primary and Secondary Qualities

Alfredo Vernazzani

At the beginning of *Après la Finitude* (2008) (AF)[1], Quentin Meillassoux announces his intention to revive the old distinction between primary and secondary qualities: "The theory of primary and secondary qualities seems to belong to an irremediably obsolete philosophical past. It is time it was rehabilitated" (AF 1). This provocative declaration strikes the reader as a challenge directed against Contemporary philosophy. Phenomenologists tend to regard the distinction between primary (PQ) and secondary (SQ) qualities as a vestigial conceptual distinction, the leftover of a dead tradition[2]. Within Contemporary analytic philosophy, the distinction has been object of much debate. As it turns out, there is no simple or easy way to draw a distinction between PQs and SQs.

In this study, I set out to examine Meillassoux's understanding of the distinction between PQs and SQs and to put forward some critical remarks. More precisely, I contend that Meillassoux's distinction is unconvincing and that it makes the problem of perception unintelligible. This study is organized as follows. In the first section, I introduce the problem of PQs and SQs and then zoom in on Meillassoux's definitions, MPQ and MSQ. In the second section, I briefly elaborate on the problem of perception, and outline a framework that will be useful to assess MPQ and MSQ. I articulate my assessment in the third and fourth sections. There I argue, respectively, that MPQ and MSQ make the problem of perceptual experience unintelligible; and that, contrary to Meillassoux's claim, perceptual qualities can be mathematically described.

---

1 Quentin Meillassoux, After Finitude, trans. by Roy Brassier, London, Continuum, 2008. Quoted AF.

2 Edmund Husserl said that the distinction between primary and secondary qualities, «eine historisch vergriffene Terminologie», cannot be used within a phenomenological theory of perception. Hua XVI, p. 67, §20.

1. *Primary and Secondary Qualities*

The exact origins of the distinction between PQs and SQs remain a controversial issue. Sometimes it is argued that the ancient atomists were the first to put it forward[3]. The distinction played an important role in early modern philosophy, especially after the scientific revolution. In *The Assayer* (*Il Saggiatore*, 1623), Galileo openly denied that properties such as colors and tastes have an objective character:

> I think that tastes, odors, colors, and so on are no more than mere names so far as the object in which we place them is concerned, and that they reside only in consciousness. Hence, if the living creature were removed, all these qualities would be wiped away and annihilated[4].

This passage exemplifies a thesis often called "eliminativism:" colors, tastes and other secondary qualities are not in the objects, they reside only in the subject's mind. John Locke agreed that SQs are only in the "mind," but he added that SQs should be conceived as manifestations of the objects' powers:

> Such *Qualities*, which in truth are nothing in the Objects themselves, but Powers to produce various Sensations in us by their *primary Qualities*, i.e., by the Bulk, Figure, Texture, and Motion of their insensible parts, as Colours, Sounds, Tasts, etc. These I call *secondary Qualities*[5].

In their critical examination, Byrne & Hilbert call this view about SQs "dispositionalism"[6], i.e. the claim according to which SQs, such as color properties, are but manifestations of the object's powers or dispositions[7]. According to dispositionalism objects possess the powers to affect the perceiver in such a way as to engender the experience of a SQ. Finally, a more radical standpoint was that of bishop Berkeley, who argued that every quality is, ultimately, a quality in the mind of the perceiver[8].

More recently, some philosophers have discussed our issue from different perspectives. To mention just two examples, Armstrong examined this distinction within his materialist theory of the mind[9]; whereas Rae Langton interprets Kant's standpoint on PQs and SQs as the claim that only SQs, relational properties, can

---

[3] E.g. for a divergent view: Robert Pasnau, "Democritus and Secondary Qualities", in Archiv für die Geschichte der Philosophie, 89, 2007, p. 99-121.

[4] Quoted from Laura Gow, "Colors", in Philosophy Compass, 9, 11, 2014, p. 803.

[5] John Locke, An Essay Concerning Human Understanding, New York, Oxford University Press, 2008, II, viii, 10, p. 76.

[6] Alex Byrne and David Hilbert, "Are Colors Secondary Qualities?", in Primary and Secondary Qualities: The Historical and Ongoing Debate, ed. Lawrence Nolan, New York, Oxford University Press, 2011.

[7] On powers, cf. for example George Molnar, Powers, New York, Oxford University Press, 2003.

[8] George Berkeley, Principles of Human Knowledge and Three Dialogues, London, Penguin, 2004, p. 137ff.

[9] David Armstrong, A Materialist Theory of the Mind, London, Routledge, 1968, p. 270-290.

be known[10]. The distinction emerges also in relation to the problem of colors[11]. Much more can be added about PQs and SQs from a historical as well as a systematic perspective. These brief remarks are merely meant to show that there is no *standard* way to draw a distinction between PQs and SQs. The present study only bears on Meillassoux's distinction between PQs and SQs.

In AF, Meillassoux asserts that the entire building of Contemporary philosophy has been erected upon a philosophical mistake. This mistake is a tenet that he calls *correlationism* (AF 5). In short, correlationism is the claim according to which there would be no "view from nowhere," no perspective on the world as it is. In several passages of his book, Meillassoux forcefully states that accepting correlationism has had a detrimental influence on the development of Contemporary philosophical thought. Indeed, correlationism would prevent the subject from knowing the "great outdoors," the "glacial world" (AF 115) that exists and has existed long before any subject came into being. Meillassoux articulates a sweeping attack against correlationism, and outlines a position, *speculative materialism*, that is presented as the main philosophical alternative after the dissolution of correlationism. The distinction between PQs and SQs is embedded within this framework, and, as we will later see, an examination of PQs and SQs bears also on Meillassoux's philosophical edifice.

The salient passages that illustrate Meillassoux's positions regarding PQs and SQs can be found in the first and last chapters of AF. Right at the beginning of AF, the distinction is outlined in terms of a research program that will be developed in the subsequent chapters. Meillassoux defines SQs as qualities that can only be given in a subjective relation to the perceiver: "These sensible qualities, which are not in the things themselves but in my subjective relation to the latter – these qualities correspond to what were traditionally called secondary qualities" (AF 2). Shortly after, this characterization is reiterated, where Meillassoux contends that SQs are not properties that inhere to the things themselves, but are rather relational properties, of which color properties are a paradigmatic example (AF 3). These propositions leave open several questions. For example, it is not clear what theory of perceptual experience underlies these considerations: whether perception is a genuine relation with mind-independent items, or rather a mental phenomenon that exhibits an intentional character. For the time being, I will leave these issues open and return on the problem of perceptual experience in §2.

The foregoing passages clearly show that Meillassoux's operates a distinction that bears a close resemblance with the Galilean standpoint. SQs are merely subjective properties that can only be given within a perceptual relation with a perceiver. In contrast with SQs, Meillassoux thinks that PQs are intrinsic properties of the objects, and he adds: "[...] *all those aspects of the object that can be formulated in mathematical terms can be meaningfully conceived as properties of the object in*

10 Rae Langton, Kantian Humility, New York, Oxford University Press, 1998.

11 For an overview, e.g. Laura Gow, "Colors", op. cit.

itself" (AF 3). It is the very possibility of formulating these properties in mathematical terms that constitutes the hallmark of PQs. This claim is reiterated with the utmost clarity in the following passages:

> All those aspects of the object that can give rise to a mathematical thought (to a formula or to digitalization) rather than to a perception or sensation [et non à une perception ou une sensation] can be meaningfully turned into properties of the thing not only as it is with me, but also as it is without me (AF 3)
>
> ...the mathematizable properties of the object are exempt from the constraint of such a relation [of the subject with the world], and that they are effectively in the object in the way in which I conceive them, whether I am in relation with this object or not (*ibidem*).

To sum up, Meillassoux maintains that PQs are intrinsic properties of the objects, and that such properties can be mathematized. Furthermore, as the passages clarify, PQs do *not* give rise to perceptions or sensations. The distinction seems also to be exhaustive, as every property can be classified either within the set of all PQs or the set of all SQs.

Of course, the close resemblance with the Galilean theory of PQs and SQs is not a mere chance. The connection between our issue, the Galilean standpoint, and correlationism is explicitly stated around the end of the book:

> ...[the Galilean revolution] now indicates a world capable of autonomy—a world wherein bodies as well as their movements can be described independently of their sensible qualities, such as flavor, smell, heat, etc. (AF 115)

The subject-independence of what is mathematically describable is asserted in the following passage:

> But it is important to note that the absolute here is not understood in terms of the capacity of mathematics to designate a referent that is assumed to be necessary or intrinsically ideal—rather, the absoluteness at issue here expresses the following idea: it is meaningful to think (even if only in a hypothetical register) that all those aspects of the given that are mathematically describable can continue to exist regardless of whether or not we are there to convert the latter into something that is given-to or manifested-for. Consequently, this dia-chronic referent may be considered to be contingent while simultaneously being considered to be absolute [...] (AF 117)

And finally:

> Consequently, the Galilean-Copernican decentering wrought by science can be stated as follows: what is mathematizable cannot be reduced to a correlate of thought (ivi)

These passages summon a number of issues that are well beyond my present purpose, such as the problem of the contingency and the status of mathematical knowledge. But I want to lay emphasis on a crucial aspect of Meillassoux's theory, i.e. the claim that what is mathematizable allows us an access to the world beyond the correlational circle. As we will see (§4), my criticism of the mathematization of PQs will cast a long shadow over Meillassoux's system.

Before I proceed, it will be helpful to encapsulate Meillassoux's positions about PQs and SQs within the following rough definitions:

> $MSQ =_{df}$ For every x, if x is a secondary quality, then x can only be given within the perceptual relation between a perceiver and an object.
> $MPQ =_{df}$ For every x, if x is a primary quality, then x can be described mathematically, x is an intrinsic quality of the object, and x cannot give rise to a perception or sensation.

In the remainder of this study, I will sometimes use the singular form, e.g. MSQ, and the plural form, e.g. MSQs. The former refers to the definition of, say, secondary qualities according to Meillassoux. The latter refers to secondary qualities as defined by Meillassoux. These definitions are merely meant to capture the gist of the foregoing insights, but they will be useful to submit Meillassoux's theses to a conceptual test. In particular, I will now investigate whether this distinction is plausible in light of current research on the nature of perceptual experience.

2. *The Problem of Perception*

Philosophical reflection on the nature of perceptual experience is divided into several branches, but there is a widespread consensus that there is a central problem, or "the" problem of perception. Quinton formulates it as follows: "The problem of perception is to give an account of the relationship of sense-experience to material objects"[12]. This is not the place to review *all* the theories that have been advanced as a response to the problem of perception[13]. For my argument's sake, it suffices to sketch out the two currently dominant theories of perceptual experience: naïve realism and intentionalism.

Intentionalism is perhaps the current orthodoxy about perceptual experience[14]. The hallmark of intentional theories of perceptual experience is the claim

---

12 Anthony Quinton, "The Problem of Perception", in Perceiving, Sensing, and Knowing, ed. Robert Swartz, London, University of California Press, 1965, p. 497; cf. also Tim Crane and Craig French, "The Problem of Perception", in The Stanford Encyclopedia of Philosophy, ed. Edward N. Zalta, Spring 2017 Edition, https://plato.stanford.edu/entries/perception-problem/

13 For an overview, e.g. Tim Crane and Craig French, "The Problem of Perception", op. cit.; William Fisch, Philosophy of Perception: A Contemporary Introduction, New York, Routledge, 2010; Alexander Staudacher, Das Problem der Wahrnehmung, Paderborn, Mentis Verlag, 2011.

14 E.g. Tim Crane, Elements of Mind, New York, Oxford University Press, 2001; Fred Dretske, Naturalizing the Mind, Cambridge, MIT Press, 1995; Adam Pautz, "Why Explain Visual Experience in Terms of Content?", in Perceiving the World, ed. Bence Nanay, New York, Oxford University Press, 2010; Susanna Siegel, The Contents of Visual Experience,

that perceptual states are *intentional* states. Intentionality, as we know, is the capacity of the mind to refer to or be about something else. For example, thoughts are always thoughts of something, memories are memories of something, and, according to intentionalists, perceptual states are states about something, i.e. mind-independent entities. To say that a state has intentional character means to say that the state has conditions of accuracy or, in short, a "content." For example, the state of seeing a red book is said to represent or be intentionally directed at a real, mind-independent, red book. The intentional state of seeing the red book has conditions of accuracy, i.e. it specifies the conditions under which the representation of the red book is accurate. Intentionalism comes in many flavors that vary across several dimensions. One of these dimensions is the relation between consciousness and perceptual content, whereas another dimension is the exact characterization of the intentional content and its relation to the objects[15].

Naïve realism has recently emerged as the main philosophical challenge to intentionalist theories of perception. According to naïve realists, perception is a *direct* acquaintance relation with mind-independent items[16]. More precisely, the mind-independent objects are said to "shape the contours of the subject's conscious experience"[17], or as Campbell puts it: " [w]e have to think of the external object, in cases of veridical perception, as a constituent of the experience"[18]. Suppose a subject S sees a red apple. According to naïve realists, the apple itself is a constituent of S's perceptual experience, and its properties, like its shape and colors, are intrinsic, objective properties[19]. It should be stressed that naïve realism emphasizes the role of objects as constituents of perceptual experience *as well as* the standpoint of the subject in grasping the layout of the environment[20]. The standpoint refers not only to the perspective from which a given object, or set of objects, is looked upon. It also encompasses a number of factors, such as the relative orientation of the perceiver, illumination conditions, obstructing items, and others. Together, these elements, the objects, the subject, and a standpoint, shape perceptual experience.

New York, Oxford University Press, 2010; Michael Tye, Consciousness, Color and Content, Cambridge, MIT Press, 2000.

15 For an overview, cf. David Chalmers, "The Representational Character of Experience", in The Character of Consciousness, ed. David Chalmers, New York, Oxford University Press, 2010; Tim Crane and Craig French, "The Problem of Perception", op. cit.

16 E.g. Bill Brewer, Perception & Its Objects, New York, Oxford University Press, 2011; John Campbell, Consciousness and Reference, New York, Oxford University Press, 2002; Michael G. F. Martin, "The Limits of Self-Awareness", in Philosophical Studies, 120, 2004; Michael G. F. Martin, "On Being Alienated", in Perceptual Experience, ed. Tamar Szabó Gendler and John Hawthorne, Oxford, Clarendon Press, 2006; Charles Travis, "The Silence of the Senses", in Mind, 113, 449, 2004.

17 Michael G. F. Martin, "The Limits of Self-Awareness", op. cit., p. 64.

18 John Campbell, Consciousness and Reference, op. cit., p. 118.

19 Ibid., 2002, p. 116; John Campbell, "Demonstrative Reference, the Relational View of Experience and the Proximality Principle", in New Essays on Singular Thought, ed. Robin Jeshion, New York, Oxford University Press, 2010, p. 206.

20 Craig French, "Naïve Realist Perspectives on Seeing Blurrily", Ratio, 27, 4, 2014.

This sketch of the two main groups of theories about perceptual experience will be useful to assess MPQs and MSQs. In the next section, I argue that Meillassoux's account of PQs and SQs is at odd with both camps.

3. Perception and Speculative Materialism

I individuate two problems with MPQ and MSQ. The first one touches on the issue of the nature of perceptual experience. The second one touches on the issue of the mathematization of primary qualities (§4). The two problems are not unrelated. I will creep up to my argument against the mathematization of MPQs by first exposing the problem of perception. Specifically, I argue that MPQ and MSQ are at odd with both accounts of perceptual experience introduced in §2. For simplicity's sake, I will only focus on visual perception.

3.1 MSQs are Incompatible with Intentionalism

I start with intentionalism. As we have seen, intentionalism is the claim according to which perceptual experiences are mental states that have intentional character. This means to claim that perceptual states have contents, i.e. conditions of accuracy. S's seeing a red book will be accurate if and only if there actually is a red book[21]. Now, colors represent a classic example of SQs; however, Meilassoux's definition of MSQ is certainly broader than mere color properties. Indeed, the set of all MSQs embraces *all* perceptual properties:

> ...In short, nothing sensible—whether it be an affective or *perceptual* quality—can exist in the way it is given to me in the thing by itself, when it is not related to me or to any other living creature (AF 1, my emphasis).

MPQs are intrinsic properties of the objects that do no give rise to a perception or sensation (AF 3), so they are excluded from entering the contents of perception. All properties that enter perceptual content are MSQs. Furthermore, MSQs can only be given within a perceptual relation between a subject and an object. I can thus set two challenges for Meillassoux.

The first challenge for Meillassoux is represented by hallucinatory experiences. Suppose that S is in a hallucinatory state. In a famous scene of the tragedy, Macbeth is driven to a temporary state of madness when he hallucinates a dagger. On an intentionalist theory of perception, hallucinatory states do have intentional character, although they fail to refer to an external object. When S hallucinates something, like a dagger stained with blood, the hallucinatory state still possess accuracy conditions. Macbeth hallucinates an item with a particular color, shape,

---

21 It might be argued that only properties, or both properties and objects, are visually represented. A further question touches on the issue of what kinds of properties enter perceptual content (Susanna Siegel, The Contents of Visual Experience, op. cit.) None of these issues will be relevant to my arguments.

and a relative location in space. Indeed, in the Shakespearean tragedy, Macbeth tries to clutch the dagger that he sees in front of him. The lack of a corresponding object in the environment means that the content of the hallucinatory state will be inaccurate: nothing corresponds to Macbeth's hallucination. But if Macbeth hallucinates a dagger, and he can see the blood on its blade, its form, and colors, it seems we can state, in contrast with Meillassoux, that perceptual qualities *can* be given in the absence of a perceptual relation to an object.

One possible reply could be to state that MSQs can be given not within a subject-object relation, but within a subject-*content* relation. There are two problems with this reply. Firstly, there is no textual evidence that Meillassoux would endorse such a modification, nothing that may give us a clue about how he understands the nature of perceptual experience. As it stands, this modification represents a radical departure from MSQ. Secondly, and more importantly, if MSQs are given within a subject-content relation nothing explains how perceptual experience might guide us in the environment, since, on this reading, perceptual qualities would be completely unrelated from the objects. If we opt for this second reply, then MSQs can only be given in perceptual content; qualities such as shape, texture, colors, and form of an object are merely representational properties. But representations of what? If such qualities can only be given in perceptual content, they do not stand in for anything in the "real" or "objective" world.

Consider now a second reply. Meillassoux could simply deny that hallucinations represent a challenge to MSQ, for hallucinations do *not* represent perceptual qualities. Perhaps, hallucinatory states induce us in some kind of confabulatory state, such that we *erroneously* believe that we are seeing something. Perhaps, being in a hallucinatory state is much like experiencing some cognitive distortion that brings us to utter the wrong perceptual judgments. This claim goes along the lines of a disjunctive account of perceptual experience[22]. But again, there is no textual evidence that Meillassoux would endorse some form of disjunctivism about perceptual experience; hence, this reply is merely speculative.

We have seen how a friend of MSQ could articulate a reply to the problem of hallucination by opting for some kind of disjunctive account of hallucinatory experience. The second challenge to MSQ represent a more serious threat. We can call this the challenge from the "accuracy conditions" of experience. To clarify my point, I will start with color properties. Most intentionalist philosophers assume a form of color realism, according to which colors are real, objective properties of the objects of perception. This standpoint about color properties coheres well with the claim that perceptual states have conditions of accuracy, i.e. have contents. When the contents veridically or accurately represent the object, there would be a correspondence between the quality conveyed by the perceptual state and the quality of the object itself. However, the fragmentary evidence drawn from AF about the problem of perception does not square well with intentionalism. The reason is simple: since perceptual qualities are not intrinsic properties of

---

22 Alex Byrne and Heather Logue, Disjunctivism: Contemporary Readings, Cambridge, MIT Press, 2009.

the objects, no matching relation can obtain between perceptual content and the object themselves. On MSQ, the red color of this book on my desk is not a property of the object. Perhaps, then, colors are merely subjective properties. This is consistent with some forms of intentionalism. Averill for example develops figurative projectionism, which consists in the claim that "color properties are not instantiated in anything, although vision does represent objects in terms of them; that is, colors only enter the world as represented properties."[23] Yet, as we have seen, *all perceptible properties* are MSQs, this means that not only colors, but also shapes, textures, and other perceptual qualities given in perceptual experience are purely relational. If this is true, then MSQs are incompatible with a broadly intentionalist account of perceptual experience, for it literally makes no sense to speak of the accuracy of perceptual content in relation to the objects[24].

3.2 MSQs are Incompatible with Naïve Realism

So far, I have shown that Meillassoux's distinction between MPQs and MSQs does not square well with an intentionalist theory of perceptual experience. We can therefore examine whether Meillassoux embraces a form of naïve realism. On a first glance, Meillassoux's critique of correlationism seems close to some form of naïve realism: "every philosophy which disavows naïve realism has become a variant of correlationism" (AF 5). This short quotation seems to counterpose naïve realism to correlationism.

But a moment reflection suggests that the equation of naïve realism about perceptual experience with the view advocated by Meillassoux is far from obvious. In fact, Meillassoux talks about naïve realism as a view opposed to correlationism, not as a theory about perceptual experience. Let us assume, for the sake of the argument, a form of naïve realism about perceptual experience. A naïve realist about perceptual experience holds that perception is unmediated, and objects are ontological constituents of the perceptual state. In addition, the properties we are perceptually acquainted with are real, intrinsic properties of the objects. When S sees a red apple, the red color of the apple is a real property of the object, not a mere projection or a representation unrelated with a characteristic of the item itself. Of course, different illumination conditions, different perspectives, as well as other factors may alter the appearance of the objects. Naïve realists can account for these phenomenological alterations by means of the notion of a standpoint. A white cube bathed in red light will appear red to a perceiver S, because of the

---

23 Edward Wilson Averill, "Toward a Projectivist Account of Color", in The Journal of Philosophy, 102, 5, 2005, p. 223.

24 The reader familiar with the analytic tradition will easily recognize that my criticism bears a close resemblance to a familiar objection against sense-data theories (John Searle, Intentionality, Cambridge, Cambridge University Press, 1983, p. 59-60). Sense-data theories are theories according to which the immediate objects of perceptual experience are sensory or mental objects, the sense-data (e.g Bertrand Russell, The Problems of Philosophy, Oxford, Oxford University Press, 1998).

standpoint from which S sees the white cube. In this case, the standpoint encompasses not only the perceiver's relative location, but also the red light projected onto the red cube.

From the foregoing remarks, it follows that MSQ is incompatible with a naïve realist theory of perceptual experience. MSQs can only be given in a perceptual relation, they are not intrinsic properties of the objects. Indeed, Meillassoux explicitly claims that only mathematizable properties, properties that do not enter perceptual experience, are intrinsic properties (MPQ). A potential reply would be to say that naïve realist might be construed in such a way as to account for purely perceptual, relational properties. But howsoever I spell out this reply, if *all* the properties we are perceptually acquainted with are not properties of the objects, the original intuition that motivates naïve realism would be lost.

3.3 Beyond Intentionalism and Naïve Realism

I have shown that Meillassoux's definitions of MPQ and MSQ are at odds with the two major philosophical theories of perception in Contemporary analytic philosophy. If we accept MSQ, we can neither make sense of perceptual experience in terms of intentional states, nor in terms of naïve realism. In both cases, it seems that Meillassoux's distinction between MPQs and MSQs just makes perceptual experience unintelligible. At this point, there are two possible options. The first option is to make a rebuttal of my criticism in §§3.1-2. The second option is to re-examine the very nature of the distinction between MSQs and MPQs. I examine the second option in the next section, and focus here on the first option. There are two potential replies to my criticism: first, that I have only taken into account few theories of perception, hence at best I have successfully shown that MSQ is incompatible with two theories of perception; second, that my arguments are either shallow, or incomplete.

First objection: the choice of theories presented above is *ad hoc*, and it does not exhaust the spectrum of available theories about perceptual experience. For example, I have not taken into account phenomenologically inspired theories of perception, such as Merelau-Ponty's or Husserl[25]. Even within analytic philosophy, I have not taken into account other views, such as sense-data theories or adverbialism. Hence, all I have been able to show is that the distinction between MSQ and MPQ is incompatible with intentionalism and naïve realism, not that Meillassoux's distinction makes the problem of perception unintelligible.

Reply: I have presented only a sketch of the two most important groups of theories of perception discussed by Contemporary analytic philosophers. But my choice is not arbitrary, and it is well motivated. Very roughly, intentionalism and naïve realism represent the two main groups of analytical theories about perception available today; and to opt for a phenomenological theory of perception does not seem a viable option. Let us consider phenomenological theories of perception

[25] Maurice Merleau-Ponty, Phénoménologie de la perception, Paris, Gallimard, 1945; Hua XVI.

first. In his vast body of works, Husserl discussed in several places the distinction between PQs and SQs. However, Husserl's own stance about our issue is not clear. In a short passage of Husserl the terminology of PQ and SQ is explicitly rejected[26]; and in *Ideen I* Husserl dedicates an entire paragraph to the distinction (§40). This is a dense and complex passage, and I will not attempt to outline an exegesis. It suffices here to recall that much of AF is a sophisticated attempt to dismantle the phenomenological program. Meillassoux openly regards phenomenology as a form of correlationism. Hence, it makes little sense to embed MSQ and MPQ within a phenomenological theory of perception.

Back to analytic philosophy. Surely, I have not discussed sense-data theories or adverbialism[27]. According to adverbialists, perceptual properties such as "being blue" or "being square" are modifications of the experience: a better way to capture perceptual reports would be to state that a subject perceives "bluely" or "squarely." Is this account compatible with MSQ and MPQ? Maybe, but this would hardly save MSQ from my criticism. Firstly, adverbialism owes us an account about how these modifications of experience are related to the perceived object, and this in turn forces us to ponder over the distinction between PQs and SQs. Secondly, nothing in AF suggests that Meillassoux would opt for some form of adverbialism, hence we cannot flesh out the details of an adverbialist theory of perception that, at the same time, saves MSQ and is broadly compatible with Meillassoux's criticism of correlationism. Concerning sense-data theories, as I explained in footnote 4, we have much the same problems faced in the discussion of intentionalism. Perhaps, we might construe sense-data in such a way as to accommodate MSQs; but as long as there will be mental entities that do not correspond to the properties of the objects in the world, we would face the objections discussed in §3.1.

Second objection: Most of the arguments presented in §§3.1-2 are rather impressionistic and do not rely on rigorous argumentation. For example, one could point out that the objection from hallucinatory experiences leaves hanging in the air the true nature of hallucinations. Perhaps, some version of intentionalism or of naïve realism would ultimately fix the problems discussed in the foregoing paragraphs.

Reply: As I have stressed, Meillassoux does not put forward a theory of perception. All we can do is to gather some insights, mainly on the basis of some fragments related to the problem of MPQs and MSQs. Indeed, the primary target of AF is correlationism, and correlationism far outstrips the problem of perception (AF 5). Perhaps, Meillassoux could develop a theory of perception that is perfectly coherent with the distinction between MSQ and MPQ. But obviously, in the absence of such a theory it is not possible to articulate any detailed criticism. From the foregoing examination, it can be concluded that the definitions MPQ

---

26 Ibid., p. 67, §20.

27 E.g. C. J. Ducasse, "Moore's The Refutation of Idealism", in The Philosophy of G.E. Moore, ed. Paul A. Schilpp, Evanston/Chicago, Northwestern University Press, 1942.

and MSQ make the problem of perception unintelligible, for they obscure the relation between what we perceive and the nature of things themselves.

With these clarifications, I will now finally turn to what I think is the central problem for MSQ and MPQ: the mathematization of PQs.

4. Mathematization and Secondary Qualities

Meillassoux defines MPQs as intrinsic properties of the objects, properties that do not depend on the relation with a subject. In a possible world without any subject or sentient life form, there would still be filled with primary qualities. The hallmark of PQs, according to Meillassoux, is the fact that, in contrast with SQs, they can be mathematically described. If a property can be mathematically described then it is an intrinsic property of the object. MSQs encompass such properties as colors, tastes, and other perceptual properties. But is it true that MSQs cannot be mathematized? This is an important question, for if it can be shown that MSQs *can* be mathematized, then the distinction between MPQs and MSQs collapses. The collapse of the distinction has important consequences for Meillassoux's philosophical system, since he contends that "what is at stake in it is the nature of thought's relation to the absolute" (AF 1). With the collapse of this distinction, Meillassoux would then be forced either to deny that mathematization delivers objective knowledge of the world that outstrips the correlational circle, or to reconfigure the distinction between PQs and SQs.

As we have seen, MSQs are perceptual properties. Such properties encompass colors, tastes, pitches, and many more. There is no need to take into account all sensory modalities; I will narrow down my analysis to visual properties. Colors represent a paradigmatic example of visual properties, but MSQ embraces other visual perceptual properties as well. There is an ongoing debate about what kinds of properties we are able to perceive: some philosophers contend that we are able to see natural kind properties[28], or also the properties of feeling a certain emotion[29]. Parallel to this philosophical debate, there is a controversy among vision scientist about what counts as a basic visual feature. The basic visual features or properties are the building blocks of our perceptual experience. In spite of the controversy, there is consensus about at least a small number of basic visual properties. Since scientists and philosophers agree that we see these properties, I will exclusively focus on them. I contend that these properties *can* give rise to mathematical thoughts, and therefore can be classified as both MPQs and MSQs.

Some candidate basic visual properties include: colors, orientation, curvature, vernier offset, size, spatial frequency, scale, motion, shape (the list is drawn from

---

28 E.g. Susanna Siegel, op. cit.

29 Albert Newen, "Defending the liberal-content view of perceptual experience: direct social perception of emotions and person impressions", in Synthese, 2016, doi:10.1007/s11229-016-1030-3.

Wolfe[30]). There is nothing controversial about mathematically describing these properties. Subjects can discriminate between items that differ in orientation, which can easily be expressed in degrees. Curvature is a somewhat controversial feature. An alternative to curvature as a feature is that "curve might just be a point of high variation in orientation"[31]. Vernier offset also represents another controversial feature. Human beings are very good at detecting departures from the colinearity of two line segments, i.e. a vernier stimulus. Notice that the very concept of colinearity is geometrical and it refers to the property of a set of points of lying on a single line. Colors can also be described mathematically. Gärdenfors for example has provided elegant and simple mathematical descriptions of colors as locations within a qualitative space defined by the dimension of hue, saturation, and brightness[32]. I will skip the other examples, as their mathematical character should be self-evident.
Recall the definition of MPQs:

> $MPQ =_{df}$ For every x, if x is a primary quality, then x can be described mathematically, x is an intrinsic quality of the object, and x cannot give rise to a perception or sensation.

My examples clearly contradict MPQ, the visual properties examined *can* be mathematized. Meillassoux clearly asserts this aspect of MPQ in the following quotation:

> ...all those aspects of the given that are mathematically describable can continue to exist regardless of whether or not we are there to convert the latter into something that is given-to or manifested-for. (AF 117).

There is thus no reason to accept MPQ and MSQ. I have shown that MSQ make the problem of perceptual experience unintelligible; then I have shown that, in contrast with MSQ, perceptual properties can be mathematized. The source of the problem is the unmotivated assumption of a broadly Galilean *Weltanschauung*, an outdated concept of science that does not square well with the Contemporary scientific advancements. I leave open for future studies the consequences for Meillassoux's attack against correlationism.

---

30 Jeremy Wolfe, "Visual Search", in Attention, ed. Harold Pashler, Hove, Psychology Press, 1998.

31 Ibid., p. 29.

32 Peter Gärdenfors, Conceptual Spaces, Cambridge, MIT Press, 2000.

Entwurf einer generativen Ontologie

Alexander Schnell

Der „spekulative Realismus" Meillassoux' hat ein grundlegendes und höchst bedeutsames Problem der Phänomenologie angesprochen, nämlich die Frage, wie – im Rahmen der transzendentalen („noetisch-noematischen") Korrelation – dem realen Sein Rechnung getragen werden kann. In seiner Rekonstruktion eines „schwachen" (kantischen) und eines „starken" (Wittgenstein'sch-Heidegger'schen) Korrelationismus hat Meillassoux eine Alternative herausgearbeitet, die durchaus von einem Gespür für die tiefliegenden ontologischen Konsequenzen der phänomenologischen Epoché zeugt: Entweder lässt man die „Denkbarkeit" eines Dings an sich zu und verlagert die gesamte ontologische Problematik auf die Ebene der Gültigkeit (wodurch der Konflikt zwischen dieser Gültigkeit und dem realen Sein allererst zu Tage tritt); oder man verneint nicht nur die Erkennbarkeit, sondern zugleich auch die Denkbarkeit jedes Seins an sich, und eröffnet dadurch die abstrakte und unendliche Sphäre der „Notwendigkeit der Kontingenz", in der dank des „Satzes vom Grundlosen", der genauso auch ein solcher der „Vernunftlosigkeit" („principe d'irraison") ist, gewissermaßen alles denkbar und nichts mehr unmöglich ist und durch die Verabsolutisierung der Korrelation real-faktuales Sein (wodurch dieser Satz laut Meillassoux schließlich zum „Prinzip der Faktualität" wird) aufbrechen soll – was allerdings nicht bloß behauptet werden darf, sondern auch begründet werden muss. In Meillassoux' minutiös ausgearbeiteter Argumentation macht dessen eigene Position in Wirklichkeit Anleihen bei beiden Varianten des Korrelationismus macht. Dies spricht dafür, dass der „spekulative Realismus", was den Bezug zwischen einer grundlegenden Reflexion auf den Korrelationismus und die sich hieraus ergebenden ontologischen Konsequenzen betrifft, auch für Überlegungen über die spekulativen Grundlagen der Phänomenologie interessanter sein kann, als es die Phänomenologen gemeinhin anerkennen oder überhaupt zu sehen scheinen. Was nun entwickelt werden soll, geht gewissermaßen in die gleiche Richtung – wobei allerdings nicht weiter auf Meillassoux' Position selbst eingegangen, sondern vielmehr Überlegungen zu einer Grundlegung der generativen Ontologie angestellt werden.

*

Wenn man sich Meillassoux' Korrelationsbegriff zu eigen macht, der exakt dem Fichte'schen Korrelationsbegriff aus der ersten Vorlesung der *Wissenschaftslehre von 1804/II* entspricht, wonach jegliches Seiende nicht für sich isoliert betrachtet werden kann, sondern als ein durch die notwendige Untrennbarkeit von Sein und Denken ausgezeichnetes aufgefasst werden muss, dann gilt es, die Frage aufzuwerfen, worin hier die Korrelation überhaupt genau besteht. Die Schwäche der überwiegenden Mehrheit der Deutungen der hier veranschlagten Korrelation besteht darin, dass schon vorentschieden zu sein scheint, wie der „subjektive" Pol der Korrelation beschaffen sei. Empirisches Ich, aktuelles Bewusstsein, „transzendentales Ich" im Sinne Kants (also die Gesamtheit der erfahrungsunabhängigen Erkenntnisbedingungen, sofern sie den hinsichtlich ihrer apriorischen Formen untersuchten Erkenntnisvermögen zukämen), „phänomenologisches Ich" im Sinne Husserls (also die Gesamtheit der Konstitutionsleistungen des transzendentalen Ego) sind die gängigsten Gestalten, die jenen Subjekt-Pol sachhaltig beschreiben. Gemein[1] ist all diesen Auffassungen, dass das „subjektive" Korrelat der Korrelation seinerseits auf irgendeine Weise „objektiviert" wird, zugleich aber auch behauptet wird, dass die Wohlbegründetheit und Notwendigkeit desselben nicht zu erweisen sei, kurz, dass aus ganz verschiedenen Gründen der Rückgang auf ein solches subjektives Korrelat nicht überzeuge oder nicht zu bewerkstelligen sei und dieses somit als überflüssig angesehen werden müsse.

Es soll hier nun ein umgekehrter Weg eingeschlagen werden. Es wird nicht mehr von der Voraussetzung des Korrelationismus ausgegangen, um diesen dann auf seine Wohlbegründetheit hin zu befragen, sondern vielmehr eine phänomenologische Analyse der elementaren Aspekte der Sinnbildung vollzogen, aus der heraus sich dann sowohl die Nichtreduzierbarkeit des Korrelationismus als auch die Antwort auf die Frage, wie der realen Faktualität genetisch Rechnung getragen werden kann, ergibt.

Es soll dabei betont werden, dass es hier um keine grundsätzliche Rechtfertigung des Korrelationismus geht, sondern um die Klarstellung seines Wesens. „Korrelationismus" heißt nicht: Gegenüberstellung eines an sich Seienden und einer empirischen, psychologischen oder sonst wie realen, raumzeitlichen Ich-Instanz. Es handelt sich vielmehr um eine Reflexion über die Grundstrukturen des Denkens, sofern es real Seiendes trifft und selbst in seinem transzendentalen Sein bestimmbar ist. Dabei stößt man unweigerlich auf die parmenideische Sein-Denken-Gleichsetzung, deren genaue Bedeutung es zu bestimmen gilt.

Nehmen wir uns in der Tat noch einmal den Satz des Parmenides „τὸ γὰρ αὐτὸ νοεῖν ἐστίν τε καὶ εἶναι [‚Dasselbe ist Denken und Sein', bzw. genauer: ‚Dasselbe ist es, was gedacht werden und sein kann']"[2] vor. Heideggers bekannter Auslegung zufolge wird hier das Sein „von einer Identität her als Zug der

[1] Mit Ausnahme der Analyse des „Ich" in der VI. Cartesianischen Meditation Finks.

[2] Martin Heidegger, Identität und Differenz, hrsg. Friedrich-Wilhelm von Herrmann, Frankfurt am Main, Klostermann, 2006, S. 36f (abgekürzt GA 11).

Identität bestimmt", während die nachfolgende Metaphysik umgekehrt Identität als einen Zug des Seins aufgefasst habe – wobei er freilich offenlässt, wie das „Selbe" verstanden werden müsse, damit das Sein seine Bestimmung allererst in ihm erfahren könne. Es soll in den Satz des Parmenides nichts hineingelegt werden, was angesichts der Errungenschaften der Erforschung des vorsokratischen Denkens[3] nicht haltbar wäre. Die Aufmerksamkeit wird lediglich darauf gelenkt, dass diese „Identitäts"aussage zweier so massiver und fundamentaler Begriffe wie der des Seins und der des Denkens natürlich selbst zu denken gibt – und insbesondere die Frage aufwirft, mit welchem Recht (hierin kann man Heidegger zustimmen) Identität flugs zu einer Bestimmung oder einem Zug einer dieser beiden Begriffe gemacht werden könne. Und es scheint darüber hinaus durchaus klar, dass, wenn man den im logischen und mehr noch im formal-logischen Sinne verstandenen Identitätsbegriff an diesen Satz heranträgt, hier nicht nur ein offensichtlicher Anachronismus vorliegt, sondern das zu Denkende hierbei in der Tat womöglich entgleiten muss.

Es mag verlockend sein, dem Charme der Neigung Heideggers nachzugeben, das Verhältnismäßige zu einer Form quasi-personifizierter Selbst- bzw. Eigenständigkeit zu machen, wie das hier etwa mit dem „Selben" geschieht, das zu einer Art substanziellem Träger des verbal verstandenen Seins wird. Und manchmal unterliegt man ihm auch unbewusst oder in jedem Falle ungewollt. Davor muss aber eindringlich gewarnt werden. Gleichwohl spricht sich hier etwas aus, das überaus treffend und bedeutend ist. Der Erkenntnisgewinn, der in diesem In-Beziehung-Setzen von Denken und Sein besteht, darf nicht wieder dadurch verlorengehen, dass man Sein lediglich als „rational strukturiert" auffasst und überhaupt Denkstrukturen kritiklos ins Sein verlegt, so, als ob hierdurch bloß eine Eigenschaft des bereits vorliegenden Seins näher aus-einandergelegt würde – denn das wäre nichts anderes als eben kritiklose, vorkritische Metaphysik. Wenn die Aussage der „Selbigkeit" oder „Gleichheit" von Sein und Denken keine Tautologie ist und auch nicht dialektisch im Sinne der „Identität der Identität und Nichtidentität" (siehe Hegels *Differenz-Schrift*) eingeholt werden soll, dann muss hier ein Verhältnis erläutert werden, das im Sinne des „rien d'écart" bei Richir, also einer konstituierenden und konstitutiven „nichtigen Abständigkeit", die sowohl eine Nicht-Identität als auch eine Identität – und beide gleichsam zugleich – zum Ausdruck zu bringen versucht, aufgefasst wird. „Nichtige Abständigkeit": Darunter wird nicht vage ein Verhältnis verstanden, das willentlich im Dunkeln gelassen wird, sondern ein dynamisches Verhältnis, das eine dreifache Eröffnung vollzieht: 1.) die Eröffnung der Sinnbildung vom Standpunkt der (affektiven) „Gestimmtheit"; 2.) die Eröffnung des Zugangs zur „präimmanenten" (also gewissermaßen sowohl präobjektiven, als auch präsubjektiven) Sphäre, in der eine ursprüngliche Korrelation waltet (und in der eine

[3] Die lesenswerteste Abhandlung hierzu ist und bleibt Klaus Held, Heraklit, Parmenides und der Anfang von Philosophie und Wissenschaft. Eine phänomenologische Besinnung, Berlin/New York, Walter de Gruyter Verlag, 1980.

erkenntnistheoretische und eine ontologische Perspektive nicht mehr geschieden werden können); und 3.) die Eröffnung der Grundlage eines genuinen Wechselverhältnisses (aber noch nicht dieses selbst!), das jene ursprüngliche Korrelation wesenhaft bestimmt und die Selbigkeit des transzendentalen und des ontologischen Status des hierdurch Eröffneten vorzeichnet.

Zur genaueren Erläuterung dieses Vorhabens soll in folgenden vier Schritten vorgegangen werden: Zunächst wird eine phänomenologische Analyse der generativen Matrize der Sinnbildung durchgeführt, die in einem zweifachen Sinne phänomenologisch ist: Es handelt sich dabei um eine phänomenologische Beschreibung; zudem soll die genuin phänomenologische Dimension (nämlich das „Erscheinen" des Seins) auseinandergelegt werden. Sodann wird zu einer ontologischen Analyse der „Stimmigkeit" übergegangen, die der „ursprünglichen ontologischen Wahrheit" entspricht. In einem dritten Schritt soll dann die reflexive Analyse der „Dynamizität" der generativen Matrize aufgewiesen werden. Schließlich wird die Antwort auf die weiterhin zentrale Frage der Legitimation der transzendentalen Erkenntnis auf ihren ontologischen Kern hin zu skizzieren versucht. Die beiden entscheidenden Begriffe hierin werden jener der „kategorischen Hypothetizität" und der darin auftretenden „Bewusstseinsvernichtung" sein.

*

Phänomenalität. Eine der Hauptschwierigkeiten in der gesamten kritischen Debatte über den Korrelationismus besteht darin, dass häufig behauptet wird, dass sich bei der Aufklärung der Sinnkonstitution die beiden Pole der Korrelation als feste, eigenständige Entitäten gegenüberstehen. Gegen-stand, ob-jectum, subjectum – all dies lässt vermuten, dass es sich hierbei jeweils um eine konkrete Zweiheit handele und das Objektiv-Reale auf einer subjektiven Ebene gleichsam verdoppelt würde. Die Perspektive der „nichtigen Abständigkeit" der generativen Phänomenologie versucht dagegen, diesseits der „noetisch-noematischen Korrelation" innerhalb der immanenten Sphäre des transzendentalen Bewusstseins so vorzugehen, dass aufgezeigt wird, wie sich die „ideale" (auf subjektive Leistungen zurückführbare) und die „reale" (der objektiven Äußerlichkeit angemessen Rechnung tragende) Komponente jeweils so aufeinander beziehen, dass der Prozess der Sinnbildung dadurch letztursprünglich (und das heißt: auf der Ebene der präimmanenten Sphäre der transzendentalen Subjektivität) aufgeklärt wird. Wie kann nun der *Erscheinung* Rechnung getragen werden, ohne dass jene Zweiheit, welche die offensichtliche Quelle der Probleme des Korrelationismus ausmacht, beansprucht würde?

Die Antwort hierauf ist in einer möglichst voraussetzungslosen phänomenologischen Beschreibung der verschiedenen grundlegenden Aspekte der

Sinnbildung zu suchen. In das Phänomen der Sinnbildung spielen drei ausgezeichnete Momente, die als „Phänomenalisierung", „Plastizität" und „Reflexibilität" bezeichnet werden sollen, hinein.[4]

1.) In jeder Bezugnahme zur Realität, zu einem Sinngehalt, zu einem Gedanken oder zu was auch immer, erscheint etwas – man könnte auch sagen: „kommt je irgendetwas irgendwie vor". Das meint hier „Phänomenalisierung": Etwas tritt auf, kommt zu Bewusstsein, gibt sich irgendwie kund. Dieses Vorkommende oder Erscheinende ist aber kein bloßes, reines Erscheinen, sondern je ein solches von etwas.

2.) Dies bedeutet, dass sich in dieser Auffassung eines Erscheinens notwendigerweise eine Spannung zwischen dem Erscheinen und dem Erscheinenden auftut, und zwar so, dass letzteres ohne ersteres nicht erfahrbar wäre, dieses zugleich aber auch aufheben muss, um eben selbst erfassbar zu sein und nicht lediglich mittelbar – also durch ein Anderes – durchzuscheinen. Das meint hier „Plastizität": ein Setzen, das auch ein Vernichten ist.

3.) Das dritte Moment jeder Sinnbildung betrifft ihre erkenntnismäßige Legitimation. Diese bedeutet nicht: Aufweisung von Bedingungen der Möglichkeit der gültigen Erkenntnis (Kant), da dieser Begriff des Möglich-Machens formal und abstrakt bleibt; auch nicht ein bloßes Verlassen auf anschauliche Evidenz (Husserl), die ihrerseits keine ausreichende Legitimation verschafft, da diese im Zirkel reiner Bewusstseinsleistungen gefangen bleibt (seien diese auch „erfüllender" Natur). Gibt es aber eine andere Legitimationsart? Die gibt es durchaus – nämlich in und dank der sich in verschiedenen Gattungen unterteilenden, phänomenologischen Konstruktion. Das „generative" Moment darin besteht gewissermaßen im Aufquellen rechtmäßiger Sinnhaftigkeit, deren Gesetzmäßigkeit sich in der Konstruktion selbst erschließt – und zwar dank einer verdoppelnden Ermöglichung, in der das Ermöglichende sich zugleich auch als Sich-selbst-Ermöglichendes offenbart.

Soweit die Beschreibung der „generativen Matrize der Sinnbildung", die an anderer Stelle der Analyse des „Urphänomens" entsprach.[5] Was ist nun zur ursprünglichen Wahrheitsbestimmung zu sagen, sofern sie selbst Seins-charakter hat, also wesenhaft ontologisch bestimmt ist und auch so aufgefasst werden muss?

*

Stimmigkeit. Traditionell wird Sein bekanntermaßen entweder als „Dasein (Existenz)" oder als „Wesen (Essenz)" bestimmt. Es stellt sich die Frage, ob diese Unterteilung mit dem transzendentalen Korrelationismus vereinbar ist, und,

---

[4] Zum Status dieser Begriffe als Hauptbegriffe der „generativen Matrize der Sinnbildung", siehe das letzte Kapitel von Alexander Schnell, Seinsschwingungen, Tübingen, Mohr Siebeck, 2020.

[5] Alexander Schnell, Wirklichkeitsbilder, Tübingen, Mohr Siebeck, 2015.

falls nicht, ob das nicht in die Notwendigkeit, einen neuen Seinsbegriff zu eröffnen, mündet.

Wenn im allgemeinsten Sinne das „ist", was im Rahmen des Korrelationismus „ist", dann vermögen die traditionellen Seinsbegriffe dieses Sein in der Tat nicht befriedigend zum Ausdruck zu bringen. Warum? Ganz einfach deshalb, weil diese beiden Seinsbegriffe metaphysische Vorentscheidungen treffen, die der transzendentale Korrelationismus nicht mitzutragen vermag. „Existenz" setzt einen Rahmen voraus, innerhalb dessen das, was ist, erscheint. Dabei herrscht erstens Uneinigkeit darüber, wie dieser Rahmen auf eine allgemeingültige Weise beschaffen sein soll; und zweitens wird – noch entscheidender – bereits von vornherein festgelegt, dass etwas Reales, sofern es existiert, immer schon irgendwie vorgegeben ist, bzw. sein muss. Etwas „existiert" heißt: Es ist da, oftmals und vielleicht vor allem auch dann, wenn gerade niemand da ist, um das zu bezeugen. Es existiert eben einfach. Das heißt: Etwas ist „da", sofern es überhaupt erst einmal – vorgängig – ist, was insbesondere heißt, dass durch die Existenz bereits vorentschieden wird, dass eben nur das „real" Seiende (zumeist das sinnlich Aufweisbare, das materiell Seiende usw.) eigentlich sei.

Der Sinnfeldontologe zum Beispiel wird nun aber einwenden, dass man dem doch dadurch entgehen kann, dass man „Existenz" als ein „Erscheinen in einem Sinnfeld" auffasst, wodurch diese Vorentscheidungen gerade nicht getroffen, sondern vielmehr hinterfragt werden. Dabei bleibt aber unklar, was überhaupt genau jene Erscheinungsbedingungen sind (das gilt jedenfalls für die bis jetzt vorliegende Entwürfe), und – vor allem – wird hierbei Existenz durch dieses In-sich-Aufnehmen der Erscheinungsbedingungen, wenn (und sofern) diese eben erst einmal geklärt sind, wiederum als ein Absolutum aufgefasst. Problematisch ist dabei, dass man in beiden Fällen, ob diese Klärung nun geleistet wird oder nicht, in den Rahmen des traditionellen metaphysischen Existenzbegriffs zurückfällt, was deswegen abzulehnen ist, weil hierbei in letzter Instanz der Wahrheitsbegriff im Sinne der Adäquats- bzw. Korrespondenz-Theorie in Anspruch genommen wird und dadurch jenes Grundproblem – nämlich etwas vorauszusetzen, was es doch allererst zu erweisen gilt – wiederum auftritt.

Der Begriff des „Wesens (essentia)" ist nicht weniger vorurteilsbeladen: Er setzt in irgendeiner Weise ein Reich der „Wesen", „Ideen" usw. voraus und reproduziert also auf der idealen Ebene wiederum dieselbe Schwierigkeit, indem er nämlich die Zugangsfrage zu dieser Ebene völlig abschnürt.

Die Lösung lautet dann folgendermaßen: Die Erscheinungsbedingungen können dem Seinsbegriff nicht äußerlich sein, sondern müssen direkt in dessen Wesensbestimmung eingehen. – Und zwar vor jeder Frage, ob etwas „real" Seiendes „ist", auch wenn kein Zuschauer davon berichtet. Die Fragestellung siedelt sich hier diesseits der metaphysischen Entscheidung, bereits ein reales Ansich anzunehmen, an. – Was heißt das aber genau? Wie kann von „Sein", „Existenz", gesprochen werden, ohne dass das „reale Sein" bereits als vorgegeben angesetzt wird? Und wie können die Erscheinungsbedingungen darin hineingenommen werden?

Zu vermeiden gilt es dabei zweierlei: nämlich sowohl die Inanspruchnahme eines vorausgesetzten Seins eines absolut Bestehenden und Vorausgesetzten (sei es „sinnlicher“ oder „idealer“ Natur) als auch die eines erzeugten Seins eines rein subjektiv Hervorgebrachten oder Vernommenen. Gibt es darüber hinaus aber überhaupt noch einen anderen Seinsbegriff? Den gibt es in der Tat, es genügt hierfür, sich an das phänomenal sich Gebende zu halten. Man muss sich lediglich klarmachen, was es heißt, dass man etwas „Zutreffendes“ vor sich hat – diese oder jene Idee, die die Sache genau „trifft“, ohne dass dabei aber ein vorliegender Sachverhalt einfach nachträglich korrekt oder „wahrheitsgemäß“ dargestellt wird. Für diese spezifische Seinsauffassung soll der Begriff der „*Stimmigkeit*“ eingeführt werden. Zur Verdeutlichung könnte hier die Analogie mit der „wahren Meinung“ (zwischen der Erkenntnis aus Gründen und Unwissen) in Platons *Symposion* herhalten. Stimmigkeit bezeichnet das Sein dessen, was ist, ohne dass ich dieses qua Vorgegebenes oder Vorausgesetztes erst nachträglich auffasse. Im Stimmigen wird erhört, was gleichursprünglich verlautet, bzw. angestimmt wird. Das „Stimmige“ berührt „treffend“ jenes, was ist. „Stimmigkeit“ soll der Name dafür sein, wovon man sich je selbst unzweideutig überzeugt, obwohl man nicht über einen vorgegebenen Maßstab verfügt, der jedem zweifelsfrei seine Richtigkeit vor Augen führt. Dieser Sachverhalt ist wohlbekannt: Bei einem schlechten Gedicht „stimmt etwas nicht“, der Charakter einer Person kann mehr oder weniger zutreffend erfasst werden, und auch im philosophischen Denken geben nicht allein die Logik, die Mathematik und der Sinnesapparat all das her, was nötig ist, um die Triftigkeit eines Gedankens oder einer Erkenntnis zu belegen.

Ganz wesentlich ist dabei, diesen Begriff der „Stimmigkeit“ nicht subjektivistisch verkürzt aufzufassen. Für ihn gilt, was Husserl über den Evidenz-Begriff ausgesagt hat: Genauso wie dieser keinen psychologischen, sondern einen streng erkenntnistheoretischen Status hat, soll auch der Stimmigkeitsbegriff hier in seiner ontologischen Reichweite aufgefasst werden. Betont wird dabei „ontologisch“ gegenüber „gnoseologisch“: Sowie der Existenz-Begriff eine gewisse „Dynamik“ ausdrückt (ein „Heraus-Stehen“), kommt auch der „Stimmigkeit“ ein „Schwingen“, „Schweben“ oder „Vibrieren“ zu, das als fundamentale Seinsart verstanden werden muss. „Seins-“Art deswegen, weil eben das „Stimmen“ (gemäß der kantischen Absage an die Ontologie des An-sich) als ein genuiner Seinsmodus aufgefasst wird.

Dieses „Schweben“ drückt hier eine dreifache „nichtige Abständigkeit“ aus (im Sinne des „rien d'écart“ bei Richir) – und das bestimmt auch genauer die gerade angesprochene „ontologische Reichweite“: 1.) ein präsubjektives Grundstimmen (*nihil affectivum*) zwischen Sein und Denken, das jegliche Bezughaftigkeit allererst eröffnet (und auf dem die intersubjektive Abgestimmtheit beruht); 2.) eine „nichtige Abständigkeit“ zwischen dem transzendentalen und dem ontologischen Status des sich in der präimmanenten Sphäre Eröffnenden (*nihil retrahens*); 3.) die „nichtige Abständigkeit“ zwischen der ontologischen und der gnoseologischen Dimension in der Sinnbildung überhaupt, welche die präimmanente Sphäre grundlegend kennzeichnet (*nihil praeimmanentis*).[6]

*

Dynamizität. Bildlichkeit und Stimmigkeit stehen sich nun nicht starr gegenüber – und überhaupt darf hier die Rede einer „Matrize" (sei sie auch „generativ") nicht statisch verstanden werden. Es handelt sich hierbei vielmehr um eine dreifache dynamische Dimension der Generativität.

1.) Zunächst gilt es, die horizontale Doppelbewegung zwischen Denken und Sein, bzw. Erscheinung und Sein zu fassen. Dies geschieht in Levinas' grundlegender Einsicht eines Wechselverhältnisses von „gründendem Sein" und „konstituierendem Bewusstsein", das in seinen Augen eine „neue Ontologie der Phänomenologie"[7] wesenhaft auszeichnet. Die Idee dabei ist, dass die transzendentale Konstitution nur dann „wirksam" oder „effizient" ist, wenn hierdurch auch eine ontologische Gründung stattfindet, welche die Konstitution selbst kontaminiert. Das heißt mit anderen Worten, dass hier kein flacher Zirkelschluss vollzogen wird, durch den das Konstituierende unverständlicherweise als selbst konstituiert aufgefasst würde, sondern die Konstitution auf ihre eigenen ontologischen Implikationen hin befragt wird. Entscheidend hierbei ist die Selbstvernichtung des Bewusstseins, die reales Sein in dessen Aufbrechen (im Modus einer „kategorischen Hypothetizität") genetisch verständlich macht und das Vorliegen dieses Seins nicht lediglich dogmatisch behauptet. Umgekehrt kann eine ontologische Gründung selbst nur dann auch einen legitimierenden Charakter haben (was diesbezüglich ebenfalls jeder bloßen Voraussetzung diametral entgegensteht), wenn hierbei eine transzendentale Konstitutionsleistung vollzogen wird. Der Seinsaufbruch muss und kann nur generativ verstanden werden.

2.) Über diese horizontale Doppelbewegung hinaus ist die generative Matrize der Sinnbildung allerdings auch durch eine quasi vertikale, setzend-vernichtende Doppelbewegung von Phänomenalität (bzw. Bildlichkeit) und Stimmigkeit ausgezeichnet. Damit die Stimmigkeit vernommen werden kann, muss die den *nicht* nichtigen Abstand (von Erscheinung und Sein) hervorrufende Bildlichkeit vernichtet werden; gleichwohl muss diese Bildlichkeit aber auch gesetzt werden, denn sonst würde ja dieser gesamte Prozess gleichsam „blind" ablaufen. Diese, die „Plastizität" kennzeichnende vernichtend-setzende Doppelbewegung steht im wörtlichen Sinne im Mittelpunkt der Dynamizität der Sinnbildung.

3.) Der dritte Aspekt jener Dynamizität ist die generative Dynamizität überhaupt. Sie konzentriert und kondensiert einerseits die Idee der *„phänomenologische Konstruktionen"* vollziehenden „Genese"; andererseits beinhaltet

---

6 Zu diesem Gesamtkomplex der „nichtigen Abständigkeit" siehe das Kapitel „Zur Negativität in der generativen Phänomenologie" in Seinsschwingungen, op. cit.

7 Emmanuel Levinas, En découvrant l'existence avec Husserl et Heidegger, Paris, Vrin, 1988 (1. Aufl. 1949), S. 130.

sie aber auch die Idee der „Genese“ im Sinne des *Werdens* (also im Sinne dessen, was Geschichtlichkeit, Evolution, Mutation ausmacht). Sinnbildung ist auf jeder reflexiven Ebene dynamisch – ob das nun den sich bildenden Sinn selbst oder die durchsichtig zu machenden, generativen Möglichkeitsbedingungen betrifft.

Von hier aus kann nun folgende „generative Matrize der Sinnbildung“ zur Darstellung kommen:

Generative Matrize	*Bildlichkeit* (= transzendentale Matrize) Sehen, Anschauen, Einsehen	*Stimmigkeit* (qua „nichtige Abständigkeit“) Hören, Vernehmen, Verstehen	*Beweglichkeit* (qua *nicht* nichtige Abständigkeit; macht die Greifbarkeit und Fassbarkeit möglich) Ertasten, Erfassen, Begreifen
Phänomenalität	Erscheinungshaftigkeit	Präsubjektives Grundstimmen; Intersubjektive (potentiell-offene, dabei aber gleichfalls anonyme) Abgestimmtheit (*nihil affectivum*)	Horizontale Doppelbewegung (Sein/Denken; Sein/Erscheinung); Wechselverhältnis von gründendem Sein/konstituierendem Bewusstsein.
Plastizität	Vernichtung/Setzung	Einheit des transzendentalen und ontologischen Status des sich in der präimmanenten Sphäre Eröffnenden (*nihil retrahens*)	Vernichtend-setzende Doppelbewegung von Bildlichkeit und Stimmigkeit (Stimmigkeit setzt die Vernichtung der Bildhaftigkeit voraus)
Reflexibilität	Legitimierende Legalität	Einheit von Ontologie und Gnoseologie (von Sein und Wahrheit) (*nihil praeimmanentis*)	Generative Dynamizität der generativen Matrize

*

Generative Ontologie. In einem letzten Schritt soll schließlich der wesentliche Gehalt des Hauptbegriffs der hier skizzierten „generativen Ontologie“ näher auseinandergelegt werden. Dieser ist die „kategorische Hypothetizität“, durch die sich auf eine zentrale Weise die „transzendentale Bewusstseinsvernichtung“

vollzieht. Hierdurch lassen sich die entscheidenden ontologischen Aspekte dieses Entwurfs noch auf eine andere Weise herausstellen. Was bedeutet also die „kategorische Hypothetizität"?

Zum einen bezeichnet sie keine von vornherein veranschlagte Kategorizität (= Dogmatismus), zum anderen aber auch keine reine Hypothetizität (= Relativismus). Hypothetizität heißt: Entfaltung eines Problemhorizonts. Kategorizität heißt: Vollzug der Legitimation. Hypothetisch kontaminiert ist diese Kategorizität, weil sie keine absolute, spekulative Kategorizität ist; kategorisch kontaminiert (oder besser: sich als kategorisch erweisend) ist die Hypothetizität, weil die Kategorizität sich gleichermaßen in der Hypothetizität dynamisch entfaltet und entwickelt. Wie vollzieht sich das genau?

Drei Aspekte sind dabei wesentlich. Der erste soll als das genuin „generative Moment" bezeichnet werden. Das die Sinnbildung charakterisierende Aufgehen des Sinns ist ein ursprüngliches Aufquellen, Aufbrechen, Hervor- bzw. Herausspringen. „Generativität" benennt im engen Sinne das von keinem vorgegebenen Ausgangspunkt sich vollziehende Geschehen einer Sinnerzeugung. Dieser Prozess geschieht nicht ohne eine bestimmte „Anleitung" oder „Richtlinie": Verständniswiderstände, Aporien, jede Form der denkerischen Sackgasse zeichnen das Feld vor, innerhalb dessen ursprünglich phänomenologisch konstruiert wird. Die phänomenologische Konstruktion vollzieht sich also gleichsam und gleichursprünglich ex nihilo und im Hineintauchen in die archaische Sphäre der Phänomenalisierung.

Der zweite wesentliche Aspekt ist das „ontologische Moment" der kategorischen Hypothetizität. Hierbei handelt es sich gewissermaßen um eine generativ-phänomenologische Weiterentwicklung des ontologischen Arguments (sofern dieses freilich von der Frage nach der Existenz Gottes abgelöst wird und somit auch nicht das klassische ontologische Argument rehabilitiert). Darin ist die Selbstvernichtung des Bewusstseins von zentraler Bedeutung.

Die klassische Phänomenologie hatte auf der methodologischen Ebene drei Hauptwerkzeuge ins Spiel gebracht: die phänomenologische Epoché (bzw. Reduktion), die anschauliche Evidenz und die eidetische Variation; über die „phänomenologische Konstruktion" hinaus setzt die „generative Phänomenologie" – durch die Inanspruchnahme einer präimmanenten Sphäre – folgende Komponenten hinzu: die „hypophysische Epoché" (die den Zugang zu dieser präimmanenten Sphäre ermöglicht), die „transzendentale Induktion" (die in die selbstreflexive Prozessualität der Sinnbildung einführt) und die transzendentale Bewusstseinsvernichtung. Worin besteht diese letztere?

Sie hat eine zweifache ontologische Implikation: einerseits radikalisiert sie ontologisch die Epoché, indem sie nicht nur die Seinssetzung aussetzt oder inhibiert, sondern diese (sofern sie das Bewusstsein selbst betrifft[8]) dahingehend

---

[8] Richirs „hyperbolische Epoché" ist ebenfalls eine radikalisierte transzendentale Epoché, allerdings in einem anderen Sinn: Während mit dieser die Ausschaltung der Seinssetzung sowohl des Erscheinenden als auch der transzendentalen Subjektivität selbst bezeichnet

vollendet, dass sie die radikale Selbstvernichtung des Bewusstseins verursacht; andererseits wird so genetisch verständlich, wie im Rahmen des Korrelationismus bzw. auf der Grundlage desselben das reale Sein genetisch aufgewiesen werden kann: Wenn mit dem Korrelationismus ernst gemacht wird, also mit der anfänglichen Unhintergehbarkeit der Sein-Denken-Korrelation, dann kann reales, faktisches Sein nur dank der Selbstvernichtung des Denkens (oder des Bewusstseins) aufbrechen. Freilich ist das immer nur eine Grenzsituation, in welcher der Status des Realen durch dieselbe bestimmt wird und sich daher in seiner Prekarität äußert. Eine der Hauptthesen des hier Entwickelten könnte somit darin bestehen, zu behaupten und zu erweisen versuchen, dass die Prekarität des Seins (sein Schwingen, Schweben, Vibrieren usw.) keine dichterisch inspirierte Behauptung ist, sondern insofern tatsächlich genetisiert werden kann, als sie an die grenzsituative radikale Selbstvernichtung des Bewusstseins gebunden ist.

Das dritte und letzte Wesensmoment der kategorischen Hypothetizität besteht darin, dass diese einen „offenen Kohärenzbereich" vorzeichnet. Auf der präimmanenten Ebene kann es keine Angleichung (im Sinne der Adäquation oder der Korrespondenz) an einen vorgegebenen, vorausgesetzten Seinsbereich geben. Gleichwohl wird der sinnhafte Diskurs gleichsam „getragen", da in ihm Sinn von Unsinn und des Weiteren Wahres von Falschem unterschieden werden kann. Dies macht keine logische Kohärenz aus, auch keine solche, die immer erst sozusagen „von außen" empirisch zu vernehmen wäre, sondern eine – „offene" – Kohärenz, die ihre Wesensgesetzmäßigkeit erst im konkreten Versuch erfährt. Diese offene (man könnte auch hinzufügen: „choratische") Kohärenz bezeichnet noch auf eine andere Weise die ursprüngliche Wahrheitsdimension der Sinnbildung.

wird, vollzieht die transzendentale Bewusstseinsvernichtung nicht nur eine In-Klammern-Setzung, sondern die radikale Selbstvernichtung des Bewusstseins.

Realismus des Erscheinens
Eine metaphänomenologische Skizze

Peter Gaitsch

1. Der Ausgangspunkt bei den neuen Realismen

Die alten Debatten über den phänomenologischen Realismus, die sich zu Anfang des 20. Jahrhunderts rund um den Göttinger und Münchner Kreis entsponnen haben, erhalten einen neuen Schwung, wenn man die Impulse aufgreift, die sich aus den neuen Realismen des 21. Jahrhunderts ergeben. Insbesondere Quentin Meillassouxs *Nach der Endlichkeit* und Markus Gabriels *Sinn und Existenz* sind hervorragende Ausgangpunkte der Diskussion, um den möglichen Sinn eines phänomenologischen Realismus zu klären und zu vertiefen. Dies liegt daran, dass beide Werke in ihrer kritischen Distanz zur Phänomenologie besonders radikale Ansätze bieten und detailliert argumentiert sind. Um zu einem *wohlbegründeten* phänomenologischen Realismus zu gelangen, scheint die Auseinandersetzung mit diesen beiden Ansätzen daher sehr fruchtbar.[1]

Meillassouxs Herausforderung an die Phänomenologie besteht vor allem darin, die ontologische Relevanz phänomenologischer Analysen, die stets die Korrelation von Sein und Gegebenheitsweise für das analysierende Bewusstsein *voraussetzen*, zweifelhaft gemacht zu haben. Seine Kritik des phänomenologischen Korrelationismus formuliert im Kern das *Problem der Korrelativität des Sinns von Realität*. Diese Korrelativität, die der Phänomenologe oder die Phänomenologin, gestützt auf den Vollzug der phänomenologischen Epoché und Reduktion, einfach als gegeben annimmt, erweist sich als ein Problem, sobald man mit Meillassoux das radikale Motiv des „Großen Außen"[2] als Basis für eine realistische Option ernstlich in Erwägung zieht. Denn angesichts des „absoluten Außen"[3], zu dem die Naturwissenschaften einen epistemischen Zugang versprechen, muss der korrelative Sinn von Realität, den die phänomenologischen Analysen erforschen,

---

1 Zur phänomenologischen Auseinandersetzung mit Gabriels Sinnfeldontologie siehe bereits die gesammelten Beiträge in Peter Gaitsch, Sandra Lehmann und Philipp Schmidt (Hrsg.), Eine Diskussion mit Markus Gabriel. Aktuelle Positionen zum Neuen Realismus, Wien, Turia + Kant, 2017.

2 Quentin Meillassoux, Nach der Endlichkeit. Versuch über die Notwendigkeit der Kontingenz, Wien/Berlin, Diaphanes, Neuaufl. 2014, S. 21.

3 Ebd., S. 21.

wie eine Blase des vorstellenden Subjekts wirken. Auch wenn diese Blase bei der Bestimmung des Sinns von Wirklichkeit und Objektivität als eine transzendentale *Intersubjektivität* gedeutet wird,[4] bleibt der grundsätzliche Einwand gegen den phänomenologischen Korrelationismus bestehen. Solange die Option des „absoluten Außen" nicht gut begründet zurückgewiesen wird, scheint der Optimismus des phänomenologischen Glaubens, es in phänomenologischen Analysen mit *der* Wirklichkeit zu tun zu haben, naiv.

Die Herausforderung, die der Phänomenologie durch Gabriels Entwurf einer Ontologie der Sinnfelder gestellt ist, ist etwas anders gelagert. Sie besteht nicht wie bei Meillassoux in einer Kritik phänomenologischer Voraussetzungen, sondern in der Ausarbeitung einer übergreifenden ontologischen Alternative, die die phänomenologischen Analysen als marginale regionale Beiträge erscheinen lässt. Denn in der Optik der Sinnfeldontologie schränkt sich die Phänomenologie auf die Analyse der *bewusstseinsabhängigen* Sinnfelder, in denen der Sinn von Wirklichsein durch eine Konstitutionsleistung des Bewusstseins (mit) zustande kommt, ein. Von der Phänomenologie unberücksichtigt bleibt dabei, dass es noch zahlreiche weitere Sinnfelder gibt, die das Erscheinen von Gegenständen auf ganz andere (nicht auf eine transzendentale oder sonstige universalistische Formel zu bringende) Weise regeln. Da Gabriels Konzeption somit die transzendentale Reichweite der Phänomenologie negiert, scheint sich der ontologisch relevante Beitrag der Phänomenologie darauf zu reduzieren, entweder wissenschaftlich eine intentionale Psychologie zur Grundlegung der kognitionswissenschaftlichen Forschung oder praktisch eine Analyse alltäglicher oder außeralltäglicher menschlicher Erlebniswelten zu liefern. Der entscheidende Punkt dabei ist, dass sich die Sinnfeldontologie vermittels des methodischen Schritts des *neutralen Realismus*[5] legitimiert sieht, Phänomenologie-affine Begriffe wie „Sinn", „Erscheinen", „Feld" aus dem phänomenologischen Kontext mit seinen antirealistischen Implikationen (Sinn = Sinn für ein Bewusstsein; Erscheinen = Erscheinen für jemanden; Feld = perspektivisch gebundener Horizont) herauszulösen und sie derart zu formalisieren, dass sie als Grundbegriffe für eine „realistische Ontologie" zur Beschreibung indefinit vieler Sinnfelder fungieren können. So heißt es etwa bezüglich des Sinnbegriffs:

> Sinn wird *in der Regel* [d.h., jenseits der genuin phänomenologischen Sinnfelder, Anm. P.G.] gefunden und nicht konstituiert. Finden wir Sinn, mit dem wir noch nicht bekannt waren, erschließen sich uns bisher unbekannte

[4] Für die transzendentale Aufwertung des Moments der Intersubjektivität innerhalb der Phänomenologie siehe insbesondere die Arbeiten von Dan Zahavi, zum Beispiel Husserl und die transzendentale Intersubjektivität: Eine Antwort auf die sprachpragmatische Kritik, Dordrecht, Kluwer, 1996.

[5] Markus Gabriel, „Neutraler Realismus", in Philosophisches Jahrbuch, 121, 2, 2014, S. 352-382.

> Eigenschaften von Gegenständen und nicht nur die Vehikel unseres Zugangs zu Wirklichkeiten.[6]

Mit anderen Worten, Sinn gilt dem Sinnfeldontologen in erster Linie nicht als eine erfahrungskorrelative Gegebenheit oder als eine sprachliche Einheit, sondern als ein reeller (geistunabhängiger) Bestandteil von Wirklichkeiten. Die Gegenstände sind in diesen Fällen an sich sinnhaft strukturiert.[7] Es scheint von daher, dass korrelationelle Sinnanalysen der Wirklichkeit diese korrelations*indifferente* An-sich-Dimension des Sinns verfehlen müssen, weshalb die Phänomenologie für diesen Aspekt der Wirklichkeit ein unbrauchbares Instrument darstellt.

Gabriels Entwurf bearbeitet somit letztlich dasselbe Problem, das Meillassoux erstmals in aller Schärfe gesehen hat: das *Problem des Zugangs zum korrelationsindifferenten Sinn von Realität.* Beide Ansätze haben ihre Stärke darin, dass sie verschiedene Aspekte dieses Problems durchdringend analysieren. Wie aber jetzt kurz zu zeigen ist, bieten sie beide keine überzeugenden Lösungen dafür an.

2. *Der Zugang zum korrelationsindifferenten Sinn von Realität*

Die Vorzüge von Meillassouxs Ansatz liegen darin, das Problem in seiner vollen Radikalität entfaltet zu haben: Die Korrelation von Denken und Sein ist reflexiv unhintergehbar und doch zugleich in ihrer ontologischen Relevanz zweifelhaft. Aus dieser besonderen epistemischen Situation ergibt sich das Motiv für einen *spekulativen Sprung* aus dem „korrelationellen Zirkel“[8]. Dieser Sprung verläuft bei Meillassoux über die prinzipielle Absolutsetzung des Kontingenzcharakters der Korrelation, wodurch er Erkenntnisse über die Beschaffenheit der korrelationsindifferenten Wirklichkeit zu gewinnen hofft. Dieser faszinierenden Gedankenbewegung lässt sich weniger ihre Sprunghaftigkeit vorhalten als vielmehr der Umstand, dass sie die sprunghafte Absolutsetzung der Kontingenz, die ja durchaus der Logik des (starken) Korrelationismus entspricht, in eine Richtung hin auslegt, die den *innerhalb* der Korrelation von Denken und Sein auftretenden korrelation*sindifferenten* Sinn der Realität gerade nicht erklärt. Das heißt, die näher liegende Option einer innerhalb der Korrelation *erscheinenden Absolutheit*, die für eine hinreichende Erklärung des (kontingenten) Auftretens einer Korrelationsindifferenz in Frage kommt, wird ohne Not zugunsten eines paradoxen (absoluten) Sinns diesseits des (korrelationellen) Sinns übersprungen.[9] Dies führt bei Meillassoux

---

6 Markus Gabriel, Sinn und Existenz. Eine realistische Ontologie, Berlin, Suhrkamp, 2016, S. 484 (Hervorheb. P.G.).

7 Vgl. Ebd., § 12, S. 465-487.

8 Quentin Meillassoux, Nach der Endlichkeit, op. cit., S. 18.

9 Dass die „Lücke der Gebung selbst“ (Quentin Meillassoux, Nach der Endlichkeit, op. cit., S. 37), auf die das Argument der Anzestralität letztlich abzielt, tatsächlich eine Sinnparadoxie impliziert, beruht darauf, dass die damit gemeinte Realität ohne Sinn selbst wiederum als ein Sinn gefasst werden muss, da diese Realität andernfalls nicht als durch die Korrela-

zu einer ungedeckten Auslegung mit zwei problematischen Aspekten:[10] Die Kontingenz wird hypostasiert und die Absolutheit der Kontingenz wird modal als „Notwendigkeit der Kontingenz" ausgelegt. Dagegen ist phänomenologisch einzuwenden, dass erstens die Kontingenz keine für sich bestehende Sache, also kein „Absolutes" (von der Korrelation „Abgelöstes") in diesem bestimmten Sinne, sondern ein Modus des Erscheinens ist; und dass zweitens die wahrhaft absolute Kontingenz nicht modalisierbar ist und als Urfaktizität festgehalten werden muss.

Gabriels Strategie zur Problemlösung besteht darin, das Problem axiomatisch zu neutralisieren, indem er im Zuge seiner Abgrenzung von der „Außenwelt"-Problematik von vornherein von der Zugänglichkeit einer korrelationsindifferenten Realität für einen neutralen Realismus ausgeht.[11] Auf dieser Basis hätte die begründungspflichtige These, dass es einen korrelationsindifferenten Sinn von Realität gibt und wir im Erkennen Zugang zu ihm haben, jedoch lediglich den Status einer unbegründeten Prämisse. Ihre, soweit ich sehe, stärkste Begründung verläuft über den Hinweis auf unseren erfolgreichen Gebrauch von kontrafaktischen alethischen Konditionalen, wie zum Beispiel: *Selbst wenn niemals „bestimmte repräsentationale oder epistemische Systeme", d.h., geistbegabte Lebewesen, existiert hätten, wäre es wahr gewesen, dass es Vulkane gibt.*[12] Die reale Möglichkeit kontrafaktischer Konditionale belegt somit, dass es einen korrelationsindifferenten Zug der Korrelation von Denken und Sein gibt, ohne dass das hyperbolische Gedankenkonstrukt einer „Notwendigkeit der Kontingenz" zu Hilfe gerufen werden muss. Einzuwenden ist hier nur, dass ein solcher Beleg nicht hinreicht, um die Korrelationsindifferenz des Korrelationismus zu *erklären*. Zu dieser weiterführenden Frage findet sich jedoch bei Gabriel nichts.

Ein bleibender Vorzug von Gabriels Ansatz ist aber, dass er den Realismus von einer hyperbolischen Prämisse befreit, die viele Befürworter eines spekulativen Realismus, nicht zuletzt Meillassoux, anzutreiben scheint, nämlich der Vorstellung, dass das absolute Reale als das *Unabhängige* im Sinne des *Bezugslosen* aufgefasst werden muss. Das bedeutet zu glauben, dass das absolute Reale jede Art von Erscheinensrelation und eine darauf aufbauende Wissensrelation *abweist*. Umgekehrt ist alles Erscheinende, insofern es erscheint, in seinem Wesen relational; es gilt daher, auf Basis der erwähnten Prämisse, als nicht Absolutheits- bzw. Realismus-fähig, da es prinzipiell nicht die Art von Unabhängigkeit annehmen kann, die man sich von einem absoluten Realen erwartet. Diese Ansicht teilt der spekulative Realismus mit dem transzendentalen Idealismus Edmund Husserls,

---

tion sinndeformiert verstanden werden kann. Dies scheint aber eine zentrale implizite Prämisse von Meillassoux zu sein: Der Zugriff des korrelationellen Denkens hat auf die absolute Realität einen sinndeformierenden Effekt. Auf Basis dieser (anti-hegelschen) Prämisse kann korrelationelles Erscheinungswissen niemals zu einem Wissen des Absoluten werden.

[10] Vgl. Sandra Lehmann, „Faktizität und Endlichkeit. Überlegungen zu Quentin Meillassoux' Nach der Endlichkeit", in Figuren der Transzendenz, ed. Michael Staudigl und Christian Sternad, Würzburg, Königshausen & Neumann, 2014, S. 367-385, und ihren Beitrag in diesem Band.

[11] Vgl. Markus Gabriel, „Neutraler Realismus", op. cit., S. 352-354.

[12] Vgl. Ebd., S. 360-361.

der die korrelationelle Seinsrelativität der Welt an den Anfang setzt und daher, auf Basis *derselben* Prämisse, feststellt: „Eine absolute Realität gilt genauso viel wie ein rundes Viereck."[13] Spekulativer Realismus und transzendentaler Idealismus unterscheiden sich also nur darin, dass sie die Korrelationalität *metaphysisch* verschieden gewichten (transzendentaler Idealismus: die Korrelationalität ist das ontologische Fundament; spekulativer Realismus: die Korrelationalität ist ontologisch irrelevant), aber sie kommen in der unbegründeten Prämisse überein, dass die Erscheinensrelation das Absolutsein des Erscheinenden exkludiert.

Im Gegenzug weist bereits Max Scheler in einem seiner letzten Texte auf dieses *proton pseudos* von Idealismus und Realismus hin und schlägt zu seiner Vermeidung vor, dass wir die Realität nicht von einer hyperbolischen Vorstellung von Unabhängigkeit her bestimmen, sondern umgekehrt zuerst den Sinn von Realität analysieren, um zu einem der Realität angemessenen Begriff von Unabhängigkeit zu gelangen.[14] Um aber den Sinn von Realität fundiert analysieren zu können, müssen wir von einer Erfahrung von Realität ausgehen. Deshalb kommt die Debatte um den phänomenologischen Realismus nicht umhin, sich auf eine *Phänomenologie der Realitätsgegebenheit* zu stützen (siehe den nächsten Abschnitt). Eine rein *metaphänomenologische* Debatte um den fraglichen Realitätsstatus der phänomenologischen Analysen genügt also nicht. Zudem sollten wir darin einen gewissen *pragmatischen Fokus* bewahren, indem wir uns bewusst bleiben, dass die zentrale Rechtfertigungsinstanz der Phänomenologie in phänomenologischen Gegebenheitsanalysen und nicht in metaphänomenologischen Argumentationen liegt. Daher ist es für die Etablierung eines phänomenologischen Realismus zu wenig, auf die Realitätsimplikationen der phänomenologischen Analysen aufmerksam zu machen, indem etwa darauf hingewiesen wird, dass innerhalb der korrelationellen Analyse des Erscheinens die letzte Quelle des Erscheinenden mit einer Passivität des transzendentalen Subjekts korreliert, die dann als nicht-intentionale Urhyle rekonstruiert werden kann.[15] Ein auf dieser Basis errichteter phänomenologischer Realismus käme einer Eigensabotage gleich, da das Reale, auf das dieser Realismus abzielte, nichts anderes als ein *gehaltloser ungestalteter Restbestand* wäre – nämlich das, was übrigbleibt, wenn man von der morphologischen Kraft des konstituierenden Bewusstseins absieht. Dies ist aber nicht das Reale, das in der Realismus-Debatte auf dem Spiel steht. Worum es in dieser Debatte geht, ist vielmehr, ob dem Menschen etwas zugänglich ist, was man mit Sandra Lehmann „absoluten Gehalt"[16] nennen kann, und gegebenenfalls, wie dieser absolute Gehalt näher zu bestimmen ist.

Bevor wir auf die Resultate einer phänomenologischen Analyse der Realitätsgegebenheit (dritter Abschnitt) und einer darauf aufbauenden metaphänomeno-

---

13 Hua III/1, S. 106.

14 Vgl. Max Scheler, „Idealismus – Realismus", in Späte Schriften, GW IX, ed. Manfred S. Frings, Bern, Francke, 1976, S. 185-186, 203-204.

15 Vgl. z.B. den Beitrag von Irene Breuer in diesem Band.

16 Siehe ihren Beitrag in diesem Band.

logischen Theorie der phänomenologischen Epoché und Reduktion (vierter Abschnitt) eingehen, sei an dieser Stelle die metaphysische Alternativposition bezeichnet, auf die die hier geführte Diskussion des phänomenologischen Korrelationismus im Ausgang von seinen neorealistischen Kritikern hinausläuft. Wie gesehen, besteht das Problem des korrelationsindifferenten Sinns von Realität darin, zu erklären, wie wir zu diesem Sinn Zugang haben können. Eine Lösung erhalten wir dadurch, dass wir die unbegründete Prämisse, dass die Erscheinensrelation das Absolutsein des Erscheinenden von vornherein exkludiert, fallen lassen. Das ist aber seinerseits kein willkürlicher Akt, sondern gut begründbar. Die erwähnte Prämisse ist zurückzuweisen, da in ihr der essenziell relationale Charakter *des Erscheinens* mit einer Behauptung über den essenziell relationalen Charakter *des Erscheinenden* gleichgesetzt wird. Diese Gleichsetzung ist jedoch unstatthaft, da sie ohne Grund die Gegebenheitsweise (relational!) mit der Seinsart (relational?) in eins fallen lässt. Denn auch wenn eine phänomenologische Analyse immer davon ausgeht, dass sich eine Seinsart in einer Gegebenheitsweise ausweisen lassen muss, heißt das nicht, dass der Differenz zwischen der Seinsart des Erscheinenden und seiner Gegebenheitsweise im Erscheinen kein Sinn mehr beigemessen werden kann und darf. So zeigt sich eine *Neutralität* oder *Indifferenz* der Erscheinensrelation hinsichtlich der Seinsart des in ihr Erscheinenden: Eine Gegebenheit im Erscheinen präjudiziert nicht, ob das, was in ihr erscheint, etwas bloß Relationales oder aber etwas Absolutes ist. Auf dieser Basis wird der Begriff eines *absoluten Erscheinenden* zu einer realen (d.h. sachlich bestimmten, nicht bloß denkbaren) *phänomenologischen Möglichkeit*.[17]

Die daraus abzuleitende metaphysische Position, für die ich eintrete, möchte ich als *fragilen Korrelationismus* bezeichnen. Sie ist die von Meillassoux unterschlagene Option des Korrelationismus und besagt, dass die genannte Möglichkeit, das Erscheinen des absoluten Realen, *kontingenterweise verwirklicht* ist. Dieser Korrelationismus ist als „fragil" zu qualifizieren, da das Erscheinen des absoluten Realen nicht durch eine metaphänomenale Notwendigkeit abgesichert ist. Das heißt, die Relation zwischen Erscheinen und absolutem Realen könnte sich auch anders gestalten; dennoch haben wir keine Mittel, um dem Faktum des Erscheinens des absoluten Realen (*wenn* es erscheint) einen Wahrscheinlichkeitswert zuzuschreiben.

Es ist aufschlussreich, dass der fragile Korrelationismus je nach Perspektive als „starker" oder als „schwacher" Korrelationismus erscheint, wobei allerdings zu

---

[17] Diese metaphänomenologische Überlegung ist wichtig, um die grundsätzliche Berechtigung einer Phänomenologie des Absoluten (auch, aber nicht nur im Sinne einer Religionsphänomenologie) einzusehen. Eine solche Phänomenologie hat in phänomenologischen Analysen darzulegen, dass das absolute Erscheinende seine eigene Logik des Zur-Erscheinung-Kommens hat und auf welche Weise es von daher von einem nicht-absoluten Erscheinenden unterscheidbar ist. Dafür haben mehrere Phänomenologen die Herausarbeitung einer ausgezeichneten Gegebenheitsweise vorgeschlagen, die sie verschieden charakterisieren und bezeichnen (Max Scheler: „Offenbarung"; Jean-Luc Marion: „Saturation"; Anthony J. Steinbock: „Vertikalität"; Bernhard Waldenfels: „Pathos und Response").

beachten ist, dass diese Meilllassoux'schen Termini im Rahmen des fragilen Korrelationismus einen modifizierten Sinn annehmen. Der fragile Korrelationismus ist stark, insofern er das Erscheinen von etwas Absolutem als verwirklichte Möglichkeit bejaht. Die *Stärke* bemisst sich hier also nicht wie bei Meillassoux an der Verabsolutierung der Korrelation,[18] sondern an der *Absolutheit des Erscheinenden*. Der fragile Korrelationismus ist aber zugleich schwach, und dies sogar in einem doppelten Sinn: Erstens ist das Erscheinen von etwas Absolutem nicht modallogisch (als eine Form von „Notwendigkeit") bestimmbar. Zweitens hat dieses Erscheinen die Eigenart, dass die Seinsart des Erscheinenden nicht mit seiner Gegebenheitsweise im Erscheinen koinzidiert. Letzteres bedeutet, dass das tatsächliche Erscheinen eines Absoluten immer mit einer *Grenze des Erscheinens* gekoppelt ist, die man je nach Perspektive als seinen Entzug oder als seinen Überschuss auslegen kann. Diese Grenze ist variabel und bemisst sich am Fassungsvermögen dessen, dem das Absolute erscheint. Also besteht auch hier ein Unterschied zu Meillassouxs Terminus: Die *Schwäche* des fragilen Korrelationismus bemisst sich nicht wie bei Meillassoux daran, dass noch etwas Absolutes denkbar ist, ohne jedoch jemals erscheinen zu können,[19] sondern daran, dass etwas in seinem Erscheinen über das Erscheinen hinausweist.

3. Phänomenologie der Realitätsgegebenheit

Wie schon bemerkt, reicht es jedoch zur Etablierung eines wohlbegründeten phänomenologischen Realismus nicht aus, das Problem des Zugangs zum korrelationsindifferenten Sinn von Realität nur auf prinzipieller metaphysischer Ebene zu lösen. Es bedarf auch einer phänomenologischen Ausweisung des absoluten Realen, d.h. seiner Rechtfertigung im Zuge einer Analyse seiner Gegebenheit. Zu diesem Zweck ist es aber auch nicht nötig, auf die besondere Gegebenheitsweise eines *außerordentlichen* absoluten Realen abzustellen.[20] Denn es gibt eine alternative Strategie, die darin besteht, in der Analyse der Gegebenheit eines beliebigen Realen die *Absolutheit der Realität als solcher* herauszustellen.

Mit Max Scheler lassen sich drei wichtige Ergebnisse einer solchen Analyse festhalten. Erstens, das Realitätsmoment gibt sich im Erleben eines *Widerstandes* seitens des Erscheinenden.[21] Dies ist so zu verstehen, dass das betreffende Erschei-

---

[18] Vgl. Quentin Meillassoux, Nach der Endlichkeit, op. cit., S. 58.

[19] Vgl. Ebd., S. 55.

[20] Siehe Fußnote 335.

[21] Vgl. Max Scheler, „Idealismus – Realismus", op. cit., S. 208-215. Nicolai Hartmann hat in einem Vortrag von 1931 diese Analyse Schelers aufgegriffen und um einige zusätzliche Dimensionen der Realitätsgegebenheit in „emotional-transzendenten" Akten bereichert: Nicolai Hartmann, „Zum Problem der Realitätsgegebenheit", in Nicolai Hartmann. Studien zur Neuen Ontologie und Anthropologie, ed. Gerald Hartung und Matthias Wunsch, Berlin, de Gruyter, 2014, S. 180-205. Siehe dazu den Beitrag von Bianka Boros in diesem Band.

nende in seiner Seinsart gegenüber seiner Gegebenheit im Erscheinen widerständig ist und dass diese Widerständigkeit im gegenständlichen Erscheinen mit zur Erscheinung kommt. Das heißt, immer dann, wenn sich innerhalb des Erscheinungsprozesses die Differenz zwischen Erscheinen und Erscheinendem meldet und sich die Seinsart des Erscheinenden als eigensinnig erweist, wissen wir, dass wir es mit einem korrelationsindifferenten und daher absoluten Realen zu tun haben.

Das zweite wichtige Ergebnis von Schelers Analyse ist, dass diese absolute Realitätsgegebenheit *sphärenneutral* ist.[22] „Sphäre" ist Schelers Begriff für verschiedene irreduzible Sinnfelder der Wirklichkeit, wobei er besonders zwischen der physischen Sphäre, der eigenpsychischen Sphäre, der fremdpsychischen Sphäre, der Sphäre des Lebendigen und der Sphäre des (außerordentlichen) Absoluten unterscheidet.[23] Scheler betont nun, dass Realitätsgegebenheiten der beschriebenen Art in *allen* Sphären auftreten. Das heißt insbesondere, dass das Phänomen des Widerstandes, das das Realitätsmoment vermittelt, nicht an einen materiellen Prozess in der physischen Sphäre gebunden ist und dass es zum Beispiel auch Widerständigkeiten gibt, die sich rein in der psychischen Sphäre manifestieren (dies wäre die Stelle für eine phänomenologische Grundlegung der Psychoanalyse). Das Phänomen der Realitätsgegebenheit erhält je nach Sphäre eine andere Spezifikation. Es ist deshalb im Sinne eines *sphärenneutralen Realismus* nicht angemessen, eine spezifische Form der Realitätsgegebenheit – zum Beispiel die von der physischen Sphäre her bestimmte „Anzestralität"[24] – als generellen Maßstab für das absolute Reale einzusetzen. Die Sphärenneutralität bedeutet ferner, dass das absolute Reale – um es mit einem Terminus von Jean-Luc Marion zu sagen – *banal* ist.[25] Das will sagen, dass die Erfahrung von Widerständigkeit in allen Sphären nicht selten, sondern *ubiquitär* gemacht werden kann. Da die Wirklichkeiten, in denen wir leben, stets von Widerständigkeiten verschiedener Art durchsetzt sind, ist es mehr eine Frage der Einstellung des erfahrenden Subjekts, ob ein absolutes Reales für es zugänglich wird oder nicht.

Die so verstandene Banalität der absoluten Realitätsgegebenheit ist mit einem dritten wichtigen Ergebnis von Schelers Analyse verknüpft. Da nämlich die Differenz zwischen Erscheinen und Erscheinendem mit *jedem* intentionalen Erscheinen zumindest in einem graduell sich abstufenden Minimum gegeben ist, wird man die Ubiquität des Auftretens des absoluten Realen darauf zurückführen müssen, dass die Erfahrung einer (minimalen) Absolutheit überhaupt zum Wesen der

---

[22] Vgl. Max Scheler, „Idealismus – Realismus", op. cit., S. 194-196.

[23] Vgl. z.B. Max Scheler, „Probleme der Religion", in Vom Ewigen im Menschen, GW V, ed. Maria Scheler, Bern, Francke, 5. Aufl. 1968, S. 258. Da Scheler den Begriff des Absoluten für die letztgenannte metaphysisch-religiöse Sphäre reserviert, wird bei ihm der sphärenneutrale Begriff des Realen nicht als „absolut" gekennzeichnet. Im Anschluss an Meillassoux möchte ich für diesen Sachverhalt aber den Begriff des absoluten Realen verwenden.

[24] Quentin Meillassoux, Nach der Endlichkeit, op. cit., S. 13.

[25] Jean-Luc Marion, „La banalité de la saturation", in Le visible et le révélé, Paris, Cerf, 2010, S. 143-182.

Intentionalität gehört. Dieses Wesen ist mit Scheler aus diesem Grund als *ekstatisch* zu bestimmen. Denn die hier mit der Intentionalität assoziierte Absolutheit ist natürlich nicht die von Husserl in den *Ideen I* gemeinte (die Absolutheit des intentionalen Bewusstseins im Gegensatz zur Seinsrelativität der intendierten Welt)[26], sondern gerade umgekehrt die Absolutheit des Erscheinenden, zu der wir nur vermöge des ekstatischen Charakters der Intentionalität Zugang haben. Scheler unterscheidet demgemäß zwei genetische Schichten des intentionalen Bezugs, das „*vorgängige* ekstatische Haben"[27] einerseits, das reflexive Bewusstsein andererseits. Er stellt dazu die folgende These auf: „[D]er primär *ekstatisch erlebte* Widerstand ist es, der den actus der Re-flexio erst herbeiführt, durch den der Triebimpuls erst *bewußtseinsfähig* wird."[28] Die Beugung, die das Bewusstsein erst Bewusstsein werden lässt, ist demnach an eine Widerstandserfahrung gebunden, die wiederum die Gegebenheit eines *triebintentionalen* Vollzugs voraussetzt. Das heißt aber, dass sich das Erscheinensgeschehen, in dem sich absolute Realität kundtut, von seiner Vermittlung durch das reflexive Bewusstsein ablösen können lassen muss (siehe dazu den nächsten Abschnitt). Der ekstatische Wesenscharakter der Intentionalität bedeutet letztlich, dass reflexionsfähiges Bewusstsein keine phänomenologische „Urtatsache" darstellt, sondern nur den Status einer Problemanzeige hat, dem durch eine generative Phänomenologie begegnet werden muss, die bei Scheler aber nur in groben Strichen angedeutet ist. Beim idealistisch verteidigten „Satz von der ursprünglichen Bewusstseinsimmanenz alles Gegebenen"[29] handelt es sich um eine reflexive Täuschung, die durch die Einsicht in den ursprünglich ekstatischen Charakter der Intentionalität und die generative Erforschung dieser Grundschicht aufgelöst werden kann.

Zusammenfassend kann man die *Realität-gebende* Korrelation als noetisch-noematische Korrelation von Widerstand und Überschuss kennzeichnen. Was auf noetischer Seite als ein Widerstand (bzw. Entzug) seitens des Erscheinenden erlebt wird, ist auf noematischer Seite als ein Überschuss des Seins des Erscheinenden gegenüber seinem Erscheinen zu charakterisieren. Aus dieser korrelationistischen Klärung des Sinns dessen, was es heißt, dass etwas „absolut real" ist, ergibt sich ferner auch eine Klärung des Sinns der Rede von einer „bewusstseins- oder geist*unabhängigen* Realität der Außenwelt", die sowohl dem klassischen metaphysischen als auch dem spekulativen Realismus als treibende Vorstellung zugrunde liegt. „Unabhängig" heißt auf Basis der Analyse der Realitätsgegebenheit nicht das, dessen Sein jede Relation (z.B. die Korrelationalität des Erscheinens) von sich *ausschließt*, sondern vielmehr das, dessen Sein sich als gegenüber jeder Relation *gleichgültig* erweist.[30] Diesen Sachverhalt kann man als die *korrelationelle Indifferenz* des absoluten Realen bezeichnen, die sich in seinem Erscheinen manifestiert.

---

26 Vgl. Hua III/1, S. 103-106.

27 Max Scheler, „Idealismus – Realismus", op. cit., S. 208.

28 Ebd. S. 214.

29 Max Scheler, „Idealismus – Realismus", op. cit., S. 208.

30 Vgl. Ebd., S. 203-204; Nicolai Hartmann, „Zum Problem der Realitätsgegebenheit", op. cit., S. 184.

Die Tragfähigkeit jeder Spielart des Idealismus und Realismus bemisst sich daran, ob sie sich diesem *Realitätsphänomen* der korrelationellen Indifferenz gewachsen zeigt.

4. Die doppelte Epoché als Methode des phänomenologischen Realismus

Zuletzt bleibt die Frage, wie das korrelationsindifferente Erscheinen, dem oben die präreflexive ekstatische Grundschicht der Intentionalität zugeordnet wurde, zugänglich werden kann. Handelt es sich hier nicht um ein theoretisches Konstrukt, das für die Praxis der reflexiven phänomenologischen Analyse keinerlei Unterschied bedeutet? Der Einwand lautet, dass die korrelationelle Indifferenz zwar metaphänomenologisch *behauptet* (und vielleicht sogar wohlbegründet ist), aber dass ihr Erscheinen *nicht gezeigt* werden kann, da alles Sich-Zeigen sich in einem reflexiven korrelationellen Zirkel bewegen muss. Es ist also eine Sache, den präreflexiven ekstatischen Charakter der Intentionalität zu behaupten, jedoch eine ganz andere, sich ihren ekstatischen Vollzug aus reflexiver Warte kompräsent zu erschließen.

Um die Realisierbarkeit dieser Möglichkeit zu erörtern, ist es nötig, auf das Herzstück der phänomenologischen Methode, die Theorie der Epoché und Reduktion, zurückzukommen. Dabei ist es nützlich, von Jan Patočkas Idee einer „asubjektiven" Phänomenologie auszugehen. Patočka weist in seiner von Heidegger inspirierten Husserl-Kritik auf die idealistischen Weichenstellungen hin, die zu einer „künstlichen Subjektivierung des Phänomenalen"[31] geführt haben, und formuliert das Gegenprogramm einer asubjektiven Phänomenologie:

> Es wäre vielleicht als ein Vermächtnis des Schöpfers der Phänomenologie zu betrachten, diese Katharsis des Phänomenalen wirklich durchzuführen und der Phänomenologie dadurch den Sinn einer Erforschung des Erscheinens als eines solchen zurückzugeben, wie er vielleicht die ursprüngliche Intention ihres Urhebers bildete.[32]

Bei Patočka führt dies zu einer auf der Transzendenz des Daseins gegründeten externalistischen Lehre des Erscheinens. Dabei werden jedoch das Realitätsphänomen der korrelationellen Indifferenz und das Problem des Zugangs zu ihm nicht eigens bedacht. Um hier voranzukommen, benötigen wir eine Operationalisierung, wie sie Husserls Theorie der Epoché und Reduktion leisten möchte.

Husserls Ansatz einer methodischen Lösung hat den Vorzug, dass er über die Epoché und Reduktion einen Realismus-tauglichen Sinnbegriff einführt. Denn durch die Ausschaltung der „Generalthesis" der natürlichen Einstellung, die die

---

[31] Jan Patočka, „Der Subjektivismus der Husserlschen und die Möglichkeit einer ‚asubjektiven' Phänomenologie", in Die Bewegung der menschlichen Existenz. Phänomenologische Schriften II, ed. Klaus Nellen et al., Stuttgart, Klett-Cotta, 1991, S. 282.

[32] Ibid., S. 282.

Welt als sinnlosen Bestand versteht, geschieht eine „außerordentliche und doch in ihrer Art zulässige Erweiterung“[33] des Sinnbegriffs, indem für die phänomenologische Analyse alles Sein in seinem *Seinssinn* fassbar wird. Das Problem von Husserls Ansatz besteht einzig in der „künstlichen Subjektivierung“ dieses phänomenalen Sinnfeldes, wie sie im hervorgehobenen Halbsatz des folgenden Zitats zum Ausdruck kommt: „Alle realen Einheiten sind ‚Einheiten des Sinnes‘. [...] die Welt selbst [hat] ihr ganzes Sein als einen gewissen ‚Sinn‘, *der absolutes Bewußtsein, als Feld der Sinngebung, voraussetzt.*“[34] Die hier von Husserl wie selbstverständlich genannte Voraussetzung der *Bewusstseinsabhängigkeit des Seinssinns* ist nun genau der fragliche Punkt. Es scheint, dass Husserl zu dieser Auffassung kommt, weil er die „Neutralisierungsmodifikation“[35], die die Epoché leistet, *einseitig*, nämlich nur auf der Seite des Erscheinenden, vollzieht. Durch eine *doppelseitige* Neutralisierungsmodifikation des Erscheinens, die sich auch auf der Seite des Subjekts des Erscheinens auswirkt, erschließt sich hingegen der Begriff eines Seinssinns im Erscheinen, der sich gegenüber seinem Erscheinen-für-ein-Bewusstsein *indifferent* verhält.

Die hiermit angedeutete Prozedur der *doppelten Epoché* muss noch etwas eingehender erläutert werden.[36] Die Funktion der Epoché ist es, den Sinn der Erscheinensrelation so abzuwandeln, dass sie eine ontologisch maximal relevante phänomenologische Analyse ermöglicht. Dies impliziert, dass sich das phänomenologische „Erscheinen“ nicht einfach von selbst versteht, sondern einer philosophischen Technik des künstlich induzierten spezifischen *Anders-Sehens* der Wirklichkeit bedarf. Die Epoché hat einen in diesem Sinne „reduzierten“ Begriff des Erscheinens zum Ziel, der es uns erlaubt, den Seinssinn der absoluten Realität in phänomenologischer Analyse zu erschließen. Der *erste Schritt* ist der von Husserl her bekannte und besteht in der Neutralisierung des Erscheinenden. Eingeklammert wird die Vorstellung einer *Realität ohne Sinn*, eines Gegenstandes, der als bloßer sinnloser Bestand vorliegt („naiver Realismus“). Zu beachten ist aber, dass diese Reduktion *nicht* das Sein des Erscheinenden einklammert und also die Differenz zwischen Seinsart und manifestem Erscheinen nivelliert. Ganz im Gegenteil erfüllt dieser erste Schritt die Aufgabe, das Sein als Sinn allererst thematisierbar zu machen. Neutralisiert wird also nicht das Sein der Welt, sondern lediglich der Schein der *fertigen*, d.h. von Sinn unberührten und unberührbaren, Welt. Mit diesem Schritt ist der Weltprozess als ein Erscheinen für das Bewusstsein erschlossen.

Der *zweite Schritt*, der über Husserl hinausgeht und eine realistische Wende im Verständnis des Erscheinensprozesses mit sich bringt, bearbeitet den Sinn des *Erscheinens-für*, in dem sich der erste Schritt vollendet hat. Neutralisiert wird im

---

[33] Hua III/1, S. 121.

[34] Ibid., S. 120-121 (Hervorheb. P.G.).

[35] Ibid., S. 268.

[36] Vgl. Peter Gaitsch, „Die Sinnfeldontologie als phänomenologischer Realismus“, in Eine Diskussion mit Markus Gabriel. Aktuelle Positionen zum Neuen Realismus, hrsg. Peter Gaitsch, Sandra Lehmann und Philipp Schmidt, Wien, Turia + Kant, 2017, S. 50-53.

zweiten Schritt das Subjekt des Erscheinens und damit die Vorstellung eines *Sinns ohne Realität*, d.h., eines absoluten Bewusstseins, das sich gegenüber der Weltvernichtung indifferent verhielte.[37] Hier ist zu beachten, dass die im zweiten Schritt zu vollziehende Neutralisierungsmodifkation des Subjekts des Erscheinens nicht einfach eine Entmenschlichung, Universalisierung und Transzendentalisierung der Subjektinstanz bedeutet, sondern den Standpunkt der korrelationellen Indifferenz in den Sinn des Erscheinensprozesses einführt. Das bedeutet, dass es im Prozess des Zur-Erscheinung-Kommens bestimmter Phänomene (denjenigen der absoluten Realität) ontologisch nicht mehr darauf ankommt, ob sie sich für mich zeigen oder nicht. Das „für mich", das den faktischen Ausgangspunkt für die Möglichkeit einer phänomenologischen Analyse bildet, wird indifferent und taugt daher nicht mehr als Instanz der Sinnkonstitution. Erst auf dieser Basis kann man sinnvoll sagen, dass nicht alles, was *sich gibt* (d.h., was sich im Prozess des Zur-Erscheinung-kommens befindet), in einem *Sich-Zeigen* (d.h., in einem Sichtbarwerden für ein Subjekt) terminiert.[38] Das Subjekt findet sich depotenziert zu einem *Teilhaber* an einem Erscheinungsgeschehen, das nicht an ihm hängt. Neutralisiert wird damit auch der Schein des *fertigen*, d.h, reflexiv in sich gründenden, Subjekts, das den Boden für alles Erscheinen bereitet. Mit diesem zweiten Schritt erreicht das reflexive Bewusstsein die ekstatische Grundschicht seiner Intentionalität.

Zusammenfassend kann man davon sprechen, dass die doppelte Epoché die Voraussetzung dafür bereitstellt, das Sein in phänomenologischen Analysen als *Weltinnenraum* zu erschließen, wobei der erste Schritt das „Innen" und der zweite Schritt den „Welt"-Charakter eröffnet. Im Gedicht, in dem Rilke das Wort „Weltinnenraum" verwendet, heißt es: „Was haben wir seit Anbeginn erfahren, / als dass sich eins im anderen erkennt? / Als dass an uns Gleichgültiges erwarmt?" Der Dichter vergisst in seinem emphatischen Ausdruck der Korrelationalität *fast* allen Seins („Es winkt zur Fühlung fast aus allen Dingen") also nicht, auf die korrelationelle Indifferenz („Gleichgültiges") hinzuweisen, durch die das absolute Reale gekennzeichnet ist.

Mit der doppelten Epoché verfügen wir nun zumindest über das Schema einer phänomenologischen Technik, die es uns gestatten könnte, phänomenologische Einzelanalysen durchzuführen, deren Geltung sich diesseits und jenseits des korrelationellen Zirkels bewegt. In solchen Analysen muss sich der hier skizzierte

---

[37] Vgl. Hua III/1, S. 103-106.

[38] Vgl. Jean-Luc Marion, Gegeben sei. Entwurf einer Phänomenologie der Gegebenheit, Freiburg, Alber, 2015, S. 15.

phänomenologische Realismus konkretisieren und bewähren. Sinnvolle Realisierungsfelder für diesen Ansatz scheinen dabei unter anderem die Religionsphilosophie[39], aber auch die philosophische Biologie[40] zu sein.

---

[39] Das Ziel einer phänomenologischen Religionsphilosophie ist dann unter anderem die Kriterien-generierende Beschreibung der spezifischen Erscheinungsweise eines religiös stimmenden „Gegenstandes", der nur einen besonderen Fall von absolutem (= korrelationell indifferentem) Realen darstellt. Für weiterführende Hinweise siehe Fußnote 335.

[40] Die philosophische Biologie muss sich unter anderem mit dem biologischen Anzestralen, d.h., dem Erscheinen des Lebens unabhängig von menschlichem Bewusstsein, auseinandersetzen. Der Zugang dazu stellt ein Problem dar, da wir uns phänomenologisch „Leben" ausgehend vom eigenen Erleben erschließen müssen. Das Phänomen des Lebens fordert deshalb eine Selbstüberschreitung der transzendentalen Phänomenologie in Richtung einer biologischen Generativität. Zu Ansätzen dazu vgl. Anthony J. Steinbock, "Generativity and the Scope of Generative Phenomenology", in The New Husserl: A Critical Reader, ed. Donn Welton, Bloomington, Indiana University Press, 2003, S. 289-325; Ramsey Affifi, "Generativity in biology", in Phenomenology and the Cognitive Sciences, 14, 2015, S. 149-162; Peter Gaitsch und Sebastjan Vörös, "Husserl's Somatology Reconsidered: Leib as a Methodological Guide for the Explication of (Plant) Life", in Phainomena, 98-99, 2016, S. 203-227.

Realität: Vorgabe oder Aufgabe?
Nicolai Hartmann über Transzendente Akte

Bianka Boros

Einleitung

„Die Wendung der Philosophie der Gegenwart zur Ontologie und zum Realismus" – das Thema der Generalversammlung der Kant-Gesellschaft aus dem Jahr 1931 klingt wieder aktuell. Die spekulativen Realisten, Ray Brassier, Iain Hamilton Grant, Quentin Meillassoux und Graham Harman haben ihre erste Tagung – inspiriert von Meillassoux' Werk *Aprés la finitude*[1] – in 2006 in London gehalten.[2] Ein anderer wichtiger Meilenstein war die Erscheinung von Maurizio Ferraris' *Manifesto del nuovo Realismo*[3] in 2012 und Markus Gabriels *Warum es die Welt nicht gibt?*[4] in 2013. Darauf folgte die Konferenz *Aussichten für einen Neuen Realismus* in 2013 in Bonn und die Reihe der Tagungen setzt sich fort.

Es wäre besonders wichtig, in dieser Debatte auch einen Autor zu Wort kommen zu lassen, der die Grundlagen einer realistischen Position mit der Methode der *aporetischen Phänomenologie* aufzudecken erzielt. Dieser Autor ist Nicolai Hartmann, dessen Vortrag *Zum Problem der Realitätsgegebenheit* die Realismus-Tagung im Jahr 1931 eröffnete. Seine Hauptthese besagt, dass ausschließlich die ontologische Anschauung die richtige Fassung des Erkenntnisverhältnisses liefern kann, wobei das Erkenntnisverhältnis aufgrund seiner Einbettung im Lebenszusammenhang als ein Seinsverhältnis aufgefasst wird.

Der vorliegende Aufsatz beschäftigt sich hauptsächlich mit Hartmanns Analyse der transzendenten Akte, insbesondere hinsichtlich seiner Darlegung des *Widerstandserlebnisses* – eines Begriffs, welcher auch von Maurizio Ferraris im *Argument der Widerständigkeit* hervorgehoben wurde. Obwohl hier eine längere Begriffsgeschichte vorliegt, lohnt es sich in erster Linie Hartmanns Auslegung nachzugehen, da er den Begriff in einem weiteren Kontext, innerhalb der systematischen Darstellung der emotional-transzendenten Akte anführt. Hartmanns – sich

---

1 Quentin Meillassoux, Après la finitude: Essai sur la nécessité de la contingence, Paris, Seuil, 2006.

2 Levi Briant, Nick Srnicek und Graham Harman, The Speculative Turn. Continental Materialism and Realism, Melbourne, re.press, 2011.

3 Maurizio Ferraris, Manifesto del nuovo Realismo, Rom, Laterzia & Figli, 2012.

4 Markus Gabriel, Warum es die Welt nicht gibt?, Berlin, Ullstein, 2013.

als „Realismus ohne *Ismus*“ bezeichnende – Position wird in ständiger Rücksprache an Ferraris‘ Überlegungen zum Neuen Realismus behandelt.

1. Mögliche Gegner und die kopernikanische Gegenwende

Dafür, wie ein bestimmter realistischer Standpunkt überhaupt verstanden werden kann und soll, ist natürlich die jeweilige Gegenposition ausschlaggebend. Ferraris hebt den *Konstruktivismus*[5] als den Grundgedanken antirealistischer Strömungen hervor. Er identifiziert zwei Grundthesen dieser auf Descartes und Kant gründenden Position[6], welche von Nicolai Hartmann ebenfalls hervorgehoben wurden. Erstens erwähnt Ferraris die Behauptung, dass „wir eine direkte Beziehung zu unserem Cogito und eine vermittelte zur Welt haben“.[7] Dieser Gedanke wird von Hartmann *Satz des Bewusstseins* genannt; laut dem uns nur unsere Vorstellungen (unmittelbar) gegeben sind. Da das Bewusstsein nur seine Vorstellungen kennt, kann es anhand dieser nicht einsehen, ob ihnen etwas Reales entspricht oder nicht.

Die zweite Grundthese bei Ferraris ist, dass die Vermittlung „durch das Denken und die Sinne dazu führt, dass die gesamte Wirklichkeit sich irgendwie als geistabhängig offenbart“[8] (zumindest im Sinne einer *repräsentationalen Abhängigkeit)*. Diese These bezeichnet Hartmann als *korrelativistisches Vorurteil,* laut dem alles Seiende nichts Weiteres als Objekt des Subjekts ist. Die Idee im Allgemeinen, dass das Subjekt der zentrale Bezugspunkt der Erkenntnisrelation ist, hält Hartmann bloß für ein idealistisches Vorurteil, aus dem eine paradoxe, dem eigentlichen Erkenntnisproblem entgehende Erkenntnistheorie hervorgeht. Der Gedanke, dass es kein Erkenntnisobjekt ohne Erkenntnissubjekt gibt, negiert gerade den Sinn des Erkenntnisverhältnisses.

Beide Thesen beruhen laut Hartmann nach auf einer falschen Analyse der Erkenntnisrelation. Eine richtige Analyse basiert dagegen nach Hartmanns Ansicht auf der Distinktion zwischen *intentio obliqua* (reflektierte Einstellung) und *intentio recta* (natürliche, ontologische Einstellung).[9] Von der reflektierten Einstellung ausgehend erreicht man nur den Gegenstand, nicht aber das Seiende. Die richtige Fassung des Erkenntnisverhältnisses – als des Verhältnisses zwischen zwei Seienden – ist nur auf ontologischer Grundlage, aus der natürlichen Einstellung möglich.

Ferraris unternimmt eine analoge begriffliche Klärung zwischen Ontologie und Epistemologie, indem er eine Unterscheidung zwischen zwei Ebenen der

---

[5] In diesem Sinne ist das Objekt ein Ergebnis der Konstruktion des Subjekts.

[6] Von Ferraris „Deskant genannt“. Vgl. Maurizio Ferraris, „Was ist der Neue Realismus?“, in Der neue Realismus, ed. Markus Gabriel, Berlin, Suhrkamp, 2014, S. 55.

[7] Ebd., S. 56.

[8] Ebd.

[9] Vgl. auch: Bianka Boros, Selbstständigkeit in der Abhängigkeit. Nicolai Hartmanns Freiheitslehre, Würzburg, Ergon Verlag, 2015, S. 26-29.

Wirklichkeit einführt: die epistemologische Wirklichkeit (Realität) und die ontologische Wirklichkeit (Wirklichkeit, Außenwelt). Letztere bezieht sich darauf, was es gibt, unabhängig davon, ob wir es kennen. Erstere versteht Wirklichkeit damit verbunden, „was wir hinsichtlich dessen, was es gibt, zu wissen glauben"[10].

Hartmann selbst plädiert für eine auf der sogenannten *kopernikanischen Gegenwende* basierenden Einstellung, welche aus dem natürlichen Realismus hervorgehend das Erkenntnisverhältnis als eine Art *Seinsverhältnis* und die Erkenntnis als *transzendenter* Akt versteht.

> Die ontologische Umprägung der idealistischen Denkimmanenz des Seins in eine Seinsimmanenz des Denkens bedeutet die Umkehrung der „kopernikanischen Tat" Kants. [...] Die ontologische Umkehrung stellt die Analogie mit der kopernikanischen wieder her; sie gliedert die Vernunft in ein größeres Seinssystem ein, das sich nicht nach ihr richtet und bewegt, in welchem sie vielmehr selbst das Abhängige und Sekundäre ist. [...] Das allgemeine Schema dieser neuen Revolution, die [...] eine Rückkehr zur natürlichen Einstellung bedeutet, ist die Formel der Immanenz des Denkens im Sein, die Einbettung der ratio in das Irrationale.[11]

Die Spezialität von Hartmanns Kant-Deutung macht ihre Zielsetzung aus, den Kerngedanken der kantischen Position vom System des transzendentalen Idealismus abgelöst hervorzuheben und fortzusetzen. Die realistische Auffassung vom *Ding an sich* versteht Hartmann überdies als Kants ursprüngliche, problemorientierte Position. Außerdem interpretiert er Kants obersten Grundsatz als eine erkenntnistheoretisch neutrale These, laut der die (partielle) Identität von Erkenntnis- und Seinsprinzipien überhaupt die Bedingung der Erkennbarkeit der Gegenstände ist. Die These der partiellen Identität der Prinzipien ist für ihn ein *unvermeidliches Minimum an Metaphysik*[12]. Das Phänomen des Erkenntnisprogresses gründet sich darauf, dass Sein und Denken nur *teilweise* identisch sind. Die Sphäre des Erkennbaren befindet sich zwischen zwei Irrationalitäten, zwischen den irrationalen Momenten der Prinzipien und der partiellen Irrationalität der Gegenstände.[13]

---

10 Maurizio Ferraris, „Was ist der Neue Realismus?", op. cit., S. 60.

11 Nicolai Hartmann, Grundzüge einer Metaphysik der Erkenntnis, Berlin, Walter de Gruyter, 1965, S. 286-28.

12 Ebd., S. 368.

13 Es bedeutet nicht ein an sich sondern ein lediglich für uns Irrationales. Vgl. Nicolai Hartmann, „Über die Erkennbarkeit des Aprorischen", in Kleinere Schriften. Vom Neukantianismus Zur Ontologie, Band III., ed. Nicolai Hartmann, Berlin, Walter de Gruyter, 1958, S. 218f

Den Begriff der Irrationalität spielt Hartmann gegen die Marburger These der absoluten Erkennbarkeit aus. Dadurch gewinnt dieser Begriff eine solchermaßen zentrale Bedeutung, dass Hartmann später[14] bekennt, die Betonung des Irrationalitätsmomentes etwas übertrieben zu haben.[15] Die Rolle des Irrationalen ist es, auf die Grenze der Vernunfterkenntnis hinzudeuten.[16] Dem Irrationalen begegnen wir in bestimmter Angliederung an das Rationale".[17]; das „Rationale geht in Abstufungen ins Irrationale über".[18]

Der Gegenstand wird durch die Grenze der möglichen Objektion[19] in einen *endlichen*, objizierten Teil und einen *unendlichen*, transobjektiven Rest zerlegt.[20] Erkenntnis tendiert immer zu dem ganzen Gegenstand, wobei ebenso das *unendliche Transobjektive* inbegriffen ist. Die *partiale* Irrationalität des Gegenstandes ist gerade eine Voraussetzung des Erkenntnisvorgangs. Der objektivierte, erkennbare Teil des Gegenstandes ist in diesem Sinne bloß ein endlicher Ausschnitt; der Gegenstand weist auf eine unerschöpfliche Totalität, auf eine Unendlichkeit hin, welche Hartmann als eine *Totalität aller Bestimmtheiten* auffasst.[21] Dieser Unendlichkeitsbegriff wird sich dann unter der Lupe von Tengelyi[22] als eine *inkonsistente Vielheit*[23] erweisen, da von einer absoluten Totalität nur im Falle des *Endlichen* widerspruchslos zu reden ist. Hartmanns – über den kantischen potentiellen Unendlichkeitsbegriff hinausgehender – Begriff der *aktuellen und geschlossenen* Unendlichkeit wird von Tengelyi nach einer tiefgründigen Analyse verworfen. Tengelyi plädiert für eine – auf Husserls Einsichten aufbauende – Konzeption der *aktuellen und offenen* Unendlichkeit.[24]

---

14 In einem Brief an Meinong. Vgl Martin Morgenstern, „Vom Idealismus zur realistischen Ontologie. Das Frühwerk Nicolai Hartmanns", in Philosophia: E-Journal of Philosophy and Culture, 5, 2013.

15 László Tengelyi gibt eine tiefgreifende Analyse von Hartmanns Irrationalitätsbegriff, wobei er die „Unendlichkeitsthese als Prüfstein zur Beurteilung der realistischen Tendenz von Hartmanns kritischer Ontologie" verwertet. László Tengelyi, „Nicolai Hartmanns Umkehrung von Kants kopernikanischer Tat", in Philosophie nach Kant: Neue Wege Zum Verständnis von Kants Transzendental- Und Moralphilosophie, ed. Mario Egger, Berlin, de Gruyter, 2014, S. 658.

16 Vgl. Nicolai Hartmann, Metaphysik der Erkenntnis, op. cit., S. 238f.

17 Ebd., S. 269.

18 Ebd., S. 273.

19 Objektion bedeutet bei Hartmann, Erfasstwerden des Seienden, Erkenntnis des Transobjektiven.

20 Hartmann unterscheidet vier Schichten des Transzendenten: das Erkannte (Objectum), das zu Erkennende (Objiciendum), das Unerkannte (Transobjektive) und das Unerkennbare (Irrationale oder Transintelligible). Nicolai Hartmann, Metaphysik der Erkenntnis, op. cit., S. 88f.

21 Vgl. Ebd., S. 365.

22 Mit Bezugnahme auf Cantor. Vgl. László Tengelyi: „Nicolai Hartmanns Umkehrung", op. cit.

23 Vgl. Georg Cantor, Gesammelte Abhandlungen, Hildesheim, Olms, 1962, S. 443.

24 Weiteres siehe dazu in: Bianka Boros, „Weltentwurf und Unendlichkeit bei Nicolai Hartmann", in Welt und Unendlichkeit - ein deutsch-ungarischer Dialog in memoriam László

2. *Realismus ohne Ismus*

Hartmann versteht seinen Standpunkt als „Realismus ohne *Ismus*". Den Hintergrund dieser Bezeichnung bilden die Unterscheidung zwischen Systemdenken und Problemdenken[25] sowie die Distanzierung der drei Stufen philosophischer Forschung. Die Stufe der *Phänomenologie* bedeutet die getreue Beschreibung der Phänomene.[26] Auf dieser Ebene wird noch keine Theoriebildung vollzogen. Die zweite Stufe nennt Hartmann *Aporetik*, was eine sachgerechte Problemstellung und die Aufklärung der natürlichen Aporien[27] bedeutet. Erst drittens kommt die Stufe der *Theorie* – im Sinne vom reinen Schauen –, die noch immer nur die bloße Tendenz, aber keine Vorwegnahme des Systems bedeutet. Hartmann beabsichtigt in seiner Ontologie eine Position *Diesseits von Idealismus und Realismus* auszuarbeiten und vertritt eine dementsprechend neutrale Auffassung der Phänomene. Eine Entscheidung zwischen der Realismus-Idealismus Alternative wird erst bei der Interpretation des Immanenzphänomens fällig.[28]

> Wir stehen an der Grenze der Diesseitsstellung. Die Entscheidung über sie liegt bei der Art, wie man mit dem Immanenzphänomen zurechtkommt. Und es lässt sich weiter vorausnehmen: wenn dieses Phänomen sich nicht im Schein auflöst, wenn also der subjektive Idealismus Recht behält, so ist alle weitere Bemühung im ontologischen Felde gegenstandslos.[29]

Hartmann operiert mit einem erweiterten, dem natürlichen Realitätsbegriff nahestehenden Begriff der Realität, laut dem nicht nur die räumlich erfahrbaren Dinge real sind. „Er ist aber zugleich auch der natürliche Realitätsbegriff, der die ‚reale Welt' gar nicht anders kennt als in ihrer Einheitlichkeit, d.h. als diejenige, die das Heterogene stets verbunden und verflochten enthält: lebendige und leblose Mächte, geistige und dingliche Geschehnisse."[30] Natur und Geschichte verlaufen in derselben Realität. Materie und Geist haben die gleiche Seinsweise, beide sind durch Zeitlichkeit und Individualität gekennzeichnet. Im Gegensatz zu den materialistischen Auffassungen sind also nicht Quantität und Messbarkeit, sondern Prozess, Dauer und Gleichzeitigkeit für das Reale charakteristisch. Das Gegensatzpaar dieses Realitätsbegriffs wäre also das ideale Sein, gekennzeichnet durch

---

Tengelyi, hrsg. Markus Gabriel, Csaba Olay und Sebastian Ostritsch, Freiburg/München, Karl Alber Verlag, 2017.

25 Sytemkonstruierendes bzw. problemzentrisches Vorgehen.

26 Nicolai Hartmann, Metaphysik der Erkenntnis, op. cit., S. 36-40.

27 Nicolai Hartmann unterscheidet natürliche und künstliche Aporien, wobei letztere bloß aus den inneren Widersprüchen eines vorweggenommenen philosophischen Systems stammen. Natürliche Aporien liegen in den Phänomenen selbst und sind als solche im Grunde genommen unlösbar.

28 Vgl. Nicolai Hartmann, Zur Grundlegung der Ontologie, Berlin, Walter de Gruyter, 1965, S. 77.

29 Ebd.

30 Nicolai Hartmann, Zum Problem der Realitätsgegebenheit, Berlin, Pan-Verlagsgesellschaft M.B.H., 1931, S. 8.

Überzeitlichkeit, Zeitlosigkeit, Allgemeinheit. Personen haben genau dieselbe Realität wie materielle Gegenstände. Menschen haben für uns zwar eine größere Wichtigkeit bzw. unsere Verhältnisse zu Menschen sind weit komplizierter, als die zu den Dingen – dieser Unterschied gründet sich jedoch nicht auf die Differenz der Seinsweisen.

In Hartmanns Interpretation sind naive, wissenschaftliche und ontologische Einstellung im Grunde genommen dasselbe, diese Weltbilder gehen kontinuierlich ineinander über. Hartmanns Konzeption bietet uns eine Vereinigung des wissenschaftlichen und Common-Sense-Realismus von der Art dar, wie sie Mario de Caro verlangt.[31]

Hartmanns Realismuskonzeption deckt sich nur teilweise mit dem Standpunkt des natürlichen (naiven) Realismus. Letzterer beinhaltet nämlich zwei Grundthesen: die *Realitätsthese* und die *Adäquatheitsthese*. Die erste These, welche besagt, dass die Gegenstände unabhängig von ihrem Erkanntwerden existieren, spielt auch bei Hartmann eine zentrale Rolle. Er nimmt aber bloß ein *partielles* Deckungsverhältnis zwischen Erkenntnis und Gegenstand an und bestreitet damit die zweite These.[32]

3. Objektivität und Selbsterkenntnis

Hartmann unterscheidet mehrere Stufen und Arten empirischer Gegebenheit. Die Gegenstände der zwei äußeren Schichten (der anorganischen bzw. der geistigen Schicht)[33] sind am besten zugänglich. Anorganische Gegenstände bieten sich für die fünf Sinne unmittelbar an, solange die geistige Schicht die unmittelbare Lebenssphäre des Geistes ausmacht. Im Falle der seelischen Schicht wird das sogenannte *Im-Wege-stehen-des-Ichs* zum Problem, da während des Erlebens seelischer Vorgänge das Bewusstsein sich nicht auf sich selbst richtet. Bei der organischen Schicht stehen zwei mögliche Perspektiven (innere und äußere) zur Verfügung. Obwohl die Innenperspektive unmittelbare Gewissheit bietet, ist diese zugleich arm an Inhalt. Die äußere Perspektive bietet dagegen eine inhaltsreiche und objektive, jedoch bloß vermittelte Gegebenheit.

Objektivität besteht nämlich gerade in der Distanz zu den Dingen.[34] Diese wird nur dann erreicht, wenn der Mensch die Dinge nicht mehr bloß auf seine Triebe relativiert, sondern die Dinge ihn als solche interessieren, wie sie *an sich* sind.[35] Der Mensch erfährt sich durch die Objektion als *Subjekt der Objekte*. Dem-

---

[31] Mario De Caro, „Zwei Spielarten des Realismus“, in Der neue Realismus, ed. Markus Gabriel, Berlin, Suhrkamp, 2014, S. 19-33.

[32] Vgl. Nicolai Hartmann, Metaphysik der Erkenntnis, op. cit., S. 188.

[33] Hartmann unterscheidet die anorganische, organische, seelische und geistige Schicht.

[34] Vgl. Nicolai Hartmann, Das Problem des Geistigen Seins, Berlin, Walter de Gruyter, 1962, S. 111.

[35] Das dienende Bewusstsein wird zum gegenständlichen Bewusstsein.

entsprechend ist das Selbstbewusstsein in Hartmanns Interpretation ein vermitteltes und dies gilt auch für das *Ich.* Diese unbewusste Vermitteltheit nennt Hartmann *vermittelte Unmittelbarkeit.*[36] Obwohl die Sonderstellung des geistigen Individuums es ermöglicht, unmittelbar sich selbst zu erfassen, steht das Ich trotzdem auf eine bestimmte Weise sich selbst im Weg.[37] Das Ich kann nicht gleichzeitig Subjekt und Objekt der Betrachtung sein, weil es sich selbst nicht verlassen kann – demzufolge kann es nicht als *Gegenstehendes* erscheinen. Dies bedeutet, dass das Subjekt nicht vollständig Objekt werden kann.[38]

In diesem Punkt wird die Begriffsunterscheidung zwischen Reflexivität und Selbstbewusstsein wichtig. „Es liegt keineswegs im Wesen des personalen Geistes, sein eigenes Objekt zu sein. Wohl aber liegt es in seinem Wesen, in aller Bezogenheit auf anderes eine gewisse Rückbezogenheit auf sich selbst zu haben. Er hat Reflexivität."[39] Reflexivität wird als „Mitgegebensein des eigenen Personseins selbst, ohne Wissen um dessen Beschaffenheit"[40] definiert. Diese inhaltslose Reflexivität bedeutet noch keine Distanz, keine Objektivität, sondern ein *bloßes Sich-Fühlen*, ein *Gegebensein ohne Gegenständlichkeit.*[41] Dementgegen wird Selbsterkenntnis gerade durch das Verhältnis zur Außenwelt vermittelt und beinhaltet überdies eine Spezialform des *Betroffenseins,* ein „Zurückgeworfensein auf sich selbst."[42] Identität (in der Zeit) und Selbsterkenntnis stehen miteinander in einem Wechselverhältnis, wobei die Person sich in dem ständigen Außer-sich-Sein und in der Selbstidentifizierung äußert.

Selbsterkenntnis hält Hartmann für das letzte und schwerwiegendste Problem, da das Bewusstsein ursprünglich auf die Gegenstände gerichtet ist.[43] „Das personale Innenwesen des Menschen, der Träger und Vollzieher der Akte, ist nicht das gespiegelte Selbst des Selbstbewußtseins, sondern wird von ihm vielleicht mehr noch verdeckt als aufgedeckt."[44]

---

36 Vgl. Nicolai Hartmann, Das Problem des geistigen Seins, op. cit., S. 121f.

37 Unter Ich-Bewusstsein ist hierbei eine zentrale Selbstgegebenheit zu verstehen. Vgl. Ebd., S. 102.

38 Vgl. ebd. Die Erfahrung der Anderen kann sich hierbei als hilfsreich erweisen, soweit dem Geist Expansivität und Fähigkeit zum Übergreifen zugeschrieben werden kann.

39 Ebd.

40 Ebd.

41 Nicolai Hartmann, Das Problem des geistigen Seins, op. cit., S. 145.

42 Vgl. ebd.

43 Das Selbstbewusstsein als „das nachträgliche Erfassen dessen, was die Person ohnehin schon ist" (Nicolai Hartmann, Das Problem des geistigen Seins, op. cit., S. 144.) hängt am Bewusstsein des Äußeren. Vgl. Nicolai Hartmann, Der Aufbau der realen Welt. Grundriß der allgemeinen Kategorienlehre, Berlin, Walter de Gruyter, 1964, S. 317.

44 Ebd., S. 318.

4. Wirklichkeit und Erkenntnis

In Hartmanns früheren Schriften lässt sich die Entstehung seiner eigenen Position anhand der Kritik des Erkenntnisbegriffs und der Ontologie-Feindlichkeit des logischen Idealismus verfolgen. Ferraris' Lösungsweg beginnt ebenfalls bei einer klaren Abgrenzung von Ontologie und Epistemologie, wobei er wie Hartmann die Überlegenheit der Ontologie postuliert.[45]

Erkenntnis definiert Hartmann nicht als das *Erzeugen*, sondern als das *Erfassen* von etwas und betont zugleich den Realitätsanspruch der Erkenntnis. Er behauptet, dass in Denken und Sein etwas identisch sein muss, damit überhaupt Erkenntnis entstehen kann, Denken und Sein müssen sich aber zugleich voneinander unterscheiden, weil die Erkenntnis etwas dem Bewusstsein Transzendentes erfasst. Wären wir uns sicher, dass das, was *sich zeigt*, identisch ist mit dem, was *ist*, wäre eine Ontologie unnötig. Hartmann plädiert für die realistische Interpretation vom *Ding an sich*. Das Wesen der transzendenten Akte – wie der Erkenntnis – liegt darin, dass sie sich auf etwas Ansichseiendes richten, d.h., ihren Gegenstand als etwas Unabhängiges setzen.

> [...] die Erkenntnis, als Akt verstanden [...] geht nicht darin auf, Bewußtseinsakt zu sein; sie ist ein transzendenter Akt. [...] Wäre das Bewußtsein keiner transzendenten Akte mächtig, es könnte vom Sein der Welt, in der es lebt, nichts wissen. Es wäre in seiner Immanenz gefangen und könnte um nichts als seine eigenen Produkte, seine Gedanken oder Vorstellungen wissen. Wie denn die Skepsis von jeher eben dieses behauptet hat. [...] Denken kann man sich alles Mögliche, auch Nichtseiendes; erkennen aber kann man nur, was 'ist'.[46]

Das Erkenntnisverhältnis kann sich auf alles, und daher ebenso auf sich selbst beziehen. Die Gegenstände kommen aber ausschließlich als ansichseiende, vom Erkennen unabhängig bestehende, keineswegs durch die Erkenntnis zustande gebrachte Gegenstände infrage. Das Wesen des Erkenntnisaktes liegt darin, dass für ihn die Gegenstände *vorgegeben* und nicht – wie es der Idealismus behauptet – *aufgegeben* sind.

Hartmann ist der Ansicht, dass ein Beweis des natürlichen Realitätsbewusstseins unnötig ist, da es zu den Phänomenen gehört. Die Erkenntnis fügt sich in den Lebenszusammenhang ein; das Subjekt ist davon *betroffen*. Stellt jemand die grundlegende Überzeugung – laut welcher uns Gegenstände gegeben sind – infrage, schuldet er uns eine Erklärung vom „Sein des Scheins". Durch die Analyse des Erkenntnisphänomens, insbesondere an der Grenze der Erkenntnis[47], zeigt

---

45 Vgl. Maurizio Ferraris, Manifesto of New Realism, trans. Sarah Da Sanctis, Albany, State University of New York Press, 2014, S. 34. Bzw. Maurizio Ferraris: „Was ist der Neue Realismus?", op. cit., S. 58.

46 Nicolai Hartmann, Zur Grundlegung der Ontologie, op. cit., S. 147.

47 Nicolai Hartmann, Metaphysik der Erkenntnis, op. cit., S. 70-74 und S. 444-471.

sich die Realität des Erkenntnisgegenstandes. Die Phänomene des *Problembewusstseins* („vorgreifendes Wissen um das Transobjektive"[48]) und des *Erkenntnisprogresses* („Verschiebung der Objektionsgrenze am Gegenstande"[49]) – also die Forschung überhaupt – werden nur dadurch möglich gemacht, dass der Gegenstand *vor* der Erkenntnis und *unabhängig* davon besteht.[50]

Von Ferraris wird ebenfalls die Unabhängigkeit der Wirklichkeit von der Erkenntnis hervorgehoben. Seine Definition lautet: „Realismus ist die Ansicht, dass die natürlichen Gegenstände unabhängig von den Mitteln existieren, die wir haben, um sie zu erkennen: Sie sind existent oder inexistent kraft einer Wirklichkeit, die unabhängig von uns existiert."[51] Die von Ferraris unter dem Stichwort „Unveränderlichkeit" zusammengefassten empirischen Umstände weisen eine Spaltung zwischen dem „Ich denke" und den bestimmten Klassen von Vorstellungen auf. Die Argumente, die sich aus der Präexistenz der Welt von jedem Cogito (*Präexistenz)*, aus der Tatsache, dass die Wirklichkeit sich unseren Begriffsschemata verweigern kann (*Widerständigkeit)* bzw. aus der Möglichkeit der Interaktion zwischen Wesen mit unterschiedlichen Begriffsschemata (*Interaktion*) ableiten lassen, sprechen alle für die Überlegenheit der Ontologie über die Epistemologie und zugleich für die ontologische Autonomie der Welt gegenüber den begrifflichen Schemata.[52]

Das Phänomen der *Widerständigkeit* wird bei Hartmann in der Analyse der „Aktgruppen, in deren Gefühlston sich unmittelbar das Gewicht von Realverhältnissen ausdrückt"[53] auch zentral. Diese sind die emotional-transzendenten Akte, emotional, insofern „der Gefühlston in ihnen wesentlicher und eigentlicher Träger des Realitätszeugnisses ist"[54] und transzendent, insofern sie „am ontisch selbständigen Gegengliede hängen"[55].

5. Unmittelbare Realitätsgegebenheit

Gemäß der realistischen Deutung ist der Erkenntnisakt ein transzendenter Akt, welchem ein reales Gegenglied anhaftet; er ist dennoch nicht derjenige transzendente Akt, in dem eine unmittelbare Realitätsgegebenheit vorliegt. Der Erkenntnisakt spielt im Lebenszusammenhang bloß eine sekundäre, untergeordnete Rolle. „‚Gegenstände' sind in erster Linie nicht etwas, was wir erkennen, sondern etwas,

---

48 Ebd., S. 457.

49 Ebd.

50 Die Erkenntnis erweist sich damit als als ein transzendenter Akt, der eine Verbindung zwischen dem Bewusstsein und einem von ihm unabhängigen Seienden schafft, während der logische Idealismus die Erkenntnis als ein logisches Prozess versteht, indem der Gegenstand (der mit dem Begriff des Gegenstandes gleichgesetzt ist) nach und nach entsteht.

51 Maurizio Ferraris, „Was ist der Neue Realismus?", op. cit., S. 61.

52 Vgl. Ebd., S. 61-64.

53 Nicolai Hartmann, Zum Problem der Realitätsgegebenheit, op. cit., S. 16.

54 Ebd., S. 15.

55 Ebd.

was uns praktisch ‚angeht', mit dem wir uns im Leben ‚stellen' und ‚auseinandersetzen' müssen; etwas, womit wir ‚fertig werden' müssen, was wir ausnutzen, überwinden oder ertragen müssen."[56] Erkenntnis kommt also erst im Nachhinein, eingebettet in vielerlei primäre Verhältnisse, basierend auf den emotional-transzendenten Akten. Unmittelbare Realitätsgegebenheit – durch die Konfrontation mit der *Härte des Realen* – ist in diesen primären Akten zu finden, welche Hartmann einer sorgfältigen Analyse unterwirft.

Den ersten Typus emotional-transzendenter Akte bilden die *rezeptiven Akte* wie z.B. Erfahren, Erleben, Erleiden, Ertragen (im *rein hinnehmenden* Sinne). Charakteristisch für die Akte ist, dass dem Subjekt etwas widerfährt; das Subjekt befindet sich im Modus des *Betroffenseins*.[57] Der sich zeigende *Widerstand* des Objekts ist ein Wesensmoment dieser Akte, genauso wie das vom Subjekt erlebte *Widerfahrnis* und dessen *Ausgeliefertsein*.

Zur zweiten Gruppe emotional-transzendenter Akte gehören die emotional-antizipierenden Akte, wie z.B. Erwartung, Vorgefühl, Bereitschaft, Gefasstsein, Neugier, Hoffnung, Furcht, Vorfreude, Befürchtung, Besorgnis, Angst. In diesen prospektiven Akten ist das Subjekt im Modus des *Vorbetroffenseins*.[58] Es rechnet mit der Unaufhaltsamkeit des Kommenden, des Zukünftigen, ungeachtet seiner inhaltlichen Unbestimmtheit.

Den dritten Akttypus machen die vorgreifenden Akte aktiver, spontaner Art aus, wie z.B. Begehren, Wollen, Tun, Handeln. Diese Akte sind ebenfalls prospektiv auf die dem menschlichen Handeln offenstehende Zukunft gefasst. Rezeptiv sind diese Akte aber nicht, das Subjekt ist nicht direkt im Betroffenheitsmodus. Realitätsgegebenheit wird in diesen Akten von drei Momenten geliefert: Sache, Person bzw. Situation bilden die drei realen Objekte von Wollen und Handeln. Mit dem Moment der Sache wird die *Härte des Realen*[59] betont, der jedes Handeln begleitenden Grundform der Realitätsgegebenheit: der Widerstand der Sache.

Zweitens tritt Realitätsgegebenheit durch die Interaktion mit anderen Personen zutage. Die Anderen sind die *eigentlichen Realobjekte* des Wollens und Handelns. Sie beziehen sich zum aktiven Subjekt rezeptiv, sind also im Modus des Betroffenseins, solange sich das aktive Subjekt im Modus des *Rückbetroffenseins*[60] befindet. Betroffen ist das Subjekt von der Unwiderrufbarkeit seiner Tat, vom Bewusstsein seiner Verantwortung und von der Gewissheit, dass der Andere von seiner Tat betroffen ist. Die Wertmomente selbst sind für die Realitätsgegebenheit irrelevant.

Das dritte Moment ist ein umfassendes: die die Person *ungerufen*, ungewollt überfallende Situation, welche sie ständig zur Freiheit, zur Aktivität, zur Entscheidung, zur Stellungnahme zwingt. Jegliche Aktivität bringt dann – mitten im *Wi-*

---

[56] Nicolai Hartmann, Zur Grundlegung der Ontologie, op. cit., S. 172.

[57] Vgl. Nicolai Hartmann, Zum Problem der Realitätsgegebenheit, op. cit., S. 16f.

[58] Vgl. Ebd., S. 21.

[59] Vgl. Ebd., S. 18.

[60] Vgl. Ebd., S. 24.

derstand der dinglichen und geistigen Welt – das *Rückbetroffensein* des Handelnden mit sich und konfrontiert ihn mit der Unerbittlichkeit des Realen. Der Mensch befindet sich im Kontext der jeweiligen Situation und ist der Unaufhaltsamkeit der Geschehnisse ausgeliefert.

> Was wir in diesem Strome andauernd erfahren, ist nichts anderes als die allgemeine ‚Härte des Realen', der wir nichts abhandeln können. Und das empfundene Ausgeliefertsein an sie, ist das unentwegt von Schritt zu Schritt uns im Leben begleitende nackte Zeugnis der Realität des Geschehens in uns selber.[61]

Die Person bedeutet hier Ganzheit und zugleich eine sich im stetigen Wandel befindliche Identität; sie ist die *Synthese des zeitlich Auseinanderliegenden.*[62] Es geht um „[d]as ständige, nie abgeschlossene, spontane Sich-selbst-Konstituieren oder Sich-selbst-Vollziehen".[63] Für die Person ist nicht das Erkenntnisverhältnis das primäre; ihr Lebensspielraum ist primärerweise kein Objektfeld, sondern vielmehr ein *Aktions- und Reaktionsfeld*. Das Leben der Person besteht aus einer kontinuierlichen Kette von Situationen. Aus dem Strom des Situationszusammenhangs kann der Mensch unmöglich heraustreten und ist durch die Situation ständig zur Handlung – d.h. zur Freiheit bzw. zur Schöpfung – gezwungen. „Sie [die Person] ist also das Wesen, das in der Notwendigkeit, unter der es steht, frei ist, zu seiner Freiheit selbst aber genötigt ist."[64] Daraus folgt auch, dass ihr Verhältnis zur Welt keineswegs ein bloßes betrachtendes Verhältnis (Erkenntnisverhältnis) sein kann, es inkludiert auch stetiges *Hingerissensein*, *Mitgerissensein* und *Betroffensein.*[65] Genauso wichtig ist zugleich, dass in Hartmanns Interpretation dieses Verhältnis nicht *haltloses Ausgeliefertsein*, sondern gerade *Herausgefordertsein zur Tat*[66] bedeutet. Damit gestaltet die Person die Welt und zugleich sich selbst – sie lebt in *Selbsttranszendenz.*[67] Während ihrer Handlung erfährt sie die *Drastik des Realgeschehens.*[68]

Der Behandlung der Grundformen der Realitätsgegebenheit fügt Hartmann eine Analyse von Heideggers Begriff der *Sorge* als prospektivem, etwas Zukünftiges antizipierendem Akt hinzu. Auch in diesem Akt des Sich-selbst-Vorwegseins kündet sich unmittelbar *reales Ansichsein* an. Die Akttranszendenz prospektiver Akte weist auf die *Härte des Realen* hin, beinhaltet also eine Tendenz zum primitiven Sein- und Weltbewusstsein.

---

61 Ebd., S. 18f.
62 Nicolai Hartmann, Das Problem des geistigen Seins, op. cit., S. 132.
63 Ebd.
64 Ebd.
65 Vgl. Ebd., S. 135.
66 Vgl. Ebd., S. 138
67 Vgl. Ebd., S. 143.
68 Vgl. Ebd., S. 139.

Gleicherweise kündigt sich ein Realitätsgewicht im *Zuhandensein* an. Hartmann fokussiert auf den Aspekt, dass der Gebrauchsgegenstand ein *realer* Gegenstand ist, *reales Fürmichsein*.[69] Obwohl das Ansichsein im *Zuhandensein* bloß vermittelt durch die *Gegebenheit des Fürmichseins* gegeben ist, weist es auf eine *reale* Gegebenheit hin.[70] Die Welt wird also als reale Welt (und nicht als Umwelt) erschlossen. Im *Zuhandensein* erblickt Hartmann eine fundamentale Form der Realitätsgegebenheit, durch die sich die Unaufhebbarkeit der Realität zeigt. „Es kann nur ‚für mich sein', wenn überhaupt es ‚ist'."[71]

6. *Widerstand der Realität*

Im Begriff des Widerstandes drückt sich die Unabhängigkeit, die Indifferenz des Seienden gegenüber seinem Erkanntwerden aus. Im Sinne von Ferraris gehört der Widerstand zum *fundamentalen Charakter des Seienden*. Die zentrale Rolle des Widerstandserlebnisses wird auch von Hartmann mehrfach unterstrichen: „die durchgehende Überzeugtheit vom Ansichsein der Welt [beruht] auf dem erlebten Widerstande [...], den das Reale der Aktivität des Subjekts leistet, – auf einer breiten Basis der Lebenserfahrung also, welche die emotionalen Akte liefern."[72] Hartmann kritisiert Scheler, welcher den Begriff des *Widerstandserlebnisses* isoliert von den anderen Arten emotionaler Gegebenheit, bzw. auf die Dingsphäre beschränkt verstanden wissen will. Hierbei beanstandet Hartmann vor allem, dass Scheler auf Widerstände höherer Ordnung – wie z.B. die Gegenwehr eines anderen Menschen oder der Widerstand der Rechtsordnung – keinen Bezug nimmt.[73]

Dort wo sich Hartmann mit dem Vorwurf des Passivismus konfrontiert sieht, geht Ferraris dem Problem voraus. Dadurch, dass er den Begriff der *„Aufforderung* der Welt"[74] einführt, wird neben der *Widerständigkeit* auch die zweite Seite der Medaille, die „höchste ontologische Positivität"[75] hervorgehoben.

> In seiner Widerständigkeit ist das Wirkliche das negative Extrem des Wissens, weil es das Unerklärliche und Unkorrigierbare ist, aber es ist auch das positive Extrem des Seins, weil es das ist, was sich gibt, das besteht, das der

---

69 Nicolai Hartmann, Zur Grundlegung der Ontologie, op. cit., S. 197.

70 Vergleichbar mit Hartmanns Interpretation, versteht Graham Harman den Begriff des Zuhandenseins als einen Verweis auf Objekte, die eine für das menschliche Erkenntnisvermögen unerschöpfliche Realität besitzen. Ähnlich wie Hartmann, deutet Harman Heideggers Zeug-Analyse als einen „Weg zu den Gegenständen an sich zurück". Graham Harman, „Über Stellvertretende Verursachung", trans. Sergey Sistiaga, Speculations III, 2012, S. 215. (Fußnote von dem Übersetzer).

71 Nicolai Hartmann, Zur Grundlegung der Ontologie, op. cit., S. 197.

72 Ebd., S. 164.

73 Vgl. Nicolai Hartmann, Zum Problem der Realitätsgegebenheit, op. cit., S. 23.

74 Maurizio Ferraris, „Was ist der Neue Realismus?", op. cit., S. 64.

75 Ebd., S. 65.

> Interpretation widersteht und sie zugleich wahr macht, indem es sie von einer Imagination oder wishful thinking unterscheidet.[76]

Am Ende ihrer Ausführungen gelangen beide Autoren zu denselben Grundzügen der Realität. Ferraris bezeichnet die Gegenstände als „robust, unabhängig, stur"[77], Hartmann verwendet den Ausdruck „die Härte des Realen".[78]

Abschließend

In seinem Frühwerk *Grundzüge einer Metaphysik der Erkenntnis*[79] schreibt Hartmann noch die Beweislast den Skeptikern zu. Die Skepsis spricht – argumentiert Hartmann – gegen unsere in der natürlichen Weltansicht wurzelnde praktische Überzeugung und als solche schuldet sie uns die Erklärung *des Scheins der Realität*. In seinem Vortrag an der Realismus-Tagung im Jahre 1931 führt er aber bereits positive Argumente vor.[80] Durch die Analyse der primären transzendenten Akte erschließt sich die ursprüngliche Verbundenheit von Subjekt und Welt, die Struktur ihrer Verbindung und die in ihnen liegende Realitätsgegebenheit.

Moritz Geiger macht Hartmann den Vorwurf nicht bei der *Widerlegungsmethode* geblieben zu sein, da seiner Meinung nach in diesem Fall jede *Nachweismethode* notwendigerweise scheitern muss.[81] Hartmanns Antwort lautet wie folgt: „Man muß auch schon die Gründe der eigenen Position aufdecken, und zwar die positiven, die in aufweisbaren Phänomenen liegen. Bloße ‚Widerlegungsmethoden', sie mögen so exakt sein wie sie wollen, überzeugen niemanden. Nur das Positive hat Kraft einzuleuchten."[82] Dies bedeutet natürlich nicht, dass Hartmann eine derart unmögliche Aufgabe wie den Beweis des Daseins der Realwelt unternehmen würde. Vielmehr ist es sein Anliegen, die Gründe seiner realistischen Stellungnahme verständlich zu machen und zugleich klarzustellen, warum die Beweislast den Skeptikern zukommt.

Die Unterscheidung zwischen natürlicher und reflektierter Einstellung (intentio recta und intentio obliqua) bei Hartmann bzw. zwischen realistischer und konstruktivistischer Anschauung bei Ferraris deuten auf dieselbe Distinktion hin. Während bei beiden Autoren der Ausgangspunkt eine ontologische Einstellung (intentio recta bzw. realistische Anschauung) ist, haben die zweiten Glieder beider Begriffspaare jeweils ihren eigenen Anwendungsbereich. Wo (zugleich) eine

[76] Ebd., S. 62.
[77] Ebd., S. 65.
[78] Nicolai Hartmann, Zum Problem der Realitätsgegebenheit, op. cit., S. 23.
[79] Erstausgabe: 1921.
[80] Nicolai Hartmann, Zum Problem der Realitätsgegebenheit, op. cit.
[81] Nicolai Hartmann, Zum Problem der Realitätsgegebenheit, op. cit., S. 35-38.
[82] Ebd., S. 85.

bestimmte Innenperspektive zur Verfügung steht[83] (wie im Bereich des Organischen, des Seelischen und des Geistigen) schreibt Hartmann der reflektierten Einstellung eine zentrale Rolle zu. Laut Ferraris Konzeption ist die konstruktivistische Anschauung in einem Bereich anzuwenden, wo die Gegenstände von den Begriffsschemata abhängig sind, also im Bereich der sozialen Gegenstände.[84] Der Vorrang der ontologischen Einstellung (intentio recta bzw. realistische Anschauung) ist von grundlegender Wichtigkeit für beide Autoren, die damit herausstellen, dass alleine ein ontologischer Ausgangspunkt das richtige Verständnis des Erkenntnisverhältnisses und die Erfassung des Erkenntnisgegenstands in seiner *wahren Seinsart* ermöglicht.

---

83 Im dritten Abschnitt, bezüglich des Selbsterkenntnisses wurde auf die Problematik der Innenperspektive bereits hingewiesen.

84 Maurizio Ferraris, „Was ist der Neue Realismus?“, op. cit., S. 73f.

Réalisme phénoménologique et réalisme causal

Claude Romano

Dans un texte paru récemment et intitulé: «Expérience et ouverture au monde: la phénoménologie de Claude Romano», Charles Larmore a indiqué pour quelles raisons il pensait que je devais, en fonction de mon propre argumentaire, aller plus loin que le réalisme descriptif ou phénoménologique que je défends dans *Au cœur de la raison* en direction d'un réalisme causal. Aux yeux de Larmore, le réalisme que j'avance dans cet ouvrage reste encore dangereusement proche d'une forme larvée d'idéalisme. En effet, j'y affirme que la réalité à laquelle s'intéresse la phénoménologie n'est pas la réalité «en soi», telle qu'elle pourrait être découverte d'un point de vue divin, mais la «réalité *pour nous*»[1]. À quoi Larmore objecte «qu'il n'y a pas lieu de croire que notre expérience ne puisse pas atteindre les choses telles qu'elles sont en elles-mêmes»[2]. Or pour atteindre ce monde «en lui-même» ou «en soi», comme le désigne souvent Larmore, il faut embrasser, dit-il, une conception causale de la perception.

Je voudrais profiter de l'occasion qui m'est donnée pour préciser un peu ma position à l'égard de ces questions. Je voudrais montrer que je suis moins éloigné de Larmore qu'il ne le croit, mais préciser dans quelle mesure un écart demeure malgré tout entre nos positions respectives. Je ne suis assurément pas le premier à rejeter ce qu'on appelle un peu vite le «réalisme causal» – un peu vite, car il en existe bien des versions et même, sans doute, des versions incompatibles entre elles. Merleau-Ponty et Heidegger ont affirmé des choses comparables. Le premier écrit dans la *Phénoménologie de la perception* que l'analyse de la perception ne doit pas donner lieu à «une restauration du réalisme et de la pensée causale»[3], rejetant donc conjointement les deux notions. Le second précise dans *Sein und Zeit* à propos de l'affirmation selon laquelle le monde extérieur est réel que «ce qui achève de séparer cet énoncé du réalisme, c'est l'incompréhension ontologique propre à celui-ci, qui tente bel et bien d'expliquer ontiquement la réalité par des connexions

---

[1] Claude Romano, Au cœur de la raison, la phénoménologie, Paris, Gallimard, coll. «folio», 2010, p. 400.

[2] Charles Larmore, «Expérience et ouverture au monde: remarques sur la phénoménologie de Claude Romano», in L'événement et la raison. Autour de Claude Romano, dir. Philippe Cabestan, Argenteuil, Le Cercle Herméneutique, 2013, p. 163.

[3] Maurice Merleau-Ponty, Phénoménologie de la perception, Paris, Gallimard, 1945, rééd. Tel, p. 61.

causales réelles entre différents étants réels»[4]. Mais je voudrais laisser leurs positions de côté, d'abord parce qu'elles me paraissent assez équivoques et, ensuite, parce que je crois effectivement que, dans le cas de ces deux auteurs, une forme subtile d'idéalisme continue à déterminer leur position[5]. Je voudrais partir plutôt d'une brève caractérisation du réalisme dans le contexte des questions touchant la perception (puisque c'est dans ce domaine que se situe notre discussion) et d'une très schématique description de ce qu'on peut appeler à la suite de Husserl «le monde de la vie». En parlant de ce monde de la vie, je laisserai néanmoins de côté les éléments idéalistes qui sous-tendent la conception que Husserl lui-même en a avancée dans la *Krisis*.

Réalisme et monde de la vie

On peut définir le réalisme en disant que c'est la position qui veut que les choses du monde et le monde lui-même existent indépendamment de nous et de la connaissance que nous en avons. Certes, la connaissance que nous avons des choses, et notamment la perception que nous avons du monde, incluent des éléments essentiels de relativité à l'égard de nous-mêmes. Mais les choses qui sont connues par nous de cette manière ne présentent pas ces éléments de relativité. Je perçois un arbre au loin et la manière dont je le perçois inclut une référence essentielle à la place que j'occupe dans le monde par mon corps, à la distance à laquelle je me situe, à l'horizon indéterminé qui borde ma perception, et ainsi de suite. Mais aucun de ces traits n'appartiennent à *ce que* je saisis perceptivement, la réalité elle-même. Pourtant, un réalisme ne peut pas se borner à affirmer l'indépendance de la réalité elle-même à l'égard de la perception que j'en prends. Il doit aussi affirmer que cette réalité dans son indépendance à l'égard de moi-même, *j'y ai accès* au moins jusqu'à un certain point *dans son indépendance même* à mon égard. Car si la réalité dans son indépendance vis-à-vis de ma propre existence et de mes facultés cognitives contingentes m'était à jamais dissimulée et inaccessible, il faudrait en conclure à l'existence d'une «chose en soi» et donc aussi à l'enfermement du sujet connaissant dans le cercle de «phénomènes» entendus comme de simples «représentations en nous», pour reprendre la formule récurrente de Kant. Tous les ingrédients essentiels d'un idéalisme seraient à nouveau en place. Le paradoxe du réalisme consiste donc à affirmer *à la fois* que la réalité est indépendante de moi-même et de la connaissance que j'en prends *et* que je possède un certain accès cognitif à cette réalité indépendante.

---

4 Martin Heidegger, Sein und Zeit, Tübingen, Max Niemeyer Verlag, 16è ed., 1986, p. 207; trad. Emmanuel Martineau (modifiée), Être et temps, Paris, Authentica, 1985, p. 156.

5 C'est indiscutable pour le Heidegger de Sein und Zeit: «Si le titre d'idéalisme signifie autant que la compréhension de ceci que l'être n'est jamais explicable par de l'étant, mais est à chaque fois déjà le "transcendantal" pour tout étant, alors l'idéalisme contient la possibilité unique et correcte d'une problématique philosophique» (Sein und Zeit, op. cit., p. 208; trad. citée, p. 156-157).

Le réalisme repose sur cette tension entre l'affirmation d'une relativité nécessaire du monde *phénoménal* vis-à-vis de moi-même et sur l'affirmation selon laquelle ce monde phénoménal n'en constitue pas moins le mode d'apparaître des *choses elles-mêmes*, c'est-à-dire des choses *dans leur indépendance à nous*. À travers le règne des phénomènes, nous sortons déjà de l'ordre purement phénoménal, puisque ces phénomènes ne sont rien d'autre que le mode d'apparaître des réalités elles-mêmes dans leur indépendance à notre égard. Toute la question du réalisme est donc de déterminer le sens exact que nous pouvons donner à cette «indépendance».

La phénoménologie s'attache à décrire l'ordre phénoménal en tant que tel, ce que Husserl appelle «le monde de la vie» dans sa dernière philosophie. On peut soutenir que le pari d'un réalisme phénoménologique réside dans la thèse selon laquelle c'est à travers une bonne description de cet ordre phénoménal que l'on pourra donner une réponse précise à la question de l'indépendance de la réalité vis-à-vis de celui qui la connaît – et notamment, qui la perçoit. Cette indépendance des choses à notre égard se dévoile à nous, en effet, à travers un ordre phénoménal qui ne constitue nullement un ensemble de représentations ou d'intermédiaires mentaux, mais est au contraire le mode même de notre accès à cette réalité. On peut dire à cet égard que les phénomènes sont «diaphanes»: ils ne présentent aucun germe d'opacité, ils sont la présentation même des choses. Comme l'affirme Wittgenstein, «le phénomène n'est pas le symptôme de quelque chose d'autre, il est la réalité»[6]. En d'autres termes, le contenu d'une perception n'est pas distinct de l'état de choses lui-même: la perception *est* la manifestation de cet état de choses. Mais cette «transparence» de l'ordre phénoménal n'entre pas en conflit avec ce qu'on pourrait appeler une «résistance du sensible», c'est-à-dire le fait que le sensible qui nous ménage un accès aux choses elles-mêmes possède sa propre épaisseur et ses propres principes de structuration immanents qui sont sans équivalent du côté d'une pure physique. Pour ne prendre qu'un exemple, rien ne correspond dans le spectre électromagnétique, qui est un continuum, à la structuration phénoménale des couleurs autour de couples d'opposés (vert-rouge, jaune-bleu) ou à d'autres «lois de l'apparence» qui ressortissent à une phénoménologie de la couleur.

La phénoménologie s'attache à décrire en premier lieu le monde apparaissant ou le monde de la vie, c'est-à-dire le monde réel lui-même selon son mode d'apparaître dans l'expérience ingénue et préscientifique que nous en avons. Dans ce monde de la vie sont présents de nombreux éléments de relativité des choses *apparaissantes* vis-à-vis de notre existence et de nos pouvoirs cognitifs. Par exemple, les choses s'y présentent toujours suivant une perspective déterminée qui est la manière dont, dans l'apparaître même, est inscrite notre propre position dans le monde. Ou encore, les choses nous apparaissent en fonction des pouvoirs perceptifs qui sont les nôtres: nul ne peut percevoir de la couleur s'il n'est doué du sens

---

[6] Ludwig Wittgenstein, Philosophische Bemerkungen, Oxford, Basil Blackwell, 1964; trad. de Jacques Fauve, Remarques philosophiques, Paris, Gallimard, coll. «Tel», 1975, p. 270.

de la vue, etc. Mais bien sûr, le fait que l'apparition de la couleur soit nécessairement solidaire de capacités perceptives données n'entraîne pas nécessairement que les couleurs *en tant que telles* soient essentiellement subjectives et qu'elles ne soient pas, dans le même temps, aussi des propriétés du monde lui-même: cette question ne peut être tranchée que par une enquête «mixte», à la fois empirique et phénoménologique. Ou encore, pour nous en tenir à quelques exemples élémentaires, les horizons, les halos d'indétermination qui habitent le monde apparaissant, constituent eux aussi la manière dont sont reportés dans le spectacle visible ces éléments essentiels de relativité à moi-même. Enfin, au nombre de ces traits essentiellement relationnels qui caractérisent le monde phénoménal, il faut compter toutes les significations immédiatement données *à même la perception,* et qui y présentent nos propres modalités d'interaction avec les choses: ces significations *immédiatement perçues* que l'on peut appeler avec James Gibson «affordances» ou, avec Merleau-Ponty, «significations vitales», sont intrinsèques au monde de la vie. Dans ce monde, les choses nous apparaissent d'emblée comme pourvues d'un certain sens: sens pragmatique, esthétique, émotionnel, etc. Pour reprendre l'exemple classique de Gibson, une branche nous apparaît d'entrée de jeu comme offrant la possibilité de nous y accrocher: telle est l'une de ses *affordances* ou de ses significations vitales.

Cette dimension signifiante du perçu en tant que tel nous oblige à dire que la perception entretient des liens essentiels avec la mémoire. Ces significations, en effet, possèdent toujours une dimension en partie *contextuelle*: elles renvoient non seulement au contexte immédiat, perceptif, dans lequel est placé le sujet percevant, mais à des contextes plus larges, à sa vie passée tout entière. Dans cette mesure, l'idée d'une perception isolée ne fait pas vraiment sens: nous n'avons jamais de *pures* perceptions, comme autant de fragments d'information sur le monde environnant, mais chaque perception constitue en réalité une manière pour nous de nous installer dans le monde et d'en épeler le sens global. Ces significations, elles aussi, sont *relationnelles*: une branche ne peut nous présenter la signification «bonne pour nous y accrocher» que parce que nous avons effectivement (ou potentiellement) la possibilité de nous y suspendre, et ainsi de suite. Et ces significations «autochtones» qui se font jour à même la perception ne sont pas seulement dépendantes de traits typiques que nous partageons avec tous les membres de notre espèce, elles dépendent aussi de traits individuels qui résultent de notre histoire singulière. Il n'est guère utile d'en fournir de longs exemples. Cette continuité essentielle entre perception et mémoire confère à toute perception une structuration à la fois historique et holistique. Une perception ne peut avoir le sens qu'elle possède qu'en relation à d'autres perceptions et à toute une mémoire perceptive tacite (une mémoire qui possède surtout une forme dispositionnelle).

Toutes ces caractéristiques élémentaires du monde tel qu'il se donne à nous au niveau perceptif font de la perception quelque chose à la fois de relatif à nous-mêmes (à nos capacités perceptives, mais aussi pratiques, affectives, etc.) et, au moins pour une part, de contextuel. Mais il s'en faut de beaucoup que cette relativité nous condamne à demeurer enfermés dans l'espace de nos représentations. En effet, on peut tout à fait admettre ces éléments de relativité et de contextualité et affirmer néanmoins que la perception ouvre *sur le monde lui-même* – c'est-à-dire sur le monde dans son irrelativité à nous-mêmes – en l'absence de tout intermédiaire mental. C'est la thèse que je défends dans *Au cœur de la raison,* et Larmore abonde dans le même sens dans son article. Lui-même reconnaît ces éléments de relativité qui concernent le monde phénoménal et n'en conclut pas moins que la perception a affaire à la réalité «en elle-même» et même «en soi»; elle porte sur des phénomènes, c'est-à-dire des «choses pour nous», ou encore des choses «selon leur mode d'apparaître (à quelqu'un)», mais ce qui se présente à nous selon ce mode, c'est la chose telle qu'elle transcende ces phénomènes ou ces modes de présentation. «En nous fondant sur l'expérience, écrit-il, nous décrivons les choses telles qu'elles nous apparaissent, en tant que "phénomènes" si l'on veut. Mais qu'est-ce qui empêche que l'en-soi des choses puisse figurer parmi les phénomènes?»[7]

Comme je le disais, tout l'enjeu du réalisme consiste à définir plus précisément le sens que l'on est prêt à donner à cet «en soi». Je ne peux me substituer à Larmore pour dire ce que lui-même entend par là. Le propos de ce texte sera de tenter de préciser le sens qui me paraît plausible pour une telle indépendance.

On pourrait dire que cette indépendance peut s'entendre au moins de deux manières, un sens plus faible et un sens plus fort. Commençons par le sens le plus faible.

Le premier sens consiste à dire que le monde qui nous apparaît à travers ses modes d'apparaître est indépendant *de la perception* que nous en avons. Le monde auquel nous avons accès à travers des capacités perceptives déterminées ne peut être dit *perçu* que parce qu'il excède ces capacités mêmes. Comme y insiste Larmore, «se représenter quelque chose comme réel [...] c'est se le représenter tel qu'on le suppose être indépendamment de cette représentation même»[8]. Le fait que toute perception ouvre sur la chose telle qu'elle est indépendamment de cette perception même définit donc le premier sens que l'on peut donner à l'«en soi». Cet «en soi», selon cette première acception, ressemble beaucoup à ce que d'autres auteurs appelleraient «validité objective» ou «objectivité». Par exemple, qu'un jugement de perception dépende de mes capacités cognitives pour pouvoir être formulé n'implique aucunement que sa *validité* soit relative à moi, car ce que je prétends saisir à travers un tel jugement est précisément quelque chose qui vaut *pour tout sujet de perception possible*, et donc quelque chose qui, *dans sa validité même,* n'est pas relatif à ma propre perception.

Le second sens de cette indépendance consiste à soutenir que la perception nous met aux prises avec le monde dans une indépendance *existentielle* à notre égard. Le monde est ce qu'il est abstraction faite de mon existence, et les astres, comme disait Aristote, n'en continueraient pas moins à peupler le ciel même si je

---

7 Charles Larmore, «Expérience et ouverture au monde», art. cit., p. 164.

8 «Dialogue de Charles Larmore et d'Alain Renaut autour de l'idéalisme et du réalisme en métaphysique et en morale», in Du moi à l'authenticité. La philosophie de Charles Larmore, ed. Claude Romano, Milan, Mimesis, 2017, p. 169-192.

n'étais plus là pour les percevoir. Cette indépendance à l'égard de notre existence se heurte cependant à la difficulté que nous avons mentionnée en commençant: le monde tel qu'il existe en fait ne peut être indépendant de notre existence puisque *nous y sommes nous-mêmes inclus*. Toutefois, même si nous sommes *en fait* inclus dans ce monde, nous *pourrions* fort bien ne pas en faire partie: ce monde a existé avant nous et il continuera de le faire après nous. L'indépendance du monde à notre égard n'est pas une indépendance *factuelle*, c'est plutôt, pourrait-on dire, une indépendance *contrefactuelle*. Tout pourrait fort bien se dérouler exactement de la même manière, y compris en notre absence. Le monde n'a pas besoin de notre existence de fait pour être ce qu'il est.

Ces deux sens de l'indépendance du monde sont inclus dans l'affirmation selon laquelle notre perception ouvre sur le monde *lui-même*. Il n'y a probablement pas, sur ce point, de désaccord entre Larmore et moi. Lorsque je dis, par conséquent, que le monde de la vie est le monde considéré «dans sa relativité à nous-mêmes», cette affirmation n'entraîne aucunement que ce monde ne constituerait pas le mode d'apparaître de la réalité *même* – c'est-à-dire de la réalité *dans son indépendance à moi*. La dépendance du monde phénoménal (le seul qui intéresse réellement la phénoménologie) à mon égard n'implique aucune relativisation de la portée cognitive de la perception. Le «pour nous» de ce monde renvoie ici uniquement à une relativité *dans le mode d'accès* à la réalité, et aucunement une relativité *quant à la validité* de ce qui nous est ainsi donné – une relativité qui aurait pour conséquence de limiter la portée cognitive de la perception –, ni même à une relativité existentielle de ce monde à mon égard. Une fois encore, j'affirme que ce que nous percevons n'est rien d'autre que la «chose elle-même»; et il faut entendre par là: la chose *telle qu'elle est indépendamment de cette perception même*; et le monde qui se déclare à nous de cette manière est bien le monde tel qu'il existe (ou plutôt tel qu'il *pourrait* exister) indépendamment de notre existence contingente.

Il faut pourtant introduire ici une nuance sur laquelle il vaut peut-être la peine de s'arrêter. Je ne suis pas tenté, pour ma part, d'employer l'expression lourdement connotée métaphysiquement de réalité «en soi» pour désigner la réalité dans son indépendance à notre égard – et pas seulement parce que cette expression est lourdement connotée, et qu'elle semble faire signe vers le *kath'auto* platonicien et la *Ding an sich* kantienne, mais plus encore parce qu'elle laisse entendre que ce ne sont pas seulement les choses «elles-mêmes» qui sont perçues, mais les choses indépendamment de *tout* mode d'accès, de toute perspective (finie) que l'on pourrait avoir sur elles. Or cette idée me semble avoir quelque chose d'indéfendable. En effet, il faut distinguer entre la chose telle qu'elle est indépendamment de *ma* perspective contingente et la chose indépendamment de *toute* perspective contingente – et c'est cette dernière possibilité qu'implique l'hyperbole de la chose «en soi». La chose «en soi», en d'autres termes, c'est la chose d'un point de vue divin – «Dieu» ne désignant ici que l'absence de toute perspective ou de tout mode d'accès particulier et fini. Or, je fais partie de ceux qui pensent que cette dernière idée n'a pas de sens. En effet, qu'est supposée être cette réalité «en soi», et comment la décrire?

Je relève que, dans tous nos échanges, Larmore ne s'y essaie même pas. Il la caractérise négativement en disant que ce n'est pas la chose telle que pourrait la décrire la physique (ou la microphysique), mais il ne lui confère aucun attribut positif. Faut-il la concevoir comme un ensemble de purs solides géométriques (comme une *res extensa* cartésienne dépourvue de toute qualité sensible)? Comme un pur précipité de caractéristiques mathématiques? Il m'est difficile de répondre à sa place, mais ce qui semble difficilement discutable est qu'il ne s'agit, dans les deux cas, que d'abstractions et d'idéalisations sans rapport aucun avec les ponts et les rivières qui peuplent notre monde de la vie, et qu'il n'est possible de décrire qu'en faisant intervenir toute l'épaisseur sensible de notre commerce avec elles: propriétés tactiles, olfactives, chromatiques, silhouettes qui leur confèrent leur signature inimitable, horizons indéterminés, etc. Je refuse pour ma part le passage de l'idée selon laquelle ce que nous percevons est la chose «elle-même» (la chose telle qu'elle pourrait exister sans moi et telle qu'elle pourrait être perçue exactement à l'identique par d'autres hommes que moi ou d'autres vivants distincts de moi, la chose dans sa validité universelle transcendant ma perception contingente) à celle selon laquelle ce que nous percevons est la chose en soi (la chose indépendamment de toute perspective et de tout mode d'accès quel qu'il soit). Je rejette par conséquent l'hypothèse même d'un point de vue «divin» possible sur cette chose, et avec elle, la notion même d'«en soi»[9].

Ici commence à s'esquisser une divergence entre un réalisme que l'on pourrait baptiser de «métaphysique» (et que Larmore revendique à peu près en ces termes) et un réalisme que l'on pourrait baptiser de «critique» (dont le réalisme phénoménologique que je défends constitue une version particulière). Le premier pense être en position d'alléguer un argument ou un faisceau d'arguments en faveur de l'idée selon laquelle nos représentations sont en accord avec la réalité – exemplairement, l'argument selon lequel elles sont conformes à la réalité parce qu'elles sont causées par elle. Le second procède de manière très différente. Il emprunte une voie qui n'est pas sans analogie avec celle de la «critique» kantienne et qui consiste à avancer des argument transcendantaux dans le but de déjouer un certain nombre de dichotomies problématiques qui résultent du modèle cartésien de l'esprit (intérieur/extérieur, qualités premières/qualités secondes, phénomènes/choses en soi, qualités intrinsèques des choses/simples projections anthropomorphiques); il procède donc de manière interne, en s'en prenant avant tout à l'idée même de représentation et en proposant une redescription de la perception et du monde phénoménal qui ne succombe pas à ces fausses alternatives[10]. Il n'est pas étonnant que chacune de ces deux voies vers le réalisme rende compte de l'indépendance de réalité à notre

---

[9] Il y a, dans la notion d'en-soi telle qu'elle est employée de Platon à Hegel, plus qu'une simple idée d'indépendance; il y a l'idée d'une absence de relativité à toute perspective (finie). L'indépendance dont nous parlons, au contraire, ne se révèle que selon une perspective donnée, la nôtre.

[10] Sur ces deux variétés de réalisme, nous renvoyons à notre article «Arguments phénoménologiques en faveur du réalisme», in Choses en soi, ed. Emmanuel Alloa et Élie During, à paraître aux PUF.

égard – indépendance à la fois épistémique et ontologique – dans des termes assez différents. Le pari d'un réalisme phénoménologique consiste à soutenir qu'il est possible de rendre compte de cette indépendance *sans quitter l'ordre phénoménal*, c'est-à-dire grâce aux principes de structuration nécessaires inhérents à cet ordre. L'indépendance des choses, pourrait-on dire, est attestée au sein de l'ordre phénoménal lui-même, par un certain nombre de caractéristiques *a priori* de cet ordre.

Comparaison avec Husserl

Avant de tenter de préciser ce dernier point, je voudrais brièvement indiquer en quoi ma position telle que je viens de la formuler diffère de celle de Husserl. Je m'appuie, en effet, sur la théorie des essences développée par le fondateur de la phénoménologie (et dont je ne conserve que certains aspects)[11] pour aller, me semble-t-il, plus loin que Husserl et avancer la thèse selon laquelle c'est un trait essentiel de la perception elle-même que d'exclure tout intermédiaire mental et d'ouvrir sur le monde même.

Certes, Husserl dit cela aussi à sa manière, mais il le dit d'une manière si ambiguë et si pleine de réticences qu'il finit par aboutir non à un réalisme (comme il aurait dû, je crois, le faire) mais exactement à son opposé. En effet, par le nouvel infléchissement qu'il imprime à l'intentionnalité et qui consiste à arracher ce concept à une théorie de la représentation mentale (puisque, dans les théories médiévales, l'*esse intentionale* ne signifiait rien d'autre qu'un être-représenté, une existence de la chose *dans l'esprit*), Husserl *semble* faire droit à une exigence réaliste. N'affirme-t-il pas, par exemple, au §43 des *Ideen... I*: «c'est une erreur de principe de croire que la perception [...] n'atteindrait pas la chose même»? Malheureusement, dès qu'il s'agit de préciser ce que signifie ici la «chose même», Husserl retombe dans l'erreur à laquelle il cherchait à échapper. Au lieu de dire que «la chose même» signifie la chose telle qu'elle est *indépendamment de notre perception même*, il suggère au contraire qu'une telle interprétation de sa formule est irrecevable, puisqu'il avance, au §89 de son ouvrage, que l'objet en tant que réalité ou chose de la nature peut brûler, tandis que l'objet en tant que «sens» perceptif ou «noème» ne le peut pas. Ce qui revient rigoureusement à dire que ce que nous percevons est identique à l'arbre lui-même (§43), mais qu'il ne lui est pas identique (§89) puisqu'il *ne* possède *pas* certaines de ses propriétés. «L'arbre pur et simple, écrit Husserl, la chose de la nature, *ne s'identifie nullement* à ce perçu d'arbre comme tel, qui, en tant que sens de la perception, appartient à la perception, et en est inséparable»[12]. Mais si l'arbre en tant que perçu diffère de l'arbre en tant que chose de la nature, nous sommes à nouveau en présence d'un dédoublement de l'objet

[11] Voir sur ce point Au cœur de la raison, la phénoménologie, Paris, Gallimard, 2010, notamment chapitres X à XII.

[12] Hua III/1, §89, p. 205; trad. de Paul Ricœur, Idées directrices pour une phénoménologie et une philosophie phénoménologique pures, Paris, Gallimard, coll. «Tel», 1950, p. 308 (je souligne).

qui contredit formellement la thèse selon laquelle la perception *porte sur la chose elle-même*. Non seulement, si l'on en croit le §89, la perception ne porte plus sur la chose même – puisqu'un arbre *est* par définition quelque chose qui peut brûler –, mais voici que la chose de la nature et le noème, l'arbre qui peut brûler et celui qui ne le peut pas, se trouvent soudain séparés l'un de l'autre par «un abîme»[13]!

On s'est beaucoup disputé sur le sens à donner à ce fameux noème, mais il nous semble que la seule interprétation possible de ce concept consiste à dire qu'il est *structurellement ambigu* (et cette ambiguïté rejaillit évidemment sur l'intentionnalité elle-même), car le noème oscille perpétuellement entre deux possibilités opposées qui dérivent elles-mêmes de deux exigences contradictoires: une exigence réaliste qui rattache Husserl à l'aristotélisme de Brentano (et qui sera approfondie par ses élèves du Cercle de Göttingen), et une exigence idéaliste qui provient de son projet «cartésien» de fondation ultime des sciences dans la subjectivité transcendantale, et de son allégeance progressive à un kantisme qu'il avait lui-même stigmatisé à ses débuts. La première tendance conduit Husserl – fort justement – à une critique impitoyable du concept de représentation mentale, l'amenant à conclure que l'idée même d'une conscience qui resterait enfermée dans le cercle de ses représentations ne fait tout simplement pas sens. Mais Husserl, hélas, ne cesse de retomber dans les ornières d'une philosophie de la représentation – comme l'a relevé Heidegger, en affirmant que son prédécesseur reste «encore enfermé dans l'immanence (*doch in der Immanenz eingeschlossen*)»[14] –, car son entreprise de fondation ultime des sciences *exige* que la conscience soit conçue comme une instance entièrement autosuffisante et close sur elle-même, comme une véritable substance (*nulla re indiget ad existendum*) ou un véritable «absolu», dont l'existence ne dépend aucunement de celle du monde, alors que l'existence du monde est entièrement suspendue à l'existence de cette conscience.

C'est pourquoi Husserl passe constamment de l'idée selon laquelle il y a une dépendance *fonctionnelle* du monde *apparaissant*, du monde comme phénomène, à l'égard des capacités perceptives du sujet (thèse indiscutable), à l'idée selon laquelle il y a une dépendance *ontologique* du monde *tout court* à l'égard de ce sujet. Le monde a besoin de la conscience non seulement pour *apparaître*, mais pour *être*. Comme ne cesse de le répéter Husserl dans les *Ideen… I*, le monde dépend «*en son être et en sa validité (d'être)*» de la conscience. Cette fois, nous sommes en plein idéalisme; car, au-delà de cette relativité, ce monde n'est «rien», précise Husserl, et même, il est «un Rien (*ein Nichts*)»[15]. Cette affirmation sous-tend tout ce que Husserl appelle «constitution» (un mot qui désigne beaucoup plus qu'une simple dépendance fonctionnelle du monde à l'égard de la subjectivité, et renvoie toujours aussi à une dépendance génétique et ontologique).

C'est aussi tout ce cadre théorique qui motive la solution que Husserl apporte au problème de la transcendance de l'objet perçu – une solution qu'il emprunte pour partie au néokantisme. Le néokantisme, en effet, a substitué à l'aporétique

---

13 Ibid., §89, p. 205; trad. citée, p. 309.

14 GA 15, p. 382; trad. fr. in Questions IV, Paris, Gallimard, 1976, p. 320.

15 Hua III/1, p. 106; trad. citée, p. 164.

«chose en soi» kantienne, liquidée entre temps par l'idéalisme absolu de Hegel, un objet=*x* entièrement vide, jouant le rôle de *focus imaginarius* ou de pôle idéal dans le processus de connaissance. Or Husserl adopte le même genre de solution pour décrire cette fois la perception: l'objet perçu ne serait rien d'autre, à l'en croire, qu'un pôle idéal dans un processus indéfini de confirmation perceptive. Mais une telle position ruine totalement l'exigence réaliste. Du point de vue réaliste, en effet, la réalité n'est pas un point focal dans un processus de connaissance toujours en droit inachevé, mais la *norme* de toute connaissance possible. Il *n*'y a de connaissance *que* du réel, et du réel tel qu'il est *indépendamment* de cette connaissance même.

Du reste, si la solution néokantienne à l'aporie du noumène par la «fonctionnalisation» de l'objet peut posséder un certain attrait du point de vue d'une philosophie des sciences (la «réalité physique» n'étant alors que le corrélat idéal d'une théorie physique entièrement achevée, laquelle, peut-être, excèdera à jamais les capacités humaines), cette solution semble totalement dépourvue de pertinence en ce qui concerne la réalité perçue. Dire que la réalité perçue se situe au terme d'un processus de confirmation en droit infini (ou d'une concordance indéfiniment reportée entre les profils à travers lesquels un objet s'annonce), c'est sous-entendre qu'il est à jamais impossible d'être *entièrement* assuré que notre perception telle qu'elle se déroule jusqu'à présent porte bien sur la réalité même. Un doute reste toujours en droit possible, puisqu'une discordance peut toujours se déclarer dans le flux des *Abschattungen*, et même une *infinité* de discordances qui auraient pour effet de ravaler le monde au rang d'illusion, comme le suggère la célèbre fiction du §49 des *Ideen... I*. Il faut opposer à cette conception qu'il appartient *par essence* à la perception – par contraste d'avec l'illusion ou l'hallucination – de se rapporter à la réalité. «Percevoir que *p*» implique *p*, tandis qu'«halluciner que *p*» implique non-*p*. La réalité n'est pas ce qui est situé au terme d'un processus de confirmation infini, c'est-à-dire au terme de ce qui n'a pas de terme, mais ce avec quoi nous sommes en contact depuis toujours (dans la mesure où nous en faisons nous-mêmes partie). Une perception qui ne nous mettrait pas au contact de la réalité même, c'est-à-dire avec la réalité telle qu'elle est ou pourrait être indépendamment de nous (ou, ce qui revient au même, une perception qui différerait indéfiniment l'assurance de ce contact) contredit l'idée même de *perception*. La perception n'ouvre pas accidentellement sur le réel; il n'y a de perception *que* du réel, et du réel tel qu'il est indépendamment de cette perception même.

La conception causale de la perception

Une fois écartées ces sources possibles de malentendu et clarifiée la profonde différence entre ma conception et celle de Husserl, nous pouvons revenir au différend qui nous oppose, Charles Larmore et moi. Par-delà la différence qui pourrait apparaître seulement terminologique entre sa chose «en soi» et ma chose «elle-même», notre véritable désaccord me semble tenir au sens que nous accordons l'un et l'autre à l'indépendance du monde à notre égard. Pour Larmore, cette indépendance ne peut avoir qu'un sens, son sens *causal*, car ne peut être qualifié de «réel» que ce qui joue un rôle dans une explication causale. L'axiome d'où sa position dérive est clairement formulé dans *Modernité et morale*: «seul ce qui sert dans l'explication causale de l'expérience doit être tenu pour réel»[16]. Pour ma part, dans *Au cœur de la raison,* j'ai congédié une interprétation causale du réalisme en faveur de ce que j'ai appelé «réalisme descriptif» ou «phénoménologique». J'ai suivi, sur ce point, une trajectoire parallèle à celle empruntée par Heidegger et Merleau-Ponty. Mais je reconnais que ce rejet du réalisme causal reste encore, dans ce livre, entaché d'ambiguïtés – au premier chef parce que l'expression de «réalisme causal» est elle-même ambiguë et peut renvoyer à des doctrines différentes.

Le nom de «réalisme causal» peut d'abord s'appliquer, me semble-t-il, à un certain nombre de théories *naturalistes* et *réductionnistes* de la perception affirmant que le monde phénoménal, le monde tel qu'il se présente à nous perceptivement, peut être intégralement expliqué par les liens de causalité intervenant entre des phénomènes physiques (des stimuli) et des phénomènes mentaux (parfois limités à des *sense data*). Je rejette un tel réductionnisme, car je crois que certains aspects essentiels de la perception, tels les aspects que j'ai relevés en commençant, et qui ont trait au *sens* de ce qui est perçu, ne se laissent aucunement *réduire* en ce sens-là. La relation causale est une relation atomique; la perception (ou l'être-au-monde) est une relation holistique. Il est donc assez peu probable que la seconde puisse se ramener sans reste à la première. C'est *ce type* de réalisme réductionniste et naturaliste prétendant en quelque sorte «reconstruire» de l'extérieur la perception à partir d'une mosaïque de stimulations atomiques correspondant à autant d'événements physiques, et adoptant sur la perception une attitude en troisième personne, que je rejette. C'est aussi ce type de réalisme causal qu'ont en vue Merleau-Ponty et Heidegger dans leurs critiques. La seconde raison pour laquelle je récuse une telle variété de réalisme causal est qu'il me semble fatalement réintroduire les intermédiaires mentaux. En effet, les produits causaux de ces processus physiques et physiologiques impersonnels sont nécessairement *distincts* de ces processus eux-mêmes. La nature causale de la perception *implique*, en fait, sa nature représentative.

Mais Larmore n'embrasse pas ce type de réalisme causal pour deux raisons au moins: 1) pour lui, le monde «en soi» qui cause la perception n'est pas «le monde tel qu'il est décrit par les sciences physiques»[17]; 2) la conception causale de la perception qu'il défend ne repose sur aucun réductionnisme ni, dit-il, sur aucun recours à des intermédiaires mentaux, y compris des *sense data*.

Qu'est-ce que donc Larmore entend alors par «réalisme causal»? C'est l'idée, notamment avancée par Strawson, selon laquelle il ne suffit pas de dire qu'une expérience correspond à des faits qui sont présents dans l'environnement immédiat du sujet percevant pour faire de cette expérience une perception *de ces faits*; il faut encore que cette expérience entretienne avec les faits en question une relation

---

16 Charles Larmore, Modernité et morale, op. cit., p. 33.

17 Charles Larmore, «Expérience et ouverture au monde», art. cit., p. 164.

causale appropriée (non déviante). Comme l'écrit Larmore, «une perception n'est pas vraie seulement si son objet est tel que nous le percevons. Il faut aussi que nous le percevions ainsi à cause du fait que l'objet est réellement tel. Une illusion peut très bien correspondre à un certain objet sans cesser pour autant d'être une illusion, dans la mesure où elle n'est pas produite par les propriétés de cet objet auquel elle se trouve ressembler. Le réalisme causal est donc une implication directe du caractère intrinsèque de la perception»[18]. Le type d'énoncé causal qui est ici impliqué, comme le souligne Strawson, est différent d'autres énoncés courants portant sur des dépendances causales en ceci qu'«il n'est pas établi en notant des corrélations entre des états de choses observables indépendamment les uns des autres. Car on ne peut pas *observer* que des [faits] appropriés à certaines [expériences] sont le cas sans que se produisent précisément les expériences en question»[19]. Toutefois, cette particularité, ajoute Strawson, n'est pas de nature à affaiblir la portée de la thèse causale, laquelle ne repose sur aucune recherche empirique et appartient au *concept* même de perception. La particularité de ces énoncés explique plutôt, conclut-il, «pourquoi [cette] thèse générale est une de ces vérités qui sont si évidentes qu'il est très facile de les négliger»[20]. Le concept de causalité auquel nous avons ici affaire est d'ailleurs un concept ordinaire, «ingénu», et non un concept savant. Il ne suppose aucune adhésion à une explication empirique particulière (a fortiori réductionniste ou naturaliste) de la perception, même si, bien sûr, toute explication de ce type *prolonge* l'idée naïve selon laquelle notre perception possède des bases causales[21].

Deux questions ici méritent d'être posées. (1) D'abord, y a-t-il vraiment un concept «ingénu» de causalité qui pourrait être allégué indépendamment d'une théorie explicative particulière? Et si, comme le remarque Putnam, nos théories actuelles sur la causalité du monde physique sur l'esprit sont particulièrement insatisfaisantes, ne convient-il pas d'être plus prudent sur l'invocation d'une sorte de «fait brut de causalité» indépendant de toute théorie et qui serait censé avoir le pouvoir de «raccrocher» nos représentations aux réalités dont elles sont les représentations? Quand nous disons que la lumière vient frapper un objet et est réfléchie vers l'œil pour former une image rétinienne, et qu'il en résulte des impulsions nerveuses chimiques et électriques transmises au cerveau, enfin, que l'activité du cerveau engendre des *sense data* – est-ce que cela constitue une *explication*? Comme l'écrit Putnam, «une "explication" qui inclut des connections d'une espèce que nous ne comprenons pas du tout [...] et concernant laquelle nous n'avons pas même l'esquisse d'une théorie, est une explication par quelque chose de plus

---

18 Ibid., p. 165.

19 Peter Strawson, «Causation in Perception», in Freedom and Resentment and Other Essays, Londres/New York, Routledge, 2008, p. 77 (nous traduisons). Strawson répond ainsi à l'argument classique de Berkeley et de Hume. Voir Berkeley, Traité des principes de la nature humaine, I, §19; Hume, Enquête sur l'entendement humain, XII, 11-12.

20 Ibid.

21 Ibid., p. 91.

obscur que le phénomène à expliquer»[22]. (2) Ensuite, même si l'on admettait cette espèce de fait brut de causalité indépendant de toute théorie particulière (et qui, semble, au passage, restaurer une conception de la causalité antérieure aux découvertes de la mécanique quantique et ainsi régler *a priori* la question, si difficile, de l'unité de la physique), ce qui rend tout à fait contraignante l'invocation de la causalité par Strawson est son point de départ – qu'il ne questionne à aucun moment –, à savoir la thèse que la perception est une espèce de représentation. Or c'est ce point de départ qui nous semble précisément mériter d'être remis en question. La perception n'est pas une représentation qui devrait, par voie de conséquence, être conforme à l'état de choses représenté, et qui ne pourrait lui être conforme que si elle est causée par cet état de choses. La perception est plutôt de l'ordre d'une manifestation ou d'un dévoilement de l'état de choses lui-même dans lequel le contenu de la perception *est identique* avec cet état de choses. Le dévoilement ou la manifestation du monde précède et rend possible toute représentation de ce monde, par exemple sous forme de croyances à son sujet.

Affirmer que la perception est une mise en présence de la «chose» elle-même ou une présentation de cette chose dans sa présence indéfectible, qu'elle est une *manifestation* et en aucun cas une représentation, ce n'est pas évidemment nier qu'il soit possible d'expliquer empiriquement la perception sur la base de processus causaux sous-jacents. Nul philosophe, même pas le plus forcené des idéalistes, Berkeley, n'a nié qu'un lien causal (dans son cas à Dieu et non à la matière) était à l'origine du fait perceptif. Le différend ne porte donc pas sur la possibilité d'une explication causale au moins partielle – et peut-être, après tout, intégrale – du phénomène perceptif. Il porte plutôt sur la caractérisation la plus juste de *ce que c'est* que percevoir. Pour moi, la perception est une «prise» corporelle sur les choses, pour reprendre l'expression de Merleau-Ponty, sans médiation ni représentation d'aucune sorte. C'est pourquoi le rapport causal avec des stimuli physiques reste *extrinsèque* à une caractérisation d'essence de la perception. Il n'en reste pas moins que la conception de Larmore se situe du même côté que la mienne par rapport au grand partage entre naturalisme et antinaturalisme, réductionnisme et antiréductionnisme, si bien que la différence entre son réalisme causal et mon réalisme phénoménologique semble par moments difficile à saisir. Tout se passe comme si la différence entre percevoir «la chose elle-même» (comme je le dis) et percevoir «la chose qui engendre (causalement) la perception», comme il aime à le dire, se ramenait en fin de compte au choix – en partie arbitraire – d'un vocabulaire causal pour décrire la *présence* même de la chose «en chair et en os».

Reste que le réalisme causal bute sur une difficulté que nous avons déjà relevée: il est bien difficile de spécifier «la cause» que constitue cette réalité indépendante par contraste avec les modes d'apparaître de cette réalité pour moi. Qu'est-ce qui constitue, par exemple, la contrepartie des couleurs dans la réalité «en soi» de Larmore, qui n'est d'ailleurs pas identique à la réalité telle qu'elle est décrite par la physique? Tant qu'on n'a pas précisé ce point, l'expression «réalité "en soi"»

---

[22] Hilary Putnam, The Many Faces of Realism, Chicago/La Salle, Open Court, 1995, p. 8 (nous traduisons).

demeure entièrement vide. Comment décrire cette réalité indépendamment de la manière dont elle nous apparaît à chaque fois dans le monde phénoménal ou dans le monde de la vie qui est le nôtre? C'est ici que l'approche phénoménologique peut se révéler intéressante. Comme je l'indiquais, cette approche suppose qu'il est possible de rendre compte de l'indépendance à notre égard de la réalité *sans quitter le plan du monde phénoménal*. L'indépendance existentielle des choses se présente ici à même les phénomènes – et cela, faut-il ajouter, du fait des principes mêmes qui sont immanents à l'ordre phénoménal. En d'autres termes, pour «arrimer» la perception à un monde indépendant de nous-mêmes, l'invocation de la causalité n'est pas nécessaire, car nous pouvons rendre compte de cette indépendance de la réalité d'une façon purement interne ou immanente aux phénomènes, grâce aux principes de structuration immanents qui les régissent, autrement dit grâce aux légalités *a priori* matérielles qui en commandent le déroulement. Ici, je suis bien conscient du fait que nous cessons d'être d'accord, Charles Larmore et moi.

Larmore me semble souscrire au moins implicitement à une idée extrêmement répandue dans la philosophie analytique et qui consiste à considérer qu'il n'existe que deux sortes de relations: des relations causales (empiriques) et des relations conceptuelles ou logiques. Appliquée au problème de la perception, cette distinction conduit à soutenir qu'ou bien la réalité agit causalement sur nos sens, ou bien elle nous présente un ensemble de raisons qui motivent notre action et ressortissent à ce que Sellars appelle «l'espace logique des raisons». Selon une telle approche, il n'existe aussi que deux sortes de nécessités: des nécessités empiriques (admettant la possibilité d'exceptions) et des nécessités logiques (qui l'excluent). Or je crois, au contraire – et à la suite de Husserl lui-même – qu'il faut distinguer un troisième type de nécessité, les nécessités essentielles, lesquelles ne sont ni empiriques ni logiques. Et ces nécessités d'essence concernent notamment le domaine des phénomènes. Les nécessités essentielles sont des nécessités *absolues*, à l'image des nécessités logiques pour lesquelles aucun contre-exemple n'est concevable; et néanmoins, elles ne se laissent pas reconduire à de simples vérités formelles ou analytiques. Ce sont aussi des nécessités *purement descriptives*, indépendantes de toute hypothèse empirique et donc impossibles à falsifier par une nouvelle expérience.

Un réalisme phénoménologique rend compte de la dimension d'indépendance de la réalité sans recourir à l'idée de causalité, mais en fondant cette indépendance sur l'ordre et la structuration purement immanents à l'ordre phénoménal lui-même. Quels sont ces principes de structuration? Il ne saurait être question de les énumérer de manière exhaustive: par exemple, les lois structurelles *a priori* qui appartiennent à ce que Meinong appelait une «géométrie des couleurs» (lois d'opposition et de complémentarité par exemple) ou celles qui structurent le domaine sonore; mais aussi les principes d'invariance spatio-temporelle qui régissent le mode d'apparaître des réalités qui nous entourent. Ces lois d'essence du monde phénoménal n'admettent aucune exception; elles introduisent dans le monde phénoménal lui-même, en tant que relatif à un sujet, un élément d'irrelativité à ce même sujet qui fonde l'indépendance de la réalité à son égard. Ce sont ces principes de structuration immanents à l'expérience perceptive qui permettent de rendre compte d'un point de vue immanent de la manière dont la perception ouvre sur un monde caractérisé par sa stabilité, sa cohésion et son indépendance.

Mais l'adhésion à un réalisme phénoménologique suppose aussi que l'on souscrive à une seconde thèse, celle selon laquelle chaque perception ne peut exister qu'intégrée à un *ordre perceptif*, c'est-à-dire selon laquelle il n'existe pas de perception à l'état isolé – puisque c'est précisément la continuité et la cohésion de la perception, c'est-à-dire le système des invariances structurelles qui la régissent, qui fondent l'indépendance du monde à notre égard. D'où une seconde affirmation que j'ai cru bon d'introduire dans *Au cœur de la raison*: celle du caractère *essentiellement holistique* de la perception. Une expérience n'est une expérience perceptive que si elle s'intègre sans hiatus au tout de l'expérience perceptive, et donc si elle présente une cohésion structurelle avec le système de l'expérience perceptive en totalité. Et ce qui vaut ici de l'expérience perceptive vaut aussi de ce dont cette expérience est l'expérience: le monde. Une chose ne peut être perçue que si elle s'intègre sans hiatus à un monde pourvu d'une cohésion structurelle, en sorte que le fait d'être perçu est d'abord une propriété du tout lui-même avant de pouvoir être une propriété de ses parties[23].

Du point de vue de Larmore, le geste que j'accomplis représente plutôt un faux pas qui ne ferait que trahir, chez moi, un reliquat d'idéalisme: ou bien le réalisme est *causal* (et se formule en termes causaux), ou bien il n'est en aucun cas un *réalisme*. Je voudrais citer à cet égard une remarque qu'il m'a adressée lors d'un de nos échanges:

> Je ne crois pas qu'il soit nécessaire de recourir, comme tu le fais à la fin de ce paragraphe, à la « cohésion » de la perception avec d'autres aspects du monde. Après tout, tu insistes toi-même, et ce à juste titre, sur le fait que l'expérience de la perception se distingue de par sa propre nature de l'illusion, et si donc toute perception est en tant que telle perception de quelque chose de réel, ce ne peut être en raison de quelque marque extrinsèque comme la cohésion que tu évoques. En effet, la cohérence comme critère du réel a été souvent invoquée par ceux – par exemple Descartes à la fin de la *6ème Méditation* – qui supposaient qu'une perception (de quelque chose de réel) ne se distinguait pas intrinsèquement, de par son contenu, d'une illusion.

Ce passage me semble manifester une certaine incompréhension de ma position et des raisons pour lesquelles je l'adopte. Ce sera pour moi l'occasion de préciser ces points.

Le holisme de la perception est une thèse qui *s'oppose diamétralement* à la thèse husserlienne (d'inspiration cartésienne) d'une «marque extrinsèque», pour

---

[23] Pour un exposé plus développé du holisme de la perception voir Au cœur de la raison, op. cit., chap. XVII et XVIII.

reprendre l'expression de Larmore, permettant de conférer une vérité à des perceptions qui, prises en elles-mêmes, pourraient se révéler trompeuses. La thèse de l'existence d'une telle marque extrinsèque repose d'ailleurs, aussi bien chez Descartes que chez Husserl, sur l'admission du bien-fondé du doute sceptique, c'est-à-dire d'un doute universel – jusqu'au moment où un tel doute se renverse en certitude, grâce à l'intervention du «cogito». En effet, c'est seulement parce qu'un doute global relatif à l'existence du monde est légitime aux yeux de Husserl que l'objet perçu peut être tenu par lui pour constamment en suspens au bord du non-être; et donc qu'il faut chercher dans l'*enchaînement* entre les différentes perceptions une confirmation (toujours provisoire) de leur vérité, de leur ouverture sur la chose même, c'est-à-dire du fait que leur objet (et le monde) ne s'effondre pas dans le néant. Or: (1) je récuse le bien-fondé d'un doute universel, et plus particulièrement d'un doute universel concernant la perception; 2) ce que j'appelle «cohésion» (le fait que la perception soit structurée par un ensemble d'invariants *a priori*) n'est en rien une «marque extrinsèque» de la vérité d'une perception pour la bonne et simple raison que c'en est *un trait d'essence*; c'est une caractéristique *intrinsèque* de toute perception comme telle. En somme, la perception n'est pas accidentellement pourvue de cohésion structurelle, cette cohésion *définit* ce que c'est qu'une perception. La perception n'est pas «cohérente» (en un sens extra-logique du terme qui renvoie à ce système d'invariances structurelles) parce que c'est *un fait* que cette perception s'est confirmée jusqu'à présent, et qu'elle pourrait aussi à tout instant cesser de le faire; la cohésion est un trait d'essence de la perception. Il appartient à *ce que c'est que d'être une perception* que de se dérouler de cette manière.

Il n'y a donc pas, *par essence,* de perception isolée qui pourrait être dite en elle-même une *perception.* Une expérience ne peut être une perception que si elle s'intègre sans hiatus ou sans faille au tout de la perception, en sorte qu'une expérience qui échoue à satisfaire ce critère n'est pas une perception *trompeuse* (concept matériellement absurde *a priori*); ce n'est pas du tout une *perception*. Ou, pour le dire encore autrement, être une perception est une caractéristique fortement holistique, c'est-à-dire une caractéristique qui ne peut s'appliquer à une partie de notre expérience que parce qu'elle s'applique d'abord et plus fondamentalement au tout, et qui doit donc s'appliquer à ce tout *pour* pouvoir s'appliquer à la moindre de ses parties. Non seulement, donc, le holisme de la perception signifie quelque chose d'entièrement différent de la «concordance» de Husserl, laquelle reste une caractéristique contingente («une marque extrinsèque», comme le dit fort bien Larmore), qui peut toujours faire défaut, mais ce holisme est précisément introduit *pour* critiquer le concept husserlien de concordance, à mes yeux trop faible, dans la mesure où il ne prête à l'objet perçu (et au monde lui-même) qu'une cohésion accidentelle.

Chez Husserl, en effet, toute perception peut s'analyser en: 1) des *Abschattungen*, des profils qui sont donnés de manière adéquate et, par conséquent, évidente (ils sont donnés de telle manière qu'il n'y a aucune place pour un doute à leur sujet); 2) un objet perçu transcendant qui peut toujours par essence se révéler illusoire (à son propos, le doute conserve toujours un sens). Les *Abschattungen* forment donc un élément commun à la perception (dans laquelle ils se confirment et se corroborent sans cesse par concordance) et à l'illusion (dans laquelle ils entrent en conflit les uns avec les autres, faisant ainsi «éclater» l'objet et s'effondrer celui-ci dans le néant). Cette concordance reste, aux yeux de Husserl, un phénomène dont il est parfaitement pensable qu'il ne se produise plus – d'où son hypothèse du §49 des *Ideen... I* d'un effondrement du monde dans une illusion généralisée. Ce qui entraîne aussi que la perception n'est pas, du point de vue du fondateur de la phénoménologie, *intrinsèquement* distincte de l'illusion: perception et illusion comportent un «élément commun», les *Abschattungen,* qui, dans le premier cas, se confirment et, dans le second, entrent en conflit.

Ma conception se situe à cet égard à l'opposé de celle de Husserl. Elle consiste à soutenir: 1) qu'il n'y a pas d'élément commun à la perception et à l'illusion – il n'y a donc pas d'*Abschattungen* qui seraient «séparables» de l'objet lui-même (immanentes, alors qu'il demeure transcendant); les profils ne sont pas des «vécus immanents» mais des caractéristiques *relationnelles* des objets: ce sont leur mode de présentation pour nous; 2) que loin qu'une expérience ne soit une perception que «sous réserve» (aussi longtemps qu'elle est confirmée) elle est une perception *d'entrée de jeu* par l'intégration qu'elle présente à l'ordre perceptif. Ce qui entraîne que l'idée d'illusion généralisée n'a rigoureusement aucun sens: si une illusion ponctuelle reste à chaque instant possible, une illusion généralisée ne l'est pas, car une illusion ne peut par essence se produire que *sur fond d'un monde pourvu de cohésion structurelle*, c'est-à-dire sur fond de monde *perçu,* et elle ne peut se dénoncer (après coup) comme illusion que *par contraste* avec ce monde. Une illusion généralisée n'a aucun sens sur le plan descriptif, car une telle «illusion» devrait à la fois être une *illusion*, c'est-à-dire entrer en conflit avec un monde pourvu de cohésion structurelle et constituer par conséquent une infraction à l'ordre qui régit ce monde, et être *généralisée*, c'est-à-dire ne laisser hors de sa portée aucun reliquat de monde: deux exigences qui se contredisent.

Charles Larmore prétend que la thèse du holisme de la perception reste une manière de prolonger le geste idéaliste, puisque Descartes déjà (et après lui, Berkeley, et même Kant) font appel à l'ordre et à la régularité entre les idées ou les représentations pour garantir leur réalité empirique; et de fait, la démarche que je suis ici est «interne», comme celle de Kant, elle procède à la déconstruction de fausses dichotomies et évite de recourir à un «en soi» et à ses liens causaux avec l'esprit pour justifier le réalisme. Mais ma position n'en est pas moins *réaliste*. Il s'agit en effet pour moi d'avancer une *redescription* de la perception qui, si elle ne constitue certes pas un argument général permettant de réfuter le sceptique – et l'idéaliste qui lui emboîte le pas –, permet du moins de montrer que le doute sceptique est radicalement injustifié, dépourvu de motif sérieux, et, sous ce rapport, «vide» et inconsistant. Larmore reproche à ma position d'être encore vulnérable au scepticisme; mais, si elle est convenablement comprise, elle vise précisément à montrer la vacuité du scepticisme. Il me semble au contraire que c'est le réalisme causal défendu par Larmore qui se trouve démuni lorsqu'il est confronté au doute du sceptique. En définissant, en effet, la perception uniquement en termes de relation causale à une réalité transcendante, et en faisant de la cohésion entre perceptions un trait uniquement *adventice* ou une simple conséquence de cette même relation causale à une réalité dont les principes d'ordonnancement sont *exclusivement empiriques et contingents*, le réalisme causal s'expose par principe à un scénario du type de celui du «cerveau dans une cuve» (ou de *Matrix*), c'est-à-dire à l'hypothèse d'une reproduction artificielle de l'apparence d'une réalité indépendante au moyen de processus causaux sans rapport avec le monde dont ils nous procurent l'illusion. Un tel réalisme causal peut différencier *conceptuellement* la perception véritable de l'apparence de perception, en vertu de son critère causal: mais elle n'a rien à répondre à l'hypothèse d'une causalité constamment déviante qui reproduirait un monde apparemment réel dans son moindre détail au moyen de procédés artificiels. Qu'est-ce qui nous permet de savoir que le monde que nous *croyons* percevoir n'est pas une pure chimère? Le réalisme causal ne dispose d'aucun recours contre ce genre d'hypothèse, car pour lui, il est concevable qu'une perception se déroule de manière parfaitement cohérente (au sens de la cohésion dont je parlais plus haut) tout en n'étant aucunement une *perception*. Suivant le réalisme causal, nous pourrions vivre indéfiniment dans un rêve cohérent sans que celui-ci cesse d'être un rêve, puisque l'expérience pourrait présenter un ordre et une cohésion parfaits sans présenter aucun des liens de causalité à l'égard d'une réalité extrinsèque qui sont nécessaires pour parler de *perception*. Au contraire, dans le type de position que je défends, c'est une description purement immanente de la perception qui ne quitte pas l'ordre phénoménal qui permet de montrer de manière *purement phénoménologique* l'absurdité de l'idée d'une illusion généralisée, et partant la nécessaire ouverture de la perception à un monde comme trait d'essence de cette dernière. C'est par une description interne de l'expérience de percevoir qu'elle met fin aux divagations du scepticisme.

Il ne suffit donc pas, pour définir ce qu'est la perception, de la définir par sa connexion causale avec l'objet qui l'engendre. Car la perception est par essence un phénomène holistique, et c'est d'ailleurs ce caractère holistique qui permet de rendre compte des significations qui l'habitent. Les raisons pour lesquelles j'ai recours au holisme de l'expérience se situent par conséquent à l'opposé de celles que Larmore m'impute en rapprochant ma position de celle de Descartes. Le holisme de la perception prolonge et parachève la conception disjonctive de la perception que j'ai défendue dans *Au cœur de la raison* et qui consiste à affirmer que la perception est *intrinsèquement* distincte de l'illusion.

Pourquoi est-il utile de faire de la phénoménologie? Une réponse simple à cette question est la suivante: souvent, en philosophie, une description adéquate des phénomènes permet d'éviter bien des discussions oiseuses et des faux problèmes. Par exemple, une partie importante de la littérature consacrée aux questions abordées dans ce texte formule l'hypothèse d'une illusion ou d'une hallucination qui pourrait être *en tous points indiscernable d'une perception*, et s'efforce d'en tirer un certain nombre de conséquences pour le statut respectif de la perception et de l'illusion. Or, si la description de la perception que j'avance est correcte, une telle possibilité reste «vide», purement logique, et elle ne correspond à rien du point de vue phénoménologique. Une illusion et une hallucination, selon leurs modalités propres d'apparition, *ne* sont *jamais* indiscernables d'une perception, car elles ne présentent *jamais* cette cohésion inviolable qui constitue le critère de la perception et qui, seule, est annonciatrice d'un monde. Et donc la perception n'est pas davantage une illusion confirmée (ou un «rêve cohérent») que l'illusion n'est une perception défectueuse ou défaillante. Ce qui n'empêche évidemment pas que l'illusion puisse nous induire en erreur en faisant passer la réalité pour autre qu'elle n'est. Cette possibilité d'une erreur *quant à la perception* (et non d'une perception *erronée*, ce qui est une contradiction *in adjecto*) n'entraîne en aucune façon une homogénéité de structure entre perception et illusion. Toute illusion et toute hallucination restent flottantes, fluctuantes, indéterminées, éphémères, ne présentant jamais un cours absolument réglé d'apparitions, ni rien qui corresponde aux profils stables d'un objet, aux relations entre premier plan et arrière-plan, aux phénomènes d'horizon et ainsi de suite. Toute perception présente des caractéristiques phénoménologiques opposées. Un grand nombre de débats sur ces questions à partir de Descartes ont été empoissonnés par cette fausse analogie entre des phénomènes entièrement différents sur le plan descriptif.

Mais les conséquences de ma conception s'étendent plus loin, puisque le rejet de cette analogie trompeuse entraîne aussi le rejet de la distinction immanence/transcendance telle qu'elle a été formulée par Husserl, l'impossibilité de distinguer, dans le phénomène perceptif lui-même, un élément évident qui serait donné dans l'immanence de la conscience (les «profils») et un élément douteux qui lui demeurerait transcendant. *La certitude de la perception s'étend à la chose elle-même et ne laisse hors d'elle aucun résidu.* (Cette certitude n'est d'ailleurs pas seulement fondée sur la cohésion indestructible du monde, elle se fonde tout autant sur un rapport corporel et pragmatique aux choses précédant l'attitude théorique – et donc aussi la possibilité du doute). Ce rejet de l'immanence husserlienne n'entraîne pas pour autant le rejet de *tout* concept d'immanence: il y a bel et bien une immanence de certaines sensations, par exemple d'une sensation d'éblouissement. Dans le cas d'une telle sensation, nous n'avons affaire, en effet, qu'à la perception d'un état interne, d'une sorte de brûlure oculaire, et nullement à la perception d'un état du monde. Il serait pourtant inadéquat de généraliser le concept de sensation pour l'étendre à la totalité de la perception, et de prétendre déceler dans cette dernière des *sense data* ou des «données hylétiques» qui y seraient partout à l'œuvre. La perception ordinaire *n*'est *pas* composée de sensations.

Larmore affirme que si l'on prend au sérieux la dimension causale de la perception, la perception nous porte pour ainsi dire au-delà d'elle-même et de sa relativité à nous-mêmes pour nous mettre en contact avec les choses «en soi». Comme nous l'avons dit, si «en soi» s'entend uniquement au sens d'«indépendant de nous», nous ne sommes pas en désaccord avec lui sur ce point. Il en conclut que la perception nous porte au-delà de la relativité d'un monde purement «pour nous». Là encore, nous ne pouvons que le suivre. Ce qui s'atteste à même les phénomènes, c'est l'indépendance du monde à notre égard. Cela étant, l'idée de base d'une phénoménologie, ce qui en fait une méthode peut-être féconde en philosophie, est précisément l'idée selon laquelle ce «passage» par les phénomènes, cette entreprise *descriptive* ont une portée décisive même et surtout si l'on veut chercher à aller «au-delà» des phénomènes pour dire quelque chose des choses elles-mêmes. En ce sens, la phénoménologie n'autorise pas, je crois, même lorsqu'elle parle des essences et leur nécessité «absolue» (non hypothétique), à restaurer une métaphysique pré-kantienne qui nous permettrait de coïncider, grâce une espèce de saut, avec le point de vue de Dieu lui-même. Et il demeure sans doute un écart irréductible entre l'idée de réalité «elle-même» qui sert de base à mon réalisme descriptif et celle de réalité «en soi» qui fournit le socle d'un réalisme métaphysique comme celui que défend Larmore. La réalité indépendante que nous pouvons chercher à atteindre par des procédés toujours faillibles[24] n'est pas une réalité qui transcenderait *complètement* notre expérience et qui nous permettrait de nous affranchir une fois pour toutes du conditionnement qu'elle nous impose. Elle lui demeure inexorablement liée, au sens où elle n'est accessible qu'*au moyen* de cette dernière.

[24] C'est l'occasion de rappeler que, pour nous, même si les nécessités d'essence sont des nécessités au sens le plus fort du terme, la connaissance de ces nécessités reste toujours faillible. En d'autres termes, il n'existe rien de tel à mes yeux qu'une intuition des essences qui nous les livrerait sans voile dans la pureté d'un regard.

Warum es die Welt (nicht) gibt

Eine phänomenologische Antwort*

Yusuke Ikeda

Einleitung

Das Ziel dieses Beitrags besteht darin, festzustellen, worin die Berührungspunkte wie auch die Differenzen zwischen der phänomenologischen Tradition und dem sogenannten „Neuen Realismus“ bestehen, wie ihn Markus Gabriel vertritt. Ich möchte dieses Ziel verfolgen, indem ich auf die Frage, *warum es die Welt gibt, eine phänomenologische Antwort gebe*. Diese Herangehensweise ist nicht zuletzt der Tatsache geschuldet, dass Gabriel eine gegensätzliche These vertritt, nämlich die, dass *es die Welt überhaupt nicht gibt.* Für ihn stellt „die Welt“ kein philosophisches Problem mehr dar, weshalb er auch dafür plädiert, eine Art „Keine-Welt-Anschauung“ zu vertreten[1]. Vergleicht man diese beiden scheinbar inkompatiblen Positionen miteinander, lässt sich jedoch zeigen, dass sich beide – wie es bereits Kant tat – gegen einen spekulativ-metaphysischen Weltbegriff richten, d.h. gegen einen Begriff, von dem sich alles innerweltlich Seiende in seiner vollen Realität spekulativ ableiten lassen soll. Sie verzichten jedoch darauf, auf Kants Auflösung dieses metaphysischen ‚Gespenstes‘ Rekurs zu nehmen: auf seinen transzendentalen Idealismus als „Schlüssel zur Auflösung der kosmologischen Antinomie“[2]. Die Differenz zwischen der Phänomenologie und der neu-realistischen „Sinnfeldontologie“ Gabriels besteht somit in der jeweiligen Art und Weise, *wie* beide Kants (idealistischen) Vorschlag zu umgehen suchen: Während für Gabriel die Welt nichts anderes ist als ein Scheinproblem der Metaphysik, sucht die Phänomenologie einen eigenen – weder metaphysisch noch kantisch motivierten – Weltbegriff auszubilden, um das philosophische Problem der „Welt“ phänomenologisch zu reformulieren.

---

* Dieser Forschungsbeitrag wurde von der Grand-Agentur KAKENHI (Japan Society for the Promotion of Science) gefördert (20K12799).

1 Markus Gabriel, Sinn und Existenz. Eine realistische Ontologie, Berlin, Suhrkamp, 2016, S. 224ff.

2 Immanuel Kant, Kritik der reinen Vernunft, hrsg. Jens Timmermann, Hamburg, Felix Meiner, 1998, S. 587, A490/B518 (abgekürzt KrV).

1. Gabriels „Sinnfeldontologie" und ihre „neu-realistische" Position

Markus Gabriel stellt in *Sinn und Existenz* wie bereits in *Warum es die Welt nicht gibt*[3] die These auf, es gebe nicht *die* (eine) Welt, wobei er zugleich behauptet, dass es außer der „Welt" *alles* geben soll, und zwar ganz unabhängig davon, ob *wir* es erkennen oder „konstruieren". Er begründet diese These folgendermaßen: (1) „Existenz" heißt, dass etwas in einem „Sinnfeld" erscheint. Weil dieses Etwas immer nur in einem solchen Sinnfeld zum Vorschein kommen kann, kommt es darin selbst bzw. als solches nicht vor. Wenn nun *die* Welt als das *„Sinnfeld aller Sinnfelder"* – das „Sinnfeld, in dem alle anderen Sinnfelder erscheinen" – ausgelegt werden soll[4], so kann sie offenbar selbst nirgendwo zum Vorschein kommen: und darum *gibt es die Welt nicht*. (2) Unter „Sinnfeld" versteht Gabriel das ganze Netzwerk eines „Leitsinns", der unserem Spechen von *Möglichkeit* zugrunde liegt; er bildet die *Regel*, welcher das untersteht, was überhaupt möglich sein soll[5]. (3) Zwar ist dieser „Leitsinn" als solcher eine „abstrakte" Entität, nämlich eine durch unser Abstraktionsvermögen erfasste Regel derjenigen Gegenstände, die überhaupt als möglich verstanden werden können sollen[6]. Dennoch soll sich diese Auffassung keineswegs auf einen (epistemischen oder hermeneutischen) „Konstruktivismus" zurückführen lassen, da die neu-realistische „Sinnfeldontologie" die Annahme ausdrücklich ablehnt, dass *„alle Gegenstände"*, die derart abstrakt erfasst werden können, automatisch von uns „konstruiert" sind: nicht alles sei abhängig von uns *individuiert*[7]. (4) Zwar können wir durchaus annehmen, dass alles, sofern es zum Vorschein kommt oder kommen kann, *in der Welt* vorkommt, doch sei diese Annahme eine *metaphysische Illusion*, da „es im allgemeinen keinen Grund dafür gibt anzunehmen, dass irgendeine Regel für alle Sinnfelder gilt"[8]. Nimmt man die Existenz der Welt an, fällt man daher notwendig dem metaphysischen Schein einer „Regel für alle Sinnfelder" zum Opfer, wie es für Gabriel bspw. bei gewissen Typen des metaphysischen Naturalismus oder in der analytischen Metaphysik einer „möglichen Welt" der Fall ist[9]. Auf diese Weise lasse sich begründen, warum es *die* Welt nicht gibt, jedoch außer ihr *alles*.

Aus dieser Überlegung zieht Gabriel die Konsequenz, seine These sei deswegen als *realistisch* zu bezeichnen, weil sie davon ausgehe, dass es außer *der* Welt alles gibt – der sinnfeldontologische „Neue Realismus" lehnt daher sowohl die „Metaphysik" (die behauptet, es gebe die Welt *an sich*) als auch den „Konstruktivismus" (nach dem es alles nur so gibt, wie *wir* es „konstruieren") entschieden ab.

---

[3] Markus Gabriel, Warum es die Welt nicht gibt, Berlin, Peter Palm, 2013.

[4] Ebd., S. 96f.

[5] Markus Gabriel, Sinn und Existenz, op. cit., S. 369ff.

[6] Ebd., S. 389.

[7] Ebd., S. 184.

[8] Ebd., S. 387f.

[9] Ebd., S. 28, 31f., 224ff. sowie Markus Gabriel, Warum es die Welt nicht gibt, op. cit., S. 127ff.

Er verbindet also die an Kant erinnernde These (wonach es die Welt *an sich* nicht gibt, da sie kein „Ding an sich" sei[10]) mit einem „realistischen" Ansatz (dass nämlich durchaus nicht alles von uns konstruiert wird). Mutatis mutandis hält Gabriel Kants „Kritik" an der „dogmatischen Metaphysik" zwar für angemessen, ohne jedoch deren Begründung in der *Kritik der reinen Vernunft* zu übernehmen – also ohne Kants transzendentalen Idealismus als „Schlüssel zur Auflösung der kosmologischen Antinomie", d.h. den „regulativen Gebrauch der transzendentalen Ideen" bzw. die Ansetzung der Welt als „heuristischer Fiktion"[11] weiterzuverfolgen. So lehnt Gabriel Kants „Konstruktivismus" und seine darauf basierende Rehabilitierung der Metaphysik – seinen *„metaphysischen Fiktionalismus"* der Welt[12] – entschieden ab, da ein solches „Weltbild" notwendigerweise mit dem für ihn unzulässigen metaphysischen *„Monismus"*, der das *„Sinnfeld aller Sinnfelder"* spekulativ ausfindig zu machen sucht, operiere[13]. Genau dieser Position setzt er daher die oben erwähnte „Keine-Welt-Anschauung" entgegen.

2. *Phänomenologie – vom Neuen Realismus aus gesehen*

Auf den ersten Blick scheint diese „neu-realistische" Ansetzung der phänomenologischen Philosophie zwingend kritisch gegenüberstehen zu müssen. Denn Edmund Husserl, der Begründer der Phänomenologie, versteht seine Philosophie als eine Form der Transzendentalphilosophie, die nur *idealistisch* durchführbar sei[14]. So führt Husserl bspw. in *Ideen I* das berühmte Denkexperiment der „Weltvernichtung" durch, um phänomenologisch das „absolute Sein" des Bewusstseins zu demonstrieren[15]. Diese epistemisch-ontologische These zieht eine weitere bezüglich der Welt nach sich: Während das Bewusstsein uns absolut gegeben sei, müsse es die Welt *nicht notwendig* geben, da ihr Sein vom Bewusstsein abhängig sei[16]. So scheint die Phänomenologie behaupten zu wollen, es gebe die Welt nicht *an sich*, weil sie vom Bewusstsein immer schon konstituiert („konstruiert") oder aber im Sinne einer unendlichen Aufgabe noch zu konstituieren (zu „konstruieren") sei. Daher sei die Phänomenologie als die Nachfolgerin des kantischen *„Konstruktivismus"* zu betrachten, der die Welt zwar nicht als ein „an sich Seiendes", wohl aber als „regulativer Idee", ja als „heuristische Fiktion" begreife.

Jedoch erweist sich dieser Eindruck sofort als trügerisch, wenn wir uns den phänomenologischen Weltbegriff beim späten Husserl ansehen. Deshalb möchte

---

10 Vgl. KrV, S. 600, A506/B534.

11 Ebd., S. 811, A771/B799.

12 Markus Gabriel, Sinn und Existenz, op. cit., S. 367.

13 Ebd., S. 28ff. sowie Markus Gabriel, Warum es die Welt nicht gibt, op. cit., S. 139ff. usf.

14 Hua I, S. 118.

15 Siehe, Hua III/1, S. 91ff., S. 103ff.

16 Ebd., S. 98, 104 u.ö.

ich im Folgenden im Ausgang von Husserl und Eugen Fink prüfen, ob und inwiefern sich diese Ansicht rechtfertigen lässt, indem ich phänomenologisch auf die Frage antworte, warum es die Welt (nicht) gibt.

3. Der anti-kantische Weltbegriff der Phänomenologie – im Ausgang vom späten Husserl

Die Grundidee des Weltbegriffs beim späten Husserl lässt sich so formulieren, dass es die Welt dann notwendig geben muss, wenn es zumindest *einen* alethisch ausweisbaren Gegenstand gibt. Denn Husserl schreibt der Welt eine *Boden-Funktion der Ausweisbarkeit der jeweiligen (alethischen) Modalität* zu.

Husserl charakterisiert die Welt in einem Nachlasstext als *„Frage-Boden"*, weil sie für die Ausweisbarkeit eines jeden *realen* Seienden – also eines jeden Seienden, das sinnvoll in Frage gestellt werden kann – insofern verbindlich sei, als alles Ge- und Hinterfragte, sofern es existiert, notwendigerweise *in der Welt* vorkommen muss[17]. Um diesen Ansatz genauer zu verstehen, müssen wir dem Umstand Rechnung tragen, dass sich Husserl hier gegen ein altbekanntes Argument des Skeptizismus zu verteidigen sucht – gegen das sog. *Traumargument des cartesianischen Typus.* Dieses Argument lautet: Weil wir die Möglichkeit nicht ausschließen können, dass die scheinbar wirkliche Welt im Ganzen tatsächlich eine Träumerei ist, bleibt immer die Frage offen, ob es die Dinge – und entsprechend die Welt als ihre Ganzheit – überhaupt gibt.

Wie mir scheint, geht Husserl in diesem Zusammenhang von einem doppelten *common sense* aus, dass wir nämlich (1) üblicherweise den Zustand des Träumens im Schlaf bzw. Schlummer vom Zustand der Wachheit unterscheiden können, und dass wir (2) durchaus sinnvolle Fragen im Blick auf ein reales Seiendes stellen und, sofern diese Fragen adäquat formuliert sind, möglicherweise auch auf sie antworten können. Um das Traumargument zu entkräften, rekurriert Husserl also auf die Struktur der *normalen Erfahrung im Zustand des Wachseins.* Das (für ihn „intentionale") Korrelat der Struktur dieser normalen Erfahrung bezeichnet er als den Träger des *normativen Spielraums des Fragens* (d.i. den „Frage-Boden") und nennt ihn ausdrücklich *„die Welt"*[18]. Husserls Argument lässt sich mit eigenen Worten wie folgt rekonstruieren:

(Husserls *common-sense* Argument): Wenn eine irgendein reales Seiendes betreffende Frage richtig gestellt wird, besteht grundsätzlich die Möglichkeit, auf sie zu antworten. Antworten wir auf eine solche Frage, *muss* unsere Antwort – normativ gesehen – entweder wahr oder aber falsch sein. Damit eine Antwort jedoch entweder wahr oder falsch sein kann, muss sich die Frage auf die *wirkliche Welt* (und nicht auf eine geträumte Welt) beziehen. Denn eine Antwort kann sich nur unter der Annahme als wahr oder falsch erweisen, dass wir dabei nicht von allen

[17] Hua XXXIX, S. 256f.
[18] Ebd.

möglichen Welten, in denen wir selbst niemals leben und leben könnten, sprechen, sondern eben von *dieser unseren Welt, in der wir de facto leben*. Der Spielraum des Fragens ist daher unsere Welt, die sich, um einen Ausdruck Eugen Finks zu verwenden, als *„Alternationshorizont“*[19] *des oben genannten Entweder-Oder* verstehen lässt. Jeder Frage und jeder Antwort muss es demnach, sofern sie alethisch ausweisbar sind, immer um die Welt als einen solchen Alternationshorizont gehen.

Man kann zwar nun sagen, dass die als „Frage-Boden“ ausgelegte Welt wiederum *ontisch-semantisch* als die absolute Totalität dessen, was jeweils ist – gleichsam als das „Sinnfeld aller Sinnfelder“ – verstanden werden könnte, weil sie alles, was existiert, notwendig umfassen *muss* – sonst wäre sie ja wiederum eine spezifische „Umwelt“ unter den anderen. Dennoch dürfte klar sein, dass es, um die Welt *als* Frage-Boden zu erkennen, keineswegs hinreicht, sie ausschließlich in ihrer ontisch-semantischen Natur zu begreifen. Denn die Bestimmung der Welt als Frage-Boden ist nicht primär eine ontisch-semantische, sondern vielmehr die Beschreibung ihrer *normativen Funktion*: Die Welt ist auszulegen als etwas, dem *jede* Frage, um überhaupt als Frage anerkannt werden zu können, normativ untersteht[20]. Diese normativ-funktionelle Bestimmung des Weltbegriffs steht jedoch zu der ontisch-semantischen nur scheinbar in Widerspruch, da es in beiden Fällen um die *eine* Welt geht, jedoch unter jeweils völlig anderen Perspektiven.

Deshalb behauptet der späte Husserl nicht nur, dass wir die „Existenz“ der Welt nicht anzuzweifeln brauchen, solange die normale Erfahrung keine massiven Dissonanzen aufweist[21], sondern auch, dass es die Welt *notwendig geben muss*, wenn sich die Erfahrung der Einzeldinge zumindest gelegentlich ausweisen lässt. Gegen das Traumargument wendet er daher ein: „Indessen, es ist nachzuweisen, dass von vornherein *der Rekurs auf Zweifelsmöglichkeiten, als Möglichkeiten des Nichtseins, das Sein der Welt voraussetzt*“[22].

4. Die Seinsweise der Welt nach Husserl

Des Weiteren gilt es darauf hinzuweisen, dass Husserl die Seinsweise der Welt von der Seinsweise der Einzeldinge (die ihrerseits in der Welt vorkommen) scharf unterscheidet. Weil die Welt, rein *ontisch-semantisch* gesehen, der „Gesamtinbegriff“

---

19 Eugen Fink, VI. Cartesianische Meditation. Teil 2. Ergänzungsband, Hua II/2, hrsg. Guy van Kerckhoven, Dordrecht, Kluwer Academic Publisher, 1988, S. 91 (abgekürzt Hua Dok II/2).

20 Diese „Normativität“ kommt in Husserls Verwendung des Wortes „voraussetzen“ zum Ausdruck: „Die Hauptsache ist dann die, dass für mich jede auf Sein und Nicht-Sein bezogene Frage des gewöhnlichen realen Sinnes das Sein der Welt voraussetzt, d.h. jede Frage setzt voraus unfraglich Geltendes, einen Frage-Boden“ (Hua XXXIX, S. 256; Hervorh. YI).

21 Edmund Husserl, Erste Philosophie. Zweiter Teil. Theorie der phänomenologischen Reduktion (1923/24), hrsg. Rudolf Boehm, Den Haag, Martinus Nijhoff, 1959, S. 46f (abgekürzt Hua VIII).

22 Hua XXXIX, S. 254.

der Dinge ist[23], kann sie *formal-ontologisch* (oder besser *henologisch*) nur *einzig* sein, während die Dinge als darin Erscheinende *plurale tantum* sein müssen. In diesem Sinne können wir mit Husserl die folgende, mit Gabriels Ansatz möglicherweise kompatible These aufstellen: Es gibt die Welt nicht so, wie es die Dinge gibt, weil die oben genannte formal-ontologische Differenz nicht aufhebbar ist. Mit Husserls Worten „[...] ist Welt nicht seiend wie ein Seiendes, wie ein Objekt, sondern seiend in einer Einzigkeit, für die der Plural sinnlos ist"[24]. Und in einem gewissen Sinne geht diese *einzige Welt* dem Seienden im Plural voraus, weil sie den (normativen) „Horizont" des Letzteren darstellt: „Jeder Plural und aus ihm herausgehobene Singular setzt den *Welthorizont* voraus"[25].

Diese beiden ontologischen Thesen bleiben bei Husserl jedoch phänomenologisch ungenügend ausgewiesen[26]. Anders gewendet, müssen wir die *Welt in ihrem Erscheinen* phänomenologisch beschreiben, um gegenüber Gabriels Ansatz Husserls These zu verteidigen, *dass es die Welt doch gibt – insofern sie als „Welthorizont" verstanden wird.* Husserls Position wäre somit als *phänomenologischer Realismus der Welt* zu begreifen.

5. Der nicht-metaphysische Anspruch des phänomenologischen Weltbegriffs

Im Blick auf diesen phänomenologischen Realismus der Welt möchte ich jedoch gleich im Voraus ein doppeltes Missverständnis abwehren. Meine erste These diesbezüglich lautet: (a) Dieser „Realismus" vertritt keine metaphysisch-realistische Position. Denn diesen Spielraum der Welt gibt es zwar normativ notwendig, jedoch nicht an sich; für die Phänomenologie ist die Welt nicht ein für alle Mal in ihrer vollen Realität durchbestimmt, sie wird vielmehr als ein spezifisches Horizont-Phänomen betrachtet, das, seiner Definition gemäß, nicht an sich bestehen kann. Denn ein Horizont kann nur dann *als* Horizont bestehen, wenn wir uns in ihm befinden. Die als „Welthorizont" verstandene Welt ist phänomenologisch *in ihrer Relativität für das jeweilige Subjekt* zu beschreiben. Somit ist die Welt, phänomenologisch gesehen, nicht jener Zusammenhang – in Gabriels Worten die „Regel für alle Sinnfelder" –, der alle existierenden Dinge metaphysisch-totalitär verknüpft, da sie nur subjekt-relativ sein kann. Zu dem als „Frage-Boden" verstandenen „einzigen" und wirklichen „Welthorizont", in dem wir selber leben, *müssen* vielmehr alle Dinge als Tatsachen einheitlich gehören, sofern sie sich jeweils als wirklich ausweisen (können). So ist dieser *subjekt-relative* Welthorizont *normativer* Natur.

---

23 Hua III/1, S. 11.

24 Hua VI, S. 146.

25 Ebd.

26 Vgl. Yusuke Ikeda, „Eugen Finks Kant-Interpretation", in Horizon, 4, 2, 2015, S. 154-185, bes. S. 160f.

Unsere zweite These lässt sich wie folgt formulieren: (b) Der spezifisch phänomenologische Weltbegriff ist, seinem Anspruch nach, nichtkantischer Natur. Die oben angeführte, das jeweils Erscheinende normativ begrenzende Funktion des subjekt-relativen „Welthorizonts" lässt sich nur schwer mit der Funktion gleichsetzen, die Kant den transzendentalen Ideen überhaupt (dem Weltbegriff) zuschreibt: dem „regulativen Gebrauch" der Vernunftideen. Denn die Phänomenologie sieht die Welt als (normativ-)*wirklich* an, während uns der „regulative Gebrauch" des Weltbegriffs nur einen *focus imaginarius* vorgibt, d.h. einen *imaginär-fiktiven* „Punkt", „aus welchem die Verstandesbegriffe wirklich nicht ausgehen, indem er ganz außerhalb den Grenzen möglicher Erfahrung liegt, dennoch dazu dient, ihnen die größte Einheit neben der größten Ausbreitung zu verschaffen"[27]. Auch wenn es für Kant die Welt zwar an sich nicht gibt, kann sie doch als nützliche Fiktion angesehen werden, so wie wir z.B. in einer Fiktion befangen sein können, indem wir uns in sie hineinprojizieren, obgleich es sie an sich nicht gibt. Da die Fiktion etwas ist, das von einem Subjekt (ein-)gebildet bzw. konstruiert wird, könnten wir den kantischen Weltbegriff auch als ein „Weltbild" charakterisieren[28].

6. *Weltphänomenologie im Ausgang von Don Quijote[29] – mit Fink*

Für einen phänomenologischen Realismus der Welt gibt es die Welt weder „an sich" noch als fiktives, von uns konstruiertes „Weltbild". Der Grund lässt sich darauf zurückführen, dass jedes modal ausweisbare Seiende das Sein der Welt „voraussetzt" (siehe Anm. 20). So besteht die besondere Aufgabe dessen, was wir *Phänomenologie der Welt* nennen, darin, die Welt als jenen normativen Horizont der Modalitäten zu beschreiben. Diesen Horizont nennt Eugen Fink – im Hinblick auf alethische Modalitäten – „Alternationshorizont von Sein und Schein"[30] und legt ihn *in seiner Relativität für das jeweilige Subjekt* wesentlich näher und deskriptiv anschaulicher dar als Husserl. Als Beispiel für den deskriptiven Befund der Weltphänomenologie lässt sich seine Analyse einer „pathologischen Phantasie" anführen: „[J]e mehr das aktuelle Ich im Vollzug einer Vergegenwärtigung

---

[27] KrV, S. 710, A 644/B672.

[28] Vgl. Martin Heidegger, Holzwege, hrsg. Friedrich-Wilhelm von Herrmann, Frankfurt am Main, Vittorio Klostermann, 1977, S. 92f (abgekürzt GA 5).

[29] Der Einfachkeit halber sei es mir gestattet, im Folgenden so zu tun, als wäre die Welt Don Quijotes (als Buch) mit unserer wirklichen identisch, als existierte Don Quijote (als Person) in unserer Welt. Denn sonst müsste ich näher auf die (komplizierte) phänomenologische Analyse der Welt der Literatur in ihrer Relativität zu unserer Welt eingehen.

[30] Hua Dok II/2, S. 91.

versunken ist, um so weniger hat die Anschaulichkeit der Vergegenwärtigungswelt den Charakter des Als-ob, des *Bloß*-Imaginierten"[31]. Einer in einer fast pathologischen Imagination befangenen Person (z.B. Don Quijote) erscheint *ihre ganze Welt* so, als wäre sie anwesend und daher wirklich. Dieser Befund impliziert bereits eine ganze Reihe von phänomenologischen Thesen:

(1) Nur wenn man in einer pathologisch imaginierten Welt (beispielsweise der Welt der von Don Quijote konsumierten Ritterromane) befangen ist, dann, und nur dann, kann ein pathologisch lediglich imaginiertes Unding (etwa für Don Quijote ein böser Riese) erscheinen, als wäre es anwesend und wirklich. Die jeweilige Welt, in der man sich aufhält, umgrenzt alles, was darin erscheinen kann, und erfüllt darin genau jene Funktion, die dem „Horizont" zukommt.

(2) Dies birgt bereits die folgende, phänomenologisch ausweisbare These in sich, dass die Welt nicht – nicht nur nicht phänomenologisch, sondern auch nicht ontologisch – restlos auf die sie zusammensetzenden Dinge reduziert werden kann. Zwar kann die jeweilige Welt *ontisch-semantisch* durchaus als ein *compositum* des in ihr Erscheinenden angesehen und philosophisch analysiert werden, doch ist die Erscheinungsweise der Welt als solche (und sind entsprechend ihre ontologischen Bestimmungen) nicht restlos von den in ihr erscheinenden Dingen abhängig. Denn wenn, um ein Beispiel anzuführen, eine pathologisch imaginierte Welt sich eben als pathologisch entlarven lässt, muss sich zugleich alles, was in ihr erscheint, als ebenso imaginär erweisen, ganz unabhängig davon, ob jedes darin erscheinende imaginäre Unding als ein solches Unding thematisch wird.

Ein anderes Beispiel: Merkwürdigerweise kann der Don Quijote des *zweiten Buches*, der nicht mehr völlig in seiner Imaginationswelt versunken ist, in einem Mädchen nicht mehr Dulcinea del Toboso, seine imaginierte Gattin, erkennen, obwohl Sancho Pansa ihn mit äußerstem Nachdruck davon zu überzeugen sucht, dass eben sie es sei. Wie und als wer oder was ein Mädchen erscheint, hängt eben davon ab, wie die Welt im Ganzen erscheint, in der es sich einstellt. Die Erscheinungs- und Seinsweise der Welt als eines Alternationshorizonts ist daher grundverschieden von der Seinsweise des darin Erscheinenden. Ich räume hier jedoch gerne ein, dass sich beide Erscheinungsweisen in gewissen Fällen als derart verflochten erweisen können, dass eine besondere Analyse durchgeführt werden müsste. Denn es kann bspw. sehr wohl sein, dass uns, im Gegenteil zum Fall Don Quijotes, ein Mädchen begegnet, das *unsere Welt völlig anders erscheinen und anders sein lässt.*

(3) Auch wenn am Ende des Romans die imaginierte Welt Don Quijotes als völlig fiktiv erkannt wird, besagt dies keineswegs, dass er vormals in einem von unserer wirklichen Welt *numerisch abweichenden Horizont* befangen gewesen wäre. Denn er wohnt ja immer und so auch im *ersten Buch* in unserer wirklichen Welt, aber eben so, als wäre sie eine gänzlich andere. Wir müssen den Sachverhalt daher phänomenologisch so auslegen, dass uns die Welt immer anders erscheinen und uns jeweils anders *ansprechen* kann. So nimmt die Welt selbst normativ in

---

31 Eugen Fink, Studien zur Phänomenologie 1930-1939, Den Haag, Martinus Nijhoff, 1966, S. 55.

Anspruch, was bspw. für Sancho Pansa heißt, dass sie genau *so* sein soll, dass darin eine Windmühle als Windmühle erscheint, während Don Quijote in die seine so versunken ist, dass eine (scheinbare) Windmühle tatsächlich als böser Riese erscheinen soll. Weil wir selber normalerweise unsere Welt nicht willkürlich aus anderen Welten auswählen können, sondern vielmehr, um mit Heidegger zu sprechen, je schon in unsere Welt „geworfen" sind, erkennen wir rechtens die Welt selbst als *Trägerin des jeweiligen normativen Anspruchs* an, der den „Alternationshorizont von Sein und Schein" eröffnet. So lässt sich die subjekt-relative Natur des Welthorizonts keineswegs auf einen subjektivistischen Konstruktivismus der Welt – des Weltbilds – zurückführen, weil das jeweils in die Welt Geworfene nicht der Urheber derselben sein kann. Wie gezeigt bestimmt die Welt jedoch nicht (etwa in einem *kausalen* Sinne), wie alles ist und erscheint, sondern nur in einem *normativen* Sinne, wie es sein und erscheinen *soll*.

(4) Deshalb können wir weltphänomenologisch zeigen, dass es die Welt *faktisch-notwendig* geben muss. Wenn es die Welt, apagogisch formuliert, überhaupt nicht gäbe, gäbe es auch ihren normativen Anspruch nicht (bspw. als „Alternationshorizont von Sein und Schein" für Fink oder als „Frage-Boden" für Husserl), denn die Trägerin dieses Anspruches ist die Welt, die es, phänomenologisch gesehen, immer nur *faktisch* gibt: Keinesfalls kann die Phänomenologie die Notwendigkeit des Daseins dieser Welt aus einem metaphysisch-spekulativen Weltbegriff ableiten. Kurz gesagt: Weil es die Welt faktisch gibt, unterstehen wir ihrem Anspruch. Weil es kaum möglich scheint, sich zu vergegenwärtigen, man lebte *ohne* jenen Anspruch (da es z.B. keinen prinzipiellen Grund gibt, zu bezweifeln, dass ich eine Frage nach irgendetwas, ideell gesprochen, richtig formulieren kann), *gibt es die Welt – zwar nur faktisch, aber doch notwendig*: Faktisch-notwendig, weil wir *de facto* eine Frage stellen *können*.

(5) Wir können das Recht des Seins (oder die „Existenz") der Welt daher so argumentierend verteidigen, *weil es dank ihrer alles als Faktum geben kann*. Denn das Faktum kann sich erst dann *als* Faktum erweisen, wenn es sich in dem jeweiligen Alternationshorizont, der „Welt" heißt, vorkommend als wirklich ausweist. Daher können wir auch nicht sinnvoll von einem „Faktum" sprechen, wenn es die „Welt" nicht gibt.

Meine phänomenologisch-ontologische These lässt sich demnach folgendermaßen formulieren: Es gibt die Welt faktisch-notwendig, aber nicht so, wie es die darin erscheinenden Dinge faktisch gibt, weil die Letzteren immer nur den verschiedenen Ansprüchen der Welt gehorchend erscheinen, während die Welt in ihrem Anspruch (in ihrer Normativität) nicht durch das in ihr Erscheinende wegerklärt werden kann. Mit anderen Worten: Nicht weil es die Dinge als Faktum gibt, gibt es die Welt (z.B. als „heuristische Fiktion"), sondern weil die Welt uns allererst den jeweiligen normativen Anspruch auferlegt, kann all dies als Faktum angesehen und möglicherweise ausgewiesen werden. Fink fasst diesen Sachverhalt kurz und prägnant zusammen: „Die Wirklichkeit ist vor den wirklichen Dingen. Nicht weil es wirkliche Dinge gibt, gibt es Wirklichkeit (also nicht wie Farbigkeit), sondern weil Wirklichkeit ist, kann es wirkliche Dinge geben"[32]. Diese schlechthinnige „Wirklichkeit", die den „wirklichen Dingen" vorausgeht, bezeichnet Fink später ausdrücklich als „*Weltwirklichkeit*"[33].

Weil die Phänomenologie in keiner Hinsicht die absolut-unbedingte Notwendigkeit des Daseins der Welt rein spekulativ-logisch aus irgendeinem Prinzip ableiten will – dies ist der von der Weltphänomenologie und der Sinnfeldontologie gleichermaßen geteilte Ausgangspunkt –, muss die Existenz der Welt, oder besser der „Weltwirklichkeit", anders als bei Gabriel nicht als metaphysisch-scheinbar, sondern als *faktisch-notwendig* angesehen werden.

Was sich faktisch ergibt, kann als *Ereignis* verstanden werden. So macht, anders als bei Gabriel, dieses *Ereignis der Welt* selber den Gegenstand par excellence einer weltphänomenologischen Philosophie aus. Daher kann man mit Heidegger sagen: *Die Welt gibt es nicht – die Welt „weltet"*[34]. Oder noch besser können wir weltphänomenologisch mit Fink die Seins-und Erscheinungsweise der Welt als das „Sich-Ereignen des Sichereignenkönnen von Ereignissen" bezeichnen[35].

Hier aber wird eine letzte Frage virulent: Wozu soll man denn überhaupt eine solche weltphänomenologische Analyse durchführen? Oder anders formuliert: Warum könnte es eine philosophische Gefahr darstellen, Gabriels „Keine-Welt-Anschauung" zu übernehmen?

7. Schlussbemerkungen – Zur Differenz zwischen der Weltphänomenologie und der neu-realistischen Sinnfeldontologie

Auf die letzte Frage kann man auf zweierlei Weise antworten: (a) indem festgestellt wird, ob der phänomenologische Weltbegriff den Fehlern eines metaphysischen verhaftet bleibt, und (b), indem aufgezeigt wird, welche Schwierigkeiten es mit sich bringt, wenn man – wie in Gabriels „Keine-Welt-Anschauung" suggeriert – grundsätzlich *jeden* Weltbegriff als metaphysischen Schein betrachtet.

---

32 Eugen Fink, PhänomenologischeWerkstatt. Teilband 2: Die Bernauer Manuskripte, Cartesianische Meditationen und System der phänomenologischen Philosophie, Gesamtausgabe 3/2, hrsg. Ronald Bruzina, Freiburg/München, Karl Alber, 2008, S. 65, Z-VII, XVII/24b.

33 Eugen Fink, Alles und Nichts. Ein Umweg zur Philosophie, Den Haag, Martinus Nijhoff, 1959, S. 211ff. u.ö.

34 Vgl. inbes. GA 5, S. 30f.

35 „Die Welt ‚wird': das heißt nicht, ein Ding entsteht oder ein Ereignis läuft ab, sondern es wird der Spielraum für Dinge und Ereignisse, – es entsteht das Entstehenkönnen und Vergehenkönnen von Seiendem, – es ereignet sich das Sichereignenkönnen von Ereignissen. Es ‚geschieht' der Raum, die Zeit, das Erscheinen." Siehe Eugen Fink, Welt und Endlichkeit, hrsg. Franz-Anton Schwarz, Würzburg, Königshausen und Neumann, 1990, S. 205. Dieser geschehende „Raum, die Zeit, das Erscheinen" sind ohne Zweifel die Modi dessen, was wir als Alternationshorizont des Entweder-Oder bzw. als Anspruch der Welt bezeichnet haben.

(a) Die beiden Positionen streiten nicht nur um die „Existenz“ der Welt, sondern tatsächlich auch um das Problem der *Modalität*, in Finks Worten, um das „Modalitätenproblem“[36]. Denn die Weltphänomenologie vertritt notwendigerweise die These, dass es die Welt in ihrer Einzigkeit gibt (und geben *muss*), während es sie für den Neuen Realismus nicht gibt (und nicht geben *darf*). Der Grund hierfür liegt für Gabriel, wie ausgeführt, darin, dass jeder Weltbegriff nichts anderes als ein „Weltbild“, eine trügerische Träumerei der Metaphysik, sein kann. Ist also die Phänomenologie noch in einem metaphysischen „Weltbild“ befangen?

So scheint es durchaus nicht zu sein, da unsere weltphänomenologische Analyse zumindest zeigen konnte, dass wir sowohl die metaphysisch-realistische Weltanschauung als auch den kantischen Weltfiktionalismus ablehnen müssen, insofern phänomenologisch gezeigt werden kann, dass die eigene Erscheinungs- und Seinsweise der Welt in ihrer *normativen Ermöglichungsfunktion der Modalitäten (des Alternationshorizonts von „entweder-oder“)* liegt. Das heißt, die Phänomenologie sieht die Welt nicht als „Weltbild“, sondern vielmehr als Trägerin eines normativen Spielraums an. Anders gewendet würde die Weltphänomenologie zwar gerne einräumen, dass unsere Welt als „Weltwirklichkeit“ möglicherweise nichts anderes sei als ein „Weltbild“, ein metaphysischer Schein. Würde jedoch dieser weltphänomenologische Weltbegriff als Weltbild entlarvt, erwiese sich auch jede Modalität als bloße, dennoch (etwa artspezifisch) notwendige Illusion. Dies ließe sich jedoch nur unter großen Schwierigkeiten annehmen.

(b) Weil jeder Realist zumindest zu *glauben* scheint, dass wir von jenen Modalitäten durchaus sinnvoll sprechen können, ergibt sich hier wiederum ein Streit zwischen der Phänomenologie und der neu-realistischen Sinnfeldontologie um das Modalitätenproblem: *Was wäre als der ursprüngliche Träger der Modalitäten zu betrachten?*

Aus der weltphänomenologischen Perspektive weisen wir lediglich darauf hin, dass es vielleicht nicht genügt, zu zeigen, dass und wie man von den Modalitäten sinnvoll sprechen kann, sondern dass philosophisch beschrieben werden muss, woraufhin die Modalitäten sich ausweisen lassen, wenn der „ontologische Pluralismus“ (Gabriel)[37] kein schlichter pluralistischer Relativismus sein dürfte. Auf diese Frage antwortet die Weltphänomenologie: *Auf diese „unsere“ Welt hin.* Denn die „Existenz“ unserer Welt lässt sich *performativ* demonstrieren (dennoch keine Inferenz!)[38], weil wir ohne sie de facto die jeweiligen Modalitäten nicht hätten ausweisen können. So lehrt uns der scheinbar „konstruktivistische“ Ansatz der Phänomenologie – die *Subjekt-Relativität des „Welthorizonts“* – vielmehr gerade, wie man einen modalen Relativismus vermeidet, indem er dem folgenden Problem deskriptiv nachgeht: *Wie weist sich die Welt als unsrige aus?* Dieses Problem ist deswegen kein beliebiges, geschweige denn ein metaphysisch-scheinbares,

---

36 Eugen Fink, Alles und Nichts, op. cit., S. 172ff.

37 Siehe dazu, Markus Gabriel, Sinn und Existenz, op. cit., S. 29 u.ö.

38 Siehe dazu, László Tengelyi, Welt und Unendlichkeit. Zum Problem phänomenologischer Metaphysik, Freiburg/München, Karl Alber, 2014, S. 190.

weil sich, wie gerade gezeigt, jede Modalität nur dann ausweisen kann, *wenn wir dabei von dieser unsrigen Welt sprechen*.

Der scheinbare „Konstruktivismus" der Phänomenologie gibt uns somit die Mittel an die Hand, mit denen man – ganz wie Gabriel dies sinnfeldontologisch tut – sowohl den „metaphysischen Weltbegriff" als auch den kantischen Fiktionalismus des Weltbildes entkräften kann, ohne zugleich – anders als es die „Keine-Welt-Anschauung" Gabriels tut – das philosophische Weltproblem aus den Augen zu verlieren. So bietet die Weltphänomenologie die Grundlage eines „Weltdenkens", d.h. einer „nicht-metaphysischen Kosmologie" oder „Metaphysik" in einem nicht-traditionellen Sinne: Man kann den Weltbegriff der Philosophie – *conceptus cosmicus* – also auch heute noch als im „Interesse der Vernunft" liegend aufgreifen und neu entwickeln[39]

[39] Hier ließe sich beispielhaft Tengelyis Entwurf einer „phänomenologischen Metaphysik" nennen. Siehe László Tenglyi, Welt und Unendlichkeit.

Subjectivity in Context(s)

Thomas Arnold

I. The Decentralisation of the Subject

One way to construct an antagonism between realism and phenomenology is to interpret phenomenology as a form of idealist metaphysics. The easiest target for this operation is obviously Husserl himself, since he seems to endorse a fairly brutal form of idealism at several points throughout his works. Take just the following two quotes, "all real units are units of sense [...] units of sense presuppose sense-giving consciousness"[1] and, even more poignant, "existence is knowability"[2]. No realist of any kind can accept this kind of stark idealism and so we have arrived at an apparent split between phenomenology (as represented by its founder) and any given realist position.

From a logical as well as an analytical point of view "existence is knowability" is simply wrong. As proven by Fitch's Paradox (or rather Argument)[3], there are unknowable truths and we certainly cannot rule out that truths about the existence of objects do not belong in this class. Intuitively we have to assume that any number of objects exist, have existed and will exist outside the range of our knowledge simply because there is no (physical) way to gather any information about their existence. This assumption is not fallacious, because I am not referring to any particular object. The claim that there might be unknowably existing objects does not commit me to producing an identifying description of the same, thereby pulling its existence back into the realm of knowability (or at least conceivability). These issues are well known from the discussion of Berkley's so called "Master Argument"[4].

Interestingly, from a phenomenological point of view, "existence is knowability" is either no phenomenological statement or wrong. Whether it is a phenomenological statement or not, depends on the given definition of phenomenology. If we understand phenomenology as a study of the ways of appearing, the

---

1 Hua III/1, p. 120.

2 Hua XV, p. 370.

3 Cf. Timothy Williamson, Knowledge and its Limits, Oxford, Oxford University Press, 2000, p. 19, 271.

4 Cf. Andre Gallois, "Berkley's Master Argument", in The Philosophical Review, 83, 1, 1974, p. 55-69.

structure of experience or the "ABC of constitution" or something similar, phenomenology can only ever speak about existence as it appears to us or as it is experienced by us or as it is constituted by us, not about existence *per se*; this thematic narrowing is one way the phenomenological reduction might be understood. Husserl's theorem then seems not to be a phenomenological statement, because it lacks the relevant qualifiers; it is not bracketed or within the scope of phenomenological reduction. Such a demarcation of phenomenology would have far-reaching consequences for the relation between phenomenology and New Realism since it implies the impossibility of antagonism due to thematic differences: if we do not talk about the same thing, we cannot disagree over it. Phenomenology and New Realism would then either work under a division of labour or stand in meta-theoretical relations to each other. This demarcation would also have the consequence that phenomenology would necessarily be a non-metaphysical form of philosophy in the following sense: if metaphysics is taken to be a theory of everything, a grasping of unrestricted totality, then the methodological restriction set in place by the reduction would effectively block any such aspirations. Even though Husserl repeatedly claims the mantle of metaphysics for phenomenology, I think he misunderstands the consequences of his own methodology: phenomenology is one possible epistemic endeavour alongside others concerning one specific field of research. Phenomenology might be a theory of the constitution of everything, but it is not thereby a theory of everything, i.e., it is not metaphysics.

At the same time, this reading would bar any attempts to frame phenomenology as a first philosophy, claiming an ultimate perspective unilaterally founding every other science. For while it is possible to reflect phenomenologically on the conditions of possibility of all other sciences and epistemic practices, the reverse holds as well, at least partially. As there is a phenomenological philosophy of psychology, sociology or history, there can also be a psychology, sociology or history of phenomenology. Famously, Blumenberg even offers fragments of an anthropology of phenomenology, inquiring into the natural conditions of possibility of our reflexive and conceptual powers. The upshot of these considerations is that no perspective can plausibly claim to be absolute, no perspective gets everything into view; no context is ultimate. This would commit phenomenology to a form of epistemological pluralism.

For now, let us return to Husserl's dictum, "existence is knowability". Even if we were to add the relevant phenomenological qualifiers, like "existence as it appears is knowability", it would still turn out to be a false description of the appearance of existence, since knowledge is only one (fairly limited) way in which things appear to us; knowledge is not the most basic, universal relation to objects and other modes of appearing cannot simply be reduced to the knowledge-relation. Knowability therefore is not the basic, universal mark of existence as it appears to us. Heidegger's analysis of everyday tool-use can for example be read as uncovering usability as a mode of existence (readiness-to-hand) which is not primarily related to epistemic practices. Heidegger was only the first of many to highlight this reductionism or epistemological bias in Husserl's thought. Instead of focusing on the appearance of singular objects, we can make a similar point regarding the life-world in general. Blumenberg for example points out that the life-world *qua* universe of self-evident truths is always threatened by the unknown beyond the horizon of the known. But this sphere of the unknown (or even uncanny) is constitutive of the life-world, since it is exactly against what the life-world re-constitutes itself time and again; the unknown is therefore irreducible for a phenomenological theory of the life-world. The world is always bigger than the life-world and its existence can never be fully grasped and sublated in knowledge. From the perspective of the life-world, the world beyond is the great unknown and its way of being the very opposite of knowability.

Apart from the fact that Husserl's own phenomenology might actually be metaphysically neutral rather than idealist,[5] most phenomenologists have rejected idealism on phenomenological grounds. This includes the Göttingen-München "realist" group as much as many post-Husserlian phenomenologists. Certainly, idealism is not a necessary presupposition of doing phenomenology.

Yet, what about the first quote, according to which "units of sense presuppose sense-giving consciousness"? Even if phenomenologists have rejected idealism, surely the central role of subjectivity within the limited field of experience has not been abandoned. In fact, the decentralisation of the spontaneous, active subject already begins in Husserl's later writings on passive synthesis. Since then, many phenomenologists have found phenomena that are neither actively constituted by a free intentional subject, nor even by intersubjective acts of groups of subjects; following Gondek and Tengelyi, we can go so far as to define anti-subjectivism and anti-idealism as the common element of most if not all new (French) phenomenology.[6]

A striking example of this tendency can already be found in Sartre's critique of Heidegger in *Being and Nothingness*. While Heidegger conceives of the web of meaning which constitutes the world as centred around *Dasein*,[7] Sartre points out that the processes of referral that make up the web do not simply stop with us. We are but another link; the chain of the for-what is not anchored to the for-whom.[8] Although Sartre's phenomenology or ontology is still rather anti-realist regarding other aspects, this criticism constitutes a clear departure from ego- or *Dasein*-centric thought through which we come to understand ourselves to be just part–rather than centre–of most situations.

Within the younger generation, both Marion and Richir then place heavy emphasis on non-subjective or non-intentional processes of constitution, be it self-creating sense (*sense se faisant*) or the gift (*donation*) without giver. Accordingly,

---

5 Cf. Jeffrey Yoshimi, "The Metaphysical Neutrality of Husserlian Phenomenology", in Husserl Studies, 2014, DOI 10.1007/s10743-014-9163-z.

6 Hans-Dieter Gondek and Laszlo Tengelyi, Neue Phänomenologie in Frankreich, Berlin, Suhrkamp, 2011, p. 21.

7 GA 2, §18.

8 Jean-Paul Sartre, Being and Nothingness, Second Part, Third Chapter, Section III, "Quality and Quantity etc.", specifically p. 251 of the French original.

in Richir the reduction does not lead to the ego or consciousness, but to sense itself.[9] Thus, the new phenomenological subject is more akin to Johnston's realistic "samplers of presence"[10] than to Husserl's immortal and eternally constituting *Ur-Ich*; for Marion, we are–at best–"samplers of presents (*donations*)"; at worst, we are victims of overwhelming forces, never quite able to grasp the other, just left to deal with their presence. The active Ego is usually slightly too late, its actions are always in some sense reactions, rather than grand spontaneous productions of sense.[11]

Next to thorough and truthful phenomenological description, the reception of psychoanalysis and psychiatry, and, recently, the interaction with the cognitive sciences have surely played a huge part in this decentralisation of subjectivity within experience itself. Another route to a phenomenology without transcendental idealism consists in the efforts to directly naturalise phenomenology (Petitot, Varela et al.); in this vain, phenomenology provides a complementary, namely, first-personal approach to matters of mind and experience alongside neurobiology or psychology. At the same time, the study of Husserl's own–unpublished–writings allow for methodological instead of idealist readings of the reduction (Tengelyi, Zahavi). So, while current phenomenological thought denies the "death of the subject" it also denies the unworldly subject of transcendental idealism; it still focuses on experience and appearance, but without committing to what Gabriel calls "zoontology"[12].

Anti-subjectivism, anti-idealism and epistemological pluralism are trends in post-Husserlian phenomenology and apparently also tenets of New Realism. More interesting to me are therefore questions answers to which group diagonally to the phenomenology/realism divide, most of all the question of meta-metaphysical nihilism: Is there an object to metaphysics? Since we find positive as well as negative answers on both sides, I think this could serve as a more interesting principle of grouping positions than the old labels of phenomenology and realism, especially as these appear to be not mutually exclusive.

Historically, meta-metaphysical nihilism seems to have been part of the New Realist platform. When the old "New Realists" published their "The Program and First Platform of Six Realists" in 1910, they all agreed upon the idea that "things known are not products of the knowing relation nor essentially dependent for their existence or behavior upon that relation"[13]. According to them, the idealists fall prey to the fallacy of conflating consciousness as the "ratio cognoscendi" of

9 Hans-Dieter Gondek and Laszlo Tengelyi, Neue Phänomenologie in Frankreich, op. cit., p. 53.

10 Mark Johnston, Saving God, Princeton, Princeton University Press, 2011, p. 132.

11 Cf. Bernhard Waldenfels, Bruchlinien der Erfahrung, Frankfurt am Main, Suhrkamp, 2002, p. 174.

12 Markus Gabriel, Fields of Sense: A New Realist Ontology, Edinburgh, Edinburgh University Press, Ch. 1.

13 Pitkin in The New Realism, ed. Edwin Holt et al, New York, The Macmillan Company, 2012, p. 477.

objects with their "ratio fiendi or essendi"[14]. But significantly the old New Realists also dropped the "sentimental demand or supposed logical need of some enveloping characteristic of things, of some permanent address where things may always be reached despite their wanderings."[15] This permament address is–of course–the world. While there are other diagonal topics for phenomenology and realism, like the nature of object-hood or the issue of scientific realism, I want to move on to certain structural problems haunting both phenomenology and realism, namely, the problem of thinking withdrawal.

II. The Dialectics of Withdrawal

The withdrawal of, for example, objects from thought, or existence from the dependence on consciousness, is the correlate of the decentralisation of subjectivity, for as soon as subjectivity loses its function of all-encompassing centre of constitution, objects can flee from its grasp. Withdrawal appears in many guises. The old New Realists knew it as the "transcendence" of "simple entities"[16]. Meillassoux's arche-fossils and Brassier's extinction are both cases of withdrawal from the correlation between subject and object, insofar as the one precedes, the other (definitely) ends the existence of subjectivity. Harman explicitly states that objects "withdraw from any relations"[17]. Grant invokes the pre-objective "not-anything"[18] which withdraws from any conceptual grasp. Gabriel finally argues for a non-flat ontology in which not everything can be an object, i.e., there always has to be something which is not an object, something which withdraws in some sense from objectification or objectualisation.

Phenomenology has also always dealt with the issue of withdrawal. For Husserl, not only objects withdraw in their adumbrations, but the Ego itself withdraws: it cannot be objectified. Rather it stands over and above any objects, because it performs the acts of objectivation as the "Urstand für alle Gegenständlichkeit."[19] This is the Husserlian absolute. In post-Husserlian phenomenology this withdrawal is the force of the Other. The Other is not objectifiable, it, he or she withdraws from our epistemic grasp, but overwhelms us nonetheless. We are left with trying to make sense of its/her/his intrusion.

Dialectically speaking, withdrawal is a tricky structure as it can lead to inconsistency in at least two ways.

---

[14] Montague in ibid., p. 475.

[15] Perry in ibid., p. 129.

[16] Ibid., p. 476-8.

[17] Graham Harman, The Quadruple Object, Washington/Winchester, Zero Books, 2012, p. 116.

[18] Ian Grant, Philosophies of Nature after Schelling, London/New York, Bloomsbury, 2006, p. 190.

[19] Hua XXXIII, p. 277.

1. If withdrawal is always withdrawal of A from B, withdrawal constitutes a relation between A and B through which B becomes necessary for A if A is identified as being that which withdraws from B. So instead of independence, withdrawal can imply dialectical dependence. If something is essentially transcendent, its existence presupposes whatever border or limit it transcends. We can find an analogous structure in law, namely that as crime is a breach of the law, the existence of the former presupposes the existence of the latter (*nulla crimen sine lege*). Brassier's chrono-logical attack on Meillassoux's notion of the arche-fossil is exactly based on this dialectical phenomenon:

> the transcendence which Meillassoux ascribes to ancestral time as that which exists independently of correlation continues to rely upon an appeal to chronology: it is the (empirical) fact that cosmological time preceded anthropomorphic time and will presumably succeed it [...] In light of this implicit appeal to chronology [...] it is difficult to see how the temporal anteriority which he ascribes to the ancestral realm could ever be understood wholly independently of the spatiotemporal framework in terms of which cosmology coordinates relations between past, present, and future events. [...] as long as the autonomy of the in-itself are construed in terms of a merely chronological discrepancy between cosmological and anthropological time, it will always be possible for the correlationist to convert the supposedly absolute anteriority attributed to the ancestral realm into an anteriority which is merely 'for us', not 'in itself'.[20]

Husserl seems to make this very point in Text 97 of the C-Manuscripts by saying that the past of the world (and the world of the past) is just the past of the human world.[21] This dialectical twist of withdrawal loses its bite once we separate ontological and epistemological perspectives. For a phenomenologist, questions about the ancestral realm cannot concern its being, but only its givenness; Husserl's remark would then point out an epistemological issue, namely that we can only ever know about pre-human conditions from a human point of view. We can only develop scientific theories about ancestral time only from within our own context. Ancestral times are never thematised from nowhere; every thematisation is embedded and conditioned by a context. But this epistemological correlationism or contextualism is not averse to realism. I take Benoist to make exactly this point in his “Realismus ohne Metaphysik”[22] (cf. Section III below). Instead of dealing with the complexities of withdrawal in this manner, we might be tempted to simply absolutise withdrawal, but this leads to even graver problems.

2. If withdrawal is absolute withdrawal, how can we still talk about whatever withdraws? The inconsistency of withdrawal is a problem known since (Neo)Platonism, as Plato already points out in the *Parmenides* that anything that absolutely withdraws from all determinations is nothing and nothing can be known about

20 Ray Brassier, Nihil Unbound, New York, Palgrave, 2007, p. 59.

21 Hua Mat VIII, p. 444.

22 Jocelyn Benoist, “Realismus ohne Metaphysik”, in Der Neue Realismus, ed. Markus Gabriel, Berlin, Surhkamp, 2014, p. 133-153.

it.[23] This follows from the fact that even being is some kind of determination or attribute, which the absolute therefore lacks. It is equally obvious that the term "the absolute" cannot actually refer to any-thing, because reference demands we refer to something rather than nothing and something rather than something else; yet the absolute transcends both alternatives. Or not, since "it" cannot transcend, as otherwise it would stop being absolute and be transcendent instead. But then again the absolute cannot "be absolute" because it would thereby be determined as absolute. As should be painfully clear by now, the whole area of discussion is semantically unsafe.

One particular variant of this inconsistency follows from declaring something as absolutely unknowable, transcending all context. While this may sound like a contradiction in regard to my discussion of Fitch's Argument, it is not. Stating that there are unknowble truths is not self-contradictory. Stating that all objects "withdraw from any relations"[24] is, if that statement is supposed to convey knowledge about objects. For if objects really withdraw absolutely from any relation and knowledge about something constitutes a relation to that very thing, Harman's theorem makes any knowledge about objects impossible–including knowledge about their withdrawal and their "labor of being"[25].

Yet this dialectic is not exclusively a realist malady. As I've mentioned above, I believe Husserl falls into the same trap with his theory of the absolute Ego.

> The ego should not be called ego, it should not be called anything, because then it has already become on object. It is the nameless above all we can grasp, not standing above everything, not hovering, not being, but "functioning". [Das Ich sollte eigentlich nicht Ich heißen, und überhaupt nicht heißen, da es dann schon gegenständlich geworden ist. Es ist das Namenlose über allem Fassbaren, das über allem nicht Stehende, nicht Schwebende, nicht Seiende, sondern „Fungierende".][26]

In these and similar passages, Husserl at once denies object-hood to the absolute and objectifies it at the same time. Objectification is however an irreducible feature of theorising as Heidegger has pointed out.[27] Husserl himself characterises the object as that about which something is true.[28] Therefore, if the absolute is no object, nothing could be true about it–including Husserl's theorem of the functioning "Urstand".

---

[23] Plato, Parmenides, 142e.

[24] Graham Harman, The Quadruple Object, op. cit., p. 116.

[25] Ibid.

[26] Edmund Husserl, Zur phänomenologischen Reduktion. Texte aus dem Nachlass (1926-1935), ed. Sebastian Luft, Dordrecht, Springer, 2002, p. 277 (quoted Hua XXXIV).

[27] Martin Heidegger, Zur Bestimmung der Philosophie, ed. Bernd Heimbüchel, Frankfurt am Main, Klostermann, 1987, p. 112 (quoted GA 56/57), quoted after Daniel-Pascal Zorn, Vom Gebäude zum Gerüst, Volume II, Reflexivität bei Michel Foucault und Martin Heidegger, Ein Vergleich, Berlin, Logos, 2016, p. 203, "unentrinnbare Vergegenständlichung, ein schlechterdings nicht zu beseitigendes Moment der Theoretisierung".

[28] Hua III/1, p. 48.

Yet, if we grant Husserl and all the others that they have seen something relevant, i.e., if withdrawal is still somehow necessary, then how are we to think of it without generating inconsistencies? Mainly by not absolutising it. The subject that withdraws in an act of mundane constitution does not at the same time withdraw from the eye of the philosopher. The philosophising subject withdraws in the act of philosophising, but it can be thematised in an additional act. The object that withdraws from one perception does not withdraw from all perception etc. While this allows for regresses and progresses of a kind, it never leads to real paradox unless we try to regain some ultimate ground. This ban on absolutisation can be spelled out in many different ways. For phenomenology, Fink has shown that it is constitutively unable "to leap over its shadow"[29] because "operative adumbration"[30] happens whenever conceptual means are used; no phenomenologist can ever explicate all implications. This is another nail in the coffin for the idea of phenomenology as ultimate, self-grounding philosophy, i.e., metaphysics, since it implies that "absolute reflexive insight"[31] as Husserl's claims it, is impossible. For ontology, Gabriel has shown the necessity of a non-flat ontology; if existence is appearance in a field of sense,[32] that field of sense cannot be an object in the same way as the objects appearing within it–"there is always some field of sense which is no object in a given situation".[33] Since that field of sense needs to exist as well, this leads to an infinite nesting of fields of sense, but as I have noted above, this regress or progress is not inherently problematic. For logic, Zorn has argued that no logos or theory can fully grasp itself, since it can only ever thematise itself in a certain way or from a certain position whose identity in turn is only determinable from another determinable position etc.[34] Zorn also points out that it is exactly the absolutising positioning of something fundamental, universal or ultimate which leads to the dialectical problems outlined above.[35] If we identify metaphysics with the search for the absolute, we can only think of withdrawal consistently if we do not relapse into metaphysics. And this holds for phenomenology, realist ontology and logic alike.

---

29 Eugen Fink, "Operative Begriffe", in Eugen Fink, Nähe und Distanz, ed. Franz-Anton Schwarz, Freiburg/München, Karl Alber, 1976. p. 186.

30 Ibid., p. 189.

31 Hua III/1, p. 151.

32 Markus Gabriel, Sinn und Existenz. Eine realistische Ontologie, Berlin, Suhrkamp, p. 194; cf. Thomas Arnold and Tobias Keiling, "Leitsinn und Unsinn", in Eine Diskussion mit Markus Gabriel: Phänomenologische Positionen zum Neuen Realismus, ed. Peter Gaitsch, Sandra Lehmann and Philipp Schmidt, Wien, Turia + Kant, 2017.

33 Markus Gabriel, Sinn und Existenz, op. cit., p. 362.

34 Daniel-Pascal Zorn, Vom Gebäude zum Gerüst, Volume I, Entwurf einer Komparatistik reflexiver Figurationen in der Philosophie, Berlin, Logos, 2016, p. 110.

35 Daniel-Pascal Zorn, Vom Gebäude zum Gerüst, Volume II, op. cit., p. 32.

III. Conclusion

Without a substantial absolute and with the transcendental subject also stripped of its universal power, will not scepticism rear its ugly head? If we want truth in a post-truth society, don't we ultimately need metaphysics to save us from the "sceptical deluge"[36]? Don't we need an absolute–at least an absolute subject!–to maintain the possibility of a meaning of life? Don't we rid ourselves of all answers to the really "burning"[37] questions if we abandon metaphysical philosophy? Husserl certainly seems to think so–at least in the introductory part I of the *Krisis*–, buying into the false dichotomy between ontotheological metaphysics and nihilist scepticism.

The answer to these questions is a simple no. As we have known for quite a while now, metaphysics and scepticism actually rely on each other dialectically–not unlike overbearing or over-protective parents and their rebellious offspring. The more extreme the epistemological claims and demands become, the easier it is to radically negate or subvert them. The path away from this game (towards maturity so to speak) is a critical attitude as opposed to both metaphysical dogmatism and scepticism (or nihilism).[38]

Taking this critical stance in no way implies abandoning the ideas of truth, normativity or meaning; quite to the contrary, it forces us to engage with each phenomenon and each argument individually and carefully. Post-Husserlian phenomenologists have long since focussed on elucidating how local, concrete phenomena constitute themselves. Moreover, some phenomenologists have even given up the notion that there is a consistent whole all together. For them, there is nothing besides local phenomena, since all we ever really encounter are situations or finite contexts as opposed to the world as a totality–which we cannot encounter since every encounter takes place within a context and constitutes a situation, which in turn would then (somehow) include the world as the totality of all situations or the context of contexts (or the horizon of horizons for that matter). As Werner Marx puts it, we are only ever faced with a "coexistence of fields of sense [*Sinnfelder*]"[39] rather than with a singular massive world. Being-in-contexts supplants Being-in-the-World as the existential explication of *Dasein*'s way of being.

Yet even with the loss of the world, the absolute Ego and the transcendent absolute, truth is still in play. As Benoist for example points out,[40] reference and meaning might always be determined by context, but once a reference is fixed, we can debate whether a given proposition is true, an argument valid or a description insightful. While what counts as real might shift from context to context, truth is

36 Hua VI, p. 12.
37 Hua VI, p. 4.
38 KrV, A 856/B 884.
39 Werner Marx, Ethos und Lebenswelt, Hamburg, Felix Meiner Verlag, 1986, p. 70.
40 Jocelyn Benoist, "Realismus ohne Metaphysik", op. cit.

still ontologically rooted in whatever then counts as reality. A sensitivity for context (or perspective or fields of sense or what have you) simply does not imply indifference to truth. In fact, the opposite is the case. Since all truths are truths about something rather than something else (or nothing) and everything is given or intended in certain context(s), understanding contextuality is a prerequisite of understanding what it means for something to be true at all–even if we are thereby forced to give up the idea of comprehending all truths or gaining total and universal truth. The negation of total truth does not result in no truth, but in some truths. Similarly the negation of a global or overall meaning of life does not result in utter meaninglessness, but in partial, local meaning, the constitution of which is clearly a phenomenological topic.

Occupying the middle ground between metaphysical pretensions and sceptical nihilism, New Realism as well as phenomenology appear to be in a perfect position to counter the post-truth and post-fact pseudo-philosophies championed as well as exploited by many populists.

Battle of the fourfolds

Harman and Deleuze as heirs to Husserl

Arjen Kleinherenbrink

Harman's fourfold

The premise of Graham Harman's philosophy is that objects cannot be "undermined" or "overmined".[1] Undermining is the reduction of objects to a deeper and more basic stratum of reality (imagine someone holding that everything ultimately *is* subatomic particles or a pre-Socratic substance). Whereas an underminer reduces objects such as horses, festivals, tables, countries, and sapphires to something supposedly *more* objective, an overminer dissolves them into something *less* objective, for example sense-data, power relations, language effects, or a flux of events. In both cases, the trillions of objects comprising reality are mercilessly reduced to mere refractions of a few privileged entities or forces considered to be the true movers and shakers of existence.

Undermining and overmining are variants of relationism, the true enemy of Harman's philosophy. A relationism is any theory holding that the being of entities is fully exhausted by their relations with one or several "others" (however conceived). The fundamental problem with relationism is its utter inability to account for change: "There is no way to explain change if everything is defined purely by its relations to other things, because then everything will be exhausted by its current state [...]."[2]

Harman therefore concludes that each object must have two radically different dimensions. First, the object as present in relations to its parts and environment. Second, each object must have a private aspect that remains withdrawn from all relational engagements, a non-relational surplus to account for why it can change its relations while still remaining *this* entity. If we invoke Deleuze's well-known formula that "relations are external to terms" (to which we will return), Harman's ontology is thus a form of *externalism* in holding that no relation (or set thereof) ever penetrates the interior of objects. For Harman, this split between an object's relations and its withdrawn interior is the true lesson of Heidegger's

---

1 Graham Harman, The Quadruple Object, Washington/Winchester, Zero Books, 2012, p. 7-14.

2 Graham Harman, "Strange Realism: On Behalf of Objects", in The Humanities Review, 12, 1, 2015, p. 7.

tool analysis. Rejecting interpretations according to which faltering equipment reveals a tension between human praxis and theory, Harman instead thinks that the tool analysis uncovers a disparity between an object's private being as opposed to its network of relations, the latter including users, thinkers, and even other inanimate entities: "I hold that the same structure of withdrawal occurs even on the *inanimate* level: just as we never grasp the being of two pieces of rock, neither do they fully unlock the being of *each other* when they slam together in distant space. "[3]

Yet objects are more than simple twofolds of relational presence and private withdrawal. Echoing Leibniz' thesis that monads must each have specific qualities if *this* monad is to differ from *that* monad[4], Harman holds that the withdrawn aspect of an object is not "a sheer empty unit, but has a multitude of real qualities of its own."[5] The private interior of objects is thus a twofold of what Harman calls a "Real Object" warranting its unity and "Real Qualities" warranting its specificity.[6] Yet of more interest to us here is how Harman uses a Husserlian insight to also split the relational aspect of objects into yet another twofold, as this is central to a major inconsistency in object-oriented ontology soon to be addressed.

For Harman, Husserl's greatest insight is that (contra Humean empiricism) experience does not contain raw multitudes of sense data which minds then unify into distinct objects, as intentionality itself is always-already made up of objectifying acts.[7] Harman mainly draws this from *Logical Investigations V*, referring to passages such as "I do not see color-sensations but colored *things*, I do not hear tone-sensations but the singer's *song* [...]."[8] The manifold qualities experienced of an object always-already have a unifier *of which* they are these qualities. As Husserl notes, such a unified object does not exist "extramentally, " meaning that the unified "thing" is immanent to the relation with its observer.[9] Harman generalizes this into the ontological thesis that the relational presence of any object to any other object comprises a twofold of experienced qualities and a unified form which cements these properties together.[10] Hence *every* relation between objects contains not just qualified content (what he calls "sensual qualities"), but also a unified object immanent to that relation (what he calls the "sensual object").[11]

---

3 Graham Harman, Tool-Being. Heidegger and the Metaphysics of Objects, Chicago, Open Court, 2002, p. 5.

4 Gottfried Wilhelm Leibniz, "Monadology", in Philosophical Essays, trans. Roger Ariew and Daniel Garber, Cambridge, Hackett, 1989, §8.

5 Graham Harman, The Quadruple Object, op. cit., p. 49.

6 Ibid., p. 48.

7 Graham Harman, Guerrilla Metaphysics. Phenomenology and the carpentry of Things, Chicago, Open Court, 2005, p. 26, 32; cf. The Quadruple Object, op. cit., p. 11.

8 Edmund Husserl, Logical Investigations Vol. II, trans. J. N. Findlay, London, Routledge, 2001, p. 99 (emphasis mine); quoted at Graham Harman, Guerrilla Metaphysics, op. cit., p. 26-27.

9 Edmund Husserl, Logical Investigations Vol. II, op. cit, p. 99.

10 Graham Harman, Guerrilla Metaphysics, op. cit., p. 28.

11 Graham Harman, The Quadruple Object, op. cit., p. 50.

This results in an ontology of fourfold objects. The private reality of each object is split between a "real object" and its "real qualities". Likewise, the relational presence of an object to others is split between "sensual qualities" (the qualified content of experience) and the "sensual object" (the unified object immanent to the relation). The corresponding worldview is one of objects deceptively hiding their private interiors while constantly negotiating the superficial, "sensual" manifestations of others.

Objects and change

Perhaps there is much to say about Harman's interpretation of Husserl and Heidegger, but we prefer to disregard matters of exegetic fidelity in order to focus on the coherence of object-oriented ontology as such, as the evaluation of any philosophy is most effective when carried out on its own terms.

Hence, we return to how Harman applies Husserl's insight that relations contain qualified content *and* immanent ("sensual") objects to all relations between all entities. In Harman's ontology, this comes to mean that any relation (any event or action) "halts" at the unitary "thing" inhering in it. No form of contact can bypass an object's sensual surface. This is why Harman disagrees with where Husserl holds that objects as such are mere "potential targets of consciousness," because that would imply a human capacity to bypass the sensual surface of objects and survey their private interiors.[12] With sensual objects immanent to relations functioning as such a hard limit, it is also unsurprising that Harman thinks of *time* as being merely "the tension between sensual objects and their sensual qualities," so that the private being of objects remains immune to events in this world.[13] Yet this is where a major problem arises. As Peter Gratton notes, it is unclear how existing objects can ever change and how new objects can ever come into existence if objects (the only possible agents in Harman's ontology) withdraw from all relations, actions, and events.[14]

Harman's recent *Immaterialism* responds to this problem. There, he reaffirms his rejection of the notion that any relation to an object could alter its interior (its "real qualities"): "if we treat every relation as significant for its *relata*, we slip into a 'gradualist' ontology in which every moment is just as important as every other."[15] Harman takes constant gradual change to imply overmining objects into events. He nevertheless argues that the interior of an object (its being or essence) *can* be altered by other entities, but only on highly rare occasions at which change is always drastic. Only five or six encounters in an object's existence

---

12 Graham Harman, Tool-Being, op. cit., p. 141.

13 Graham Harman, The Quadruple Object, op. cit., p. 100.

14 Peter Gratton, Speculative Realism – Problems and Prospects, London, Continuum, 2014, p. 103.

15 Graham Harman, Immaterialism. Objects and Social Theory, Cambridge, Polity, 2016, p. 45.

will penetrate its core and alter its real qualities.[16] Much of *Immaterialism* is a case-study of the Dutch East India Company (the VOC) to illustrate this thesis. Harman stresses the absurdity of holding that the VOC undergoes essential change whenever a new boatswain is hired or a new contract is signed. It seems much more plausible that essential alteration only results from key moments such as decisive naval battles or new directors instigating major policy changes.[17] Harman calls such rare relations which *do* alter the essence of objects "symbiotic."[18]

The appeal of this solution is that it avoids reducing objects to a flux of events and still accounts for how they can profoundly affect each other beyond mere superficial contact. Nevertheless, the solution is also highly problematic. One can of course doubt the extent to which a single case-study can confirm a metaphysical theorem. Yet there is a more serious problem. Even if every case study of every object would confirm the thesis that objects can only change rarely and drastically, the thesis itself would remain inconsistent with the rest of Harman's ontology.

Recall how the Husserlian streak in Harman's ontology demands that a relation to an object can only touch upon its immanent unity in that relation (the sensual object), never the object in itself (the real object with its real qualities). So, when I see a river, the "thing" perceived is a superficial manifestation of the river immanent to my experience and not the river-in-itself, which remains withdrawn in its subterranean privacy. It follows that no outside entity ever reaches the very core of an object, so that in the VOC case a recently hired boatswain and a decisive naval battle must be equally unable to alter the VOC's very being. Holding that the naval battle nevertheless pulls this off by entertaining a special kind of "symbiotic" relation to the VOC is just a *deus ex machina* which cannot be reconciled with one of the cardinal rules of object-oriented ontology.

Yet not all is lost for Harman, because he is well aware that all relations are *asymmetrical*.[19] Relating to something does not imply being related to in turn. My perception of the river does not necessitate that the river also encounters me. More importantly, asymmetry means that things related to are always sensual objects, but things "doing" the relating are always *real objects*. The I perceiving the river is a real object, because it would be absurd to hold that the entity perceiving the river is the entity qua sensual object as perceived by another entity. This relation between real objects and sensual objects is even the only possible type of direct contact in Harman's ontology: "The only form of direct contact [...] is between the real object that experiences the world and the various sensual objects it encounters."[20] In other words: when objects are *being related to*, their real and private interior is shielded by sensual surfaces, but when they are *relating*, their

16 Ibid., p. 107, 118.

17 Note that for Harman an event or force is no less of an object than a solid piece of matter.

18 Ibid., p. 117.

19 Graham Harman, Guerrilla Metaphysics, op. cit., p. 224; The Quadruple Object, op. cit., p. 75.

20 Graham Harman, The Quadruple Object, op. cit., p. 76.

inner being (the real object and its real qualities) is always open and exposed to the content of experience.

This points to the road not taken by *Immaterialism*. The question is not how objects can cheat their way around the sensual barriers of other entities, but how objects remain irreducible to the many "outgoing" relations in which their interior is always exposed. Symbiotic relations that affect rare and drastic change are an inadequate answer here. After all, the boatswain and the naval battle are equally incapable of altering the interior being of the VOC if *they* only encounter *it*. But if *it* registers *them*, it does so with its real, private interior equally exposed to both entities. If the naval battle then changes the VOC drastically, the boatswain should at least be able to change it minimally, not to speak of the host of other objects which by the same principle should be able to have a "medium" effect on the Company.

If we said that not all is lost, it is because the question now posed has been adequately addressed in the philosophy of Gilles Deleuze, as will be argued below. Invoking Deleuze may seem somewhat surprising, as Harman casts Deleuze as an overminer *par excellence*.[21] Nonetheless, Harman has also noted the possible proximity of Deleuze's "ontological machinery" to his own position.[22] Moreover, we will see that Deleuze is an object-oriented thinker if ever there was one, and that he is as much of an heir to Husserl as Harman himself.

Deleuze's fourfold

Before showing how Deleuze retains the irreducibility of entities while respecting their openness to "outgoing" relations, some clarifications are necessary. Deleuze, a self-avowed "pure metaphysician," undeniably thinks reality in terms of a fourfold.[23] In a 1967 lecture he asserts that, "each thing has two "halves" – uneven, dissimilar, and unsymmetrical – each of which is itself divides into two [...]."[24] This fourfold retains a constant presence in his later works. For example, *Difference and Repetition* also affirms that "everything" or "every object" consists of two twofolds.[25] Likewise, *A Thousand Plateaus* is a series of case-studies fleshing out the implications of the "tetravalence of the assemblage" in a variety of domains.[26] *The Fold* even contains a picture of this tetravalent object, accompanied by Deleuze's assertion that entities are both one *and* multiple in a "subjective"

21 Ibid., p. 57.
22 Harman, Tool-Being, op. cit., p. 313n55.
23 Gilles Deleuze, Lettres et autres textes, Paris, Minuit, 2015, p. 78.
24 Gilles Deleuze, "The Method of Dramatization", in Desert Islands and Other Texts – 1953-1974, trans. M. Taormina, New York, Semiotexte, 2004, p. 100.
25 Gilles Deleuze, Difference and Repetition, trans. Paul Patton, New York, Columbia University Press, 1994, p. 209-210, 279-280.
26 Gilles Deleuze and Félix Guattari, A Thousand Plateaus, trans. Brian Massumi, London, University of Minnesota Press, 2005, p. 89.

sense, which is to say in their presence to others, and one *and* multiple in an "objective" sense, which is to say in themselves.[27]

Yet it is absolutely paramount to see that Deleuze shaped this fourfold thought into two separate and incommensurable ontologies, that he came to reject the first in favor of the second, and that an encounter with Husserl marks the transition between them.[28]

The first is the ontology proposed in *Difference and Repetition*, the famous polemic against the notion that the being of entities is nothing but a relation of representation, resemblance, identity, analogy, or opposition with regards to something else.[29] Deleuze rejects such relationism for the same reason as Harman. If everything is nothing but its current relational engagements, then there is no surplus from which future states can arise. In Deleuze's terms: if only the present existed, then present states of affairs would never be able to pass.[30] The fourfold is then deployed as follows. On the one hand, there are entities in their presence to others. This "actuality" is twofold, because in these relations objects appear (1) with certain "qualities" and (2) as "parts" of something else.[31] Given the rejection of relationism, such qualified parts cannot be proper grounds for existence and change. Deleuze locates this ground in a distinct "virtual" *realm* underlying actual things and events.[32] The denizens of this realm comprise the second twofold of (1) complexes of what are alternatingly called "differential relations, " "Ideas, " or "intensities" and (2) "singularities."[33] Think of the former as pure processes without extension, and of the latter as points around which these processes collide with sufficient intensity to instantiate actualities such as sharks, fights, storms, or trains.

An example may clarify the implications of this.[34] Take a protest that authorities are working to contain while protestors are trying to spread it through the city. This pandemonium of moves and counter-moves would *not* consist of actual entities having material effects on each other. It may seem as if shouting policemen, thrown bricks, heated cellphone conversations, and raging crowds are the causal agents here ("parts" of the event which contribute specific "qualities"), but in fact everything is merely a result of what happens in the virtual realm or "chaosmos. "[35] Relations are therefore external to terms in so far as actual things never

---

27 Ibid.

28 Note that Deleuze distinguishes 'metaphysics' from 'ontology,' associating the former with philosophies in which everything is a mere representation of some ultimate substance or movement, and the latter with philosophies which do not allow for such reductions (Gilles Deleuze, Difference and Repetition, op. cit., p. 264, 293).

29 Ibid., p. 138.

30 Ibid., p. 84-102.

31 Ibid., p. 279-280.

32 Ibid., p. 88, 166, 171, 258.

33 Ibid., p. 173, 244.

34 Cf. James Williams, Gilles Deleuze's Logic of Sense. A Critical Introduction and Guide, Edinburgh, Edinburgh University Press, 2008, p. 35-36.

35 Gilles Deleuze, Difference and Repetition, op. cit., p. 199.

affect *other* actual things: commotions in the virtual realm are the sole cause of what happens. Actual things may never make real contact, but the intensities swarming in the virtual realm are all immediately "implicated" in each other and "coexist in plenitude."[36] This direct form of contact is precisely why they *would* be able to function as true causes of actual entities and events, and of the self-differentiation of the virtual realm into new states. As Peter Hallward notes, this makes for an exclusively unilateral relation between the virtual and the actual, so that actual planes, festivals, bugs, and floods are merely the impotent after-images of what transpires in the virtual realm.[37] This earlier Deleuze is clearly a true overminer, as he reduces everything to a self-differentiating flux of intensive events.

Yet Deleuze's position radically changes after *Difference and Repetition*. As he writes in a preface to *The Logic of Sense*:

> Difference and repetition still aspired [...] toward a sort of classical height and even toward an archaic depth. The theory of intensity which I was drafting was marked by depth, false or true; intensity was presented as stemming from the depths [...]. In *Logic of Sense*, the novelty for me lay in the act of learning something about surfaces.[38]

The importance of this turn cannot be overstated. From *The Logic of Sense* onwards, the virtual realm will be dismissed as a case of illegitimately rooting everything in a single "height" or "depth" presumed to be a universal ground (the parallel with "overmining" and "undermining" is obvious).[39] What causes this change of mind? Interestingly, it is a reading of Husserl on the exact same point that we saw is central to Harman. Deleuze, too, embraces Husserl's insight that any relation is only ever a relation to an ideational unity immanent to that relation, a unity Deleuze calls a "sense" or "sense-event."[40] Hence he writes how a sense-event is not a thing in itself, but an "impassive and incorporeal entity, without physical or mental existence, neither acting nor being acted upon – a pure result or pure 'appearance'" that does not exist outside of the relation in which it subsists.[41] It is not a "sensible given or quality," but rather the objective unity of qualities experienced.[42] Also like Harman, Deleuze "ontologizes" this insight into a rule for all relations between all entities.[43] As he will later write, he theorizes the "spider-fly

---

36 Ibid., p. 252.

37 Peter Hallward, Out of This World. Deleuze and the Philosophy of Creation, London, Verso, 2006, p. 162.

38 Gilles Deleuze, Two Regimes of Madness – Texts and Interviews 1975-1995, trans. Ames Hodges and Mike Taormina, New York, Semiotexte, 2006, p. 65.

39 Gilles Deleuze, The Logic of Sense, trans. Mark Lester, New York, Columbia University Press, 1990, p. 127-134.

40 Ibid., p. 20-21, 32. Deleuze's references, however, tend to be to Ideas I rather than to Logical Investigations V.

41 Ibid., p. 20.

42 Ibid.

43 See the treatment of Husserl in the 'Sixteenth Series of the Static Ontological Genesis' in The Logic of Sense, in which Husserl's 'personal' insights are migrated into a consideration of 'impersonal' entities.

relation" and the "leaf-water relation" as much as human relations to other entities.[44]

The Husserlian insight forces a radical change in Deleuze's thinking, because it is utterly irreconcilable with the notion of a realm in which pure processes or intensities are "mutually implicated" and "coexist in plenitude," which is to say a realm whose denizens relate to each other immediately.[45] If relations are always relations to superficial sense-events instead of entities in themselves, then not even pure processes or intensities can make direct mutual contact. And again like Harman, Deleuze refuses Husserl's notion that human observers could be an exception to the rule and bypass sense surfaces to gain direct access to things in themselves, such that each object could be grasped in a perfectly adequate way by a possible consciousness.[46] Both philosophers thus read Husserl against himself by insisting that the "thing" immanent to all relations is a hard limit precluding all access to the being of objects as such.

In *The Logic of Sense* and subsequent works, Deleuze's chaosmos therefore no longer refers to a separate dimension. It now refers to how *there are only entities*, which never combine into seamless wholes because they only ever encounter the superficial translations of other beings instead of accessing them in themselves. Where Harman uses the term "object," Deleuze prefers "machine" (or its synonyms "assemblage," "rhizome," and "multiplicity").[47] He now argues that such machines are the "minimum real unit" or "reality itself."[48] Hence the fourfold is no longer an extensive world of twofold entities supported by a twofold intensive realm. Instead, each machine or entity is *itself* a fourfold with one extensive, relational aspect and one intensive, non-relational aspect. We even find Deleuze, playing ventriloquist for Alfred Jarry, writing that Heidegger wrongly thought of the fourfold as concerning "the *world* and its four paths", because it concerns the "machine" or "thing" which "forms a cross with itself in each quarter of every one of its revolutions."[49]

---

44 Gilles Deleuze and Félix Guattari, A Thousand Plateaus, op. cit., p. 314.

45 It is true that Deleuze starts The Logic of Sense by stating that the Stoics are his inspiration, but take note that he credits Husserl for taking up 'Stoic' thinking in our times: 'Husserl [...] rediscovered the living sources of the Stoic inspiration' (The Logic of Sense, op. cit., p. 20).

46 Deleuze, The Logic of Sense, op. cit., p. 97 and 343n3, 113 and 345n3, 122 and 346n2.

47 That these are synonyms and not different concepts is clear from how often Deleuze defines them in terms of each other. See for example Gilles Deleuze, Two Regimes of Madness, op. cit., p. 362; Gilles Deleuze and Claire Parnet, Dialogues, trans. Hugh Tomlinson and Barbara Habberjam, New York, Columbia University Press, 1987, p. 69, 71, 31; Gilles Deleuze and Félix Guattari, Kafka – Toward a Minor Literature, trans. Dana Polan, London, University of Minnesota Press, 1986, p. 37; Gilles Deleuze and Félix Guattari, A Thousand Plateaus, op. cit., p. 34.

48 Gilles Deleuze and Claire Parnet, Dialogues, op. cit., p. 51; Gilles Deleuze, Two Regimes of Madness, op. cit., p. 310.

49 Gilles Deleuze, Essays – Critical and Clinical, trans. Daniel W. Smith and Michael A. Greco, Minneapolis, University of Minnesota Press, 1997, p. 96 (emphasis mine).

First, each entity or machine has a "body" or "body without organs".[50] This body is not extended in space and time, which is to say that an entity's body never appears in relations of others to it.[51] Hence Deleuze's insistence that a body is sterile and non-productive: an entity's body by definition stubbornly withdraws from all presence.[52] As he writes: "you can never reach the body without organs, you can't reach it, you are forever attaining it, it is a limit."[53] This would correspond to Harman's "real object." Second, what entities *do* encounter is what we already identified as sense-events, which Deleuze also calls "partial objects."[54] These are not partial in the sense of being parts of the body itself (which can neither be given wholly nor piecemeal), but in the sense of being superficial translations or manifestations of machines in their relations with others. These partial objects correspond to Harman's "sensual objects." Third, partial objects are always encrusted with specific qualities, which Deleuze calls their "flow."[55] To quickly return to Husserl's example, even if what I hear is the *song*, I still never perceive a sheer empty unit, but a shifting and flowing ensemble of qualified impressions. Fourth and finally, an entity's body cannot just be an empty unity if *this* machine is to be distinct from *that* one. Each entity must have an internal and private set of properties for which Deleuze retains the term "singularities", but also adds its synonyms "desire," "intense matter," and "*puissance*" (the latter usually being translated as "powers").[56] This, of course, is what Harman would call the "real qualities" possessed by a real object.

To illustrate, take the relation between a state and its people. The state never registers those individuals *as such*. Instead, it encounters partial objects qualified according to its relation to the populace. It may register individuals as citizens, criminals, migrants, bureaucrats, and so on, but these surface properties can only ever be *attributed* to individual entities, without ever *being* their real and subterranean qualities or singularities.[57] The latter constitute a surplus over and above all relations, which is precisely why Deleuze frequently invokes desire as the reason why entities can break with their current engagements and forge new bonds with others.

This makes for Deleuze's second and definitive fourfold. In its private and unextended interior, each entity is a twofold of a body and its singularities (its

---

50 Gilles Deleuze, The Logic of Sense, op. cit., p. 88, 90; Gilles Deleuze and Claire Parnet, Dialogues, op. cit., p. 88, 90; Gilles Deleuze and Félix Guattari, Anti-Oedipus, trans. Robert Hurley, Mark Seem and H.R. Lane, London, Bloomsbury, 2013, p. 20.

51 Gilles Deleuze, Cinema 2 – The Time Image, trans. Hugh Tomlinson and R. Galeta, Minneapolis, University of Minnesota Press, 1989, p. 189.

52 Gilles Deleuze and Félix Guattari, Anti-Oedipus, op. cit., p. 19, 26, 106.

53 Gilles Deleuze and Félix Guattari, A Thousand Plateaus, op. cit., p. 150.

54 Gilles Deleuze, The Logic of Sense, op. cit., p. 197; Gilles Deleuze and Félix Guattari, Anti-Oedipus, op. cit., p. 59, 352, 372.

55 Gilles Deleuze and Félix Guattari, Anti-Oedipus, op. cit., p. 379.

56 Gilles Deleuze and Félix Guattari, Anti-Oedipus, op. cit., p. 96, 104, 134; A Thousand Plateaus, op. cit., p. 14, 109.

57 Gilles Deleuze, The Logic of Sense, op. cit., p. 21.

"desire"), and in its extended presence to others it manifests as partial objects covered by flowing qualities. The difference in kind between these two aspects explains Deleuze's image of entities as "soft cores of lava" surrounded by a "circle of crystal or granite."[58] If this machine ontology strikes some as unfamiliar, it is merely because Deleuze scholarship looks almost exclusively to *Difference and Repetition* for Deleuze's metaphysics. Its unfamiliarity notwithstanding, our basic outline of Deleuze's fourfold ontology suffices to address the problem at hand: how can entities retain their irreducibility while also altering due to their relations?

Machines and becoming

Harman and Deleuze may agree on the fourfold structure of entities, but their accounts of how entities can change what they *are* differ immensely. Deleuze's readers will recall his constant emphasis on the malleability and alteration of the "desire" or "singularities" constituting an entity's interior reality. Even his frequently used term "desiring-machine" (note the verb) for "entity" suggests a far greater openness to change than Harman's symbiotic relations.

Deleuze's term for relations through which the inner being of entities alters is "becoming." Becoming is not the change in what entities experience, but the production of a "block" of reality located "beneath assignable relations."[59] Becoming is "imperceptible," because it concerns change in the withdrawn, non-relational aspect of an entity.[60] Deleuze would agree with Harman that such change is sometimes drastic.[61] He often dwells on how a being can be completely redefined due to a single shocking encounter, as in Captain Ahab's relation to Moby Dick, a drug addict's relation to heroin, or an painter's relation to his art. Yet becoming can also be incremental, as in the famous example of how wasps and orchids come to mutually define each other over the course of millennia. Deleuze also allows for moderate types of becoming situated between these two extremes, as he clearly holds that becoming also occurs in everyday encounters with women, books, animals, and music.[62] This is why "assemblage" (*agencement*) is among the synonyms for "entity" or "machine": the interior being of an entity is assembled from everything to which it relates, not just from one or several privileged sources.

Deleuze is clearly more consistent than Harman on this point. Like Harman, he is well-aware that becoming is asymmetrical.[63] "Being related to" never alters the being of an entity, because it never penetrates its "sensual" or "sense" surface.

---

58 Ibid., p. 158.

59 Gilles Deleuze and Félix Guattari, A Thousand Plateaus, op. cit., p. 238-239.

60 Gilles Deleuze and Claire Parnet, Dialogues, op. cit., p. 3.

61 See Gilles Deleuze, A Thousand Plateaus, op. cit., p. 165 on sudden shifts in a machine's 'desire.'

62 Ibid., p. 246-249.

63 Ibid., p. 278, 291, 293.

Its interior, however, is always exposed when *it* relates to others, as we saw earlier. In those cases, it must in principle be as receptive to moderate or even insignificant change as it is too drastic change.

The remaining question is how entities retain their irreducibility with regards to these "outgoing" relations. What stops things from dissolving into the swarms of partial objects to which they are exposed? The answer is that the real qualities, singularities, or desire characterizing the interior of an entity do *real work*. As the cause of what a body can and cannot experience, they are always-already a source of resistance against such dissolution. After all, remember that there is a difference in kind between the intensive interior of an entity and what it experiences in extensity. The junction between these two is always a point of "cut-offs,' "interruptions," and "breaks" where something is transmuted into something *unlike* it.[64] Also, that a body has *specific* singularities guarantees that it cannot even register the vast majority of existing entities, and the remainder is only ever experienced on its own terms, which is to say translated into something befitting its existing constitution. This is what Deleuze means by the example of how an eye perceives everything ("speaking, understanding, shitting, fucking") in visual terms.[65] The interior of an entity should be understood as a structure which translates and resists its inputs as often as it changes due to them. Hence Deleuze's description of becoming in terms of "selection", "elimination" and "extraction."[66] Far from overmining entities into their experiences, the resulting image is one in which entities are constantly involved in a perilous game of push and pull as they negotiate the partial objects they experience.

Take, for example, a first encounter with rock music. For some, this will be a life-changing event. Others will find the encounter insignificant, or perhaps the effect on them will lie somewhere between extreme and null. For both Harman and Deleuze, the cause of these different impacts *cannot* be people's different memories or biological parts, because they would consider those to be fully-fledged entities external to the being of the individuals under consideration. The differences can *only* be due to the "real qualities" or "singularities" which determine people's reactions to the world. In short, the degree to which an encounter changes the inner being of an entity depends on the singularities or real qualities of that entity *itself*. If the VOC undergoes drastic change due to a naval battle and nothing seems to change when a new boatswain is hired, this does not testify to the existence of two separate types of relations. It simply means that the VOC's inner structure, qualities, or singularities is such that it is gravely affected by the one and barely altered by the other.

---

64 Gilles Deleuze and Félix Guattari, Anti-Oedipus, op. cit., p. 16, 19, 50.

65 Ibid., p. 16.

66 Gilles Deleuze and Félix Guattari, A Thousand Plateaus, op. cit., p. 100, 311, 483.

Conclusion

The capacity of objects or machines to change is not determined by two types of relations (symbiotic and ineffective ones). Given that entities expose their interior to *all* relations which they entertain, they are in principle equally susceptible to major, moderate and minor changes. The intensity of change in entities depends on their own "real qualities" or "singularities." They determine whether an object's experiences leave it unperturbed, alter it somewhat, or change it beyond recognition. Harman needlessly conflates openness to change in all "outgoing" relations (an openness to which his ontology is also committed due to the asymmetrical nature of relations) with an overmining position, leading him into a theory of symbiotic relations which is inconsistent with his own ontology. Yet it is simply not the case that being open to change implies being *utterly* changed in every single encounter. Conversely, Deleuze's notion of becoming is the more coherent way to think change within a theory of fourfold entities, and probably the better road to take in the future of object-oriented ontology.

Heidegger's Metaphysics of Objects

A Reply to Graham Harman

Aengus Daly

This paper will reply Graham Harman's critique of Heidegger in his *Tool-being: Heidegger and the Metaphysics of Objects*. In Chapter 3, Division One of *Sein und Zeit* Heidegger claims that the "being 'in itself'" of entities is readiness-to-hand.[1] On Graham Harman's entities "are ready-to-hand 'in themselves'" in the strong sense that readiness-to-hand constitutes the being of entities quite independently of *Dasein*. On Harman's version of the ontological difference: "there are two separate facets to equipment: (1) its irreducibly veiled activity, and (2) its sensible and explorable profile".[2] In other words, on Harman's understanding of the ontological difference there is an underlying hidden or non-appearing *ontological* domain in which things, quite independent of *Dasein*, pursue their own ends and purposes as part of a global contexture of equipment and an appearing profile, which Harman describes as the *ontic*, as presence-at-hand, as that which is encounterable. On this interpretation, readiness-to-hand and presence-at-hand become cosmological principles referring to the hidden life of entities and their visible profile respectively. Heidegger's chief discovery, on Harman's reading, is of a speculative metaphysics of objects and this constitutes not only the centre of Heidegger's entire philosophy but constitutes "the high-water mark of twentieth century philosophy".[3]

Harman characterizes his work as an attempt to "summarize and extend" Heidegger initial foray into a metaphysics of objects. It is thus directed against transcendental interpretations of his philosophy, rejecting the "unfruitful" movement backwards which retreats "ever deeper into the *conditions* underlying these entities, into the very conditions of these conditions" to a "forgotten site of the

---

1 Martin Heidegger, Being and Time, trans. Macquarrie and Robinson, Oxford/Cambridge, Blackwell Publishers, 2000, H. 69, cf. H. 71. Following standard practice in citing from Being and Time in English language literature, this and all subsequent page references are to the 7th edition of Martin Heidegger, Sein und Zeit, Tübingen, Max Niemeyer Verlag, 1952 (quoted H).

2 Graham Harman, Tool-Being. Heidegger and the Metaphysics of Objects, Chicago, Open Court, 2002, p. 22.

3 Ibid., p. 7.

ground of the condition of all that appears." Harman's reading instead moves in the opposite direction, it is "a military campaign driving back toward the *surface* of reality", toward entities themselves.[4] He writes: "My approach... relies only on a single, undeniable fact: *the fact that there are discernible individual entities at all*" and he claims that the "central theme" of his work is "the reversal by which concrete entities tear away from the shapeless totality of equipment, the stance in which *specific* beings take up a relation to their own being."[5] It is especially important to note that Harman refers to "*discernible, individual entities*" and to "*specific* beings" here. He holds Heidegger's own discussions of the being-in-itself of entities in 'What is Metaphysics?' (1929) and 'On the Essence of Ground' (1929) to be deficient in that they fail to consider precisely the *individuality* and *specificity* of entities.[6]

This paper answers Harman's critique by defending a transcendental (broadly construed) reading of Heidegger's philosophy in the years 1927–9. On this transcendental reading, Heidegger does provide a sophisticated account of the being-in-itself of entities–in three primary senses–and moreover this account can only be understood through consideration the temporal conditions for the self-manifestation of entities. Far from this theme being marginal to Heidegger's phenomenology, the argument will show that it is central to his understanding of the temporal basis for the ontological difference at this time. Furthermore, Heidegger's own metaphysics of objects suggests a critique of the metaphysical presuppositions of Harman's own speculative realism.

The paper has three sections. The first discusses Heidegger's claim, central to Harman's argument, that the 'being-in-itself' of entities is readiness-to-hand. It argues instead that this problematic claim needs to be read as a claim about the *self-manifestation of entities to Dasein in particular modes of its temporality*. In *Being and Time*, there two fundamental modes of letting entities be and such that they can be encountered 'in themselves'. These two modes correspond to the fallen present and the future as coming towards respectively. Rejecting Harman's claim that readiness-to-hand constitutes the being of beings quite independently of *Dasein*, Heidegger' talk of encountering entities in themselves is a claim about the self-manifestation of entities and it has specific temporal pre-conditions.

The second section then discusses whether there is any sense in which *Dasein* can be said to encounter entities 'in themselves' in the strong sense as independent of *Dasein*. Harman rightly signals this point as a deficit in *Being and Time*.[7] This

---

4 Graham Harman, Tool-Being, op. cit., p. 6. See Martin Heidegger, 'Was ist Metaphysik?' and 'Vom Wesens de Grundes' in GA 9, p. 103-122 and p. 123-176 respectively, English translations 'What is Metaphysics?' trans. D. F. Krell and 'On the Essence of Ground' trans. W. McNeill in Pathmarks, ed. W. McNeill, Cambridge, Cambridge University Press, p. 82-96 and p. 97-135 respectively.

5 Graham Harman, Tool-Being, op. cit., p. 44.

6 Ibid., p. 200-201.

7 Recent work on Heidegger's 'metaphysical period' – his development of a metaphysics of Dasein between 1927 and 1930 – has focused on the problem of facticity in Heidegger's work in a double sense: the factical existence of Dasein and the factical presence-at-hand

section answers this criticism by looking at Heidegger's further development of the problem of temporality after 1927 and specifically his thematization of a mode of temporality almost completely neglected in *Being and Time* – the temporality of birth. It argues that this mode of temporality stands in the background to Heidegger's lectures between 1927 – 9 and another possibility of the self-manifestation of entities, i.e. as independent of and indifferent to *Dasein*. It will be shown that the temporality of birth is fundamental to Heidegger disclosure of the temporal basis of the ontological difference. It is here, then, that a response to Harman's critique and the aforementioned deficit in *Being and Time* can be found.

The third section turns to a critique of the presuppositions of Harman's own metaphysics of objects. It contrasts the account of entities-in-themselves developed by Heidegger with Harman's claim that readiness-to-hand constitutes the being of beings. It discusses how and why Heidegger problematized the metaphysical presuppositions of such an account of entities through a consideration of Heidegger's account of the different modes of givenness of the practical and theoretical sighting of entities and his phenomenology of the theoretical perception.

1. Letting-Be and Temporality in Being and Time

The core of Harman's reading of Heidegger consists in the claim that the being-in-itself of entities is readiness-to-hand: "*Beings in themselves* are ready-to-hand, not in the derivative sense of 'manipulable,' but in the primary sense of 'in action'". The world is a not a phenomenal horizon but "an infrastructure of equipment already at work, of tool beings unleashing their forces upon us just as savagely or as flirtatiously as the duel with one another". The central discovery of Heidegger's philosophy – that of tool-being independently of and hidden from what appears to us – "restores things to the very centre of philosophy, transforming them from *phenomena* into equipmental *events*".[8]

What speaks for Harman's reading is that Heidegger does in fact refer several times to readiness-to-hand as constituting the being-in-itself of objects. He claims, for example, that "[r]eadiness-to-hand is the way in which entities as they are 'in themselves' are defined ontologico-categorically".[9] Harman also rightly notes that the first stage of the phenomenological reduction in *Being and Time* in which equipment does not stand at *Dasein*'s disposal but is encountered as missing, broken or in its way presupposes "an autonomous reality unleashing its forces

of beings as a whole. See François Jaran, La Métaphysique du Dasein: Heidegger et la possibilité de la metaphysique (1927-1930), Bucarest, Zeta, 2010 and László Tengelyi, Welt und Unendlichkeit. Zum Problem phänomenologischer Metaphysik, Munich, Karl Alber, 2014, p. 228-263. These reflections form the background to the present article.

8 Graham Harman, Tool-Being, op. cit., p. 20.

9 H. 71, cf. H. 74, 76.

upon the world quite apart from any of *Dasein*'s projections".[10] In other words, it seems as though the reduction in *Being and Time* both presupposes that entities act autonomously upon *Dasein* and that their activity remains concealed to how it sights the everyday world.

This and the following section argue that Harman underestimates the complexity of Heidegger's discussion here. There are three primary senses of letting-be in Heidegger's work in the period 1927 – 9 and entities are disclosed 'in themselves' differently in each. Each of the three primary senses in which objects are disclosed in themselves is correlated with one of the three modes of temporality respectively – the fallen present, the future as coming towards and having-been. In *Being and Time*, the encountering of beings as ready-to-hand 'in themselves' means that *Dasein* has sighted them in terms of its potentiality-for-being "which it may have seized upon either explicitly or tacitly, and which may be either authentic or inauthentic".[11] The letting-be-involved of entities encountered as part of an equipmental totality, in other words, presupposes either the false *Gelassenheit* of fallen everydayness where *Dasein* "liv[es] along in a way which 'lets' everything 'be' as it is [*'sein lässt', wie es ist*]", "forgetting and abandoning oneself to one's thrownness"[12] or *Dasein*'s "letting-itself-come-toward-itself in that distinctive possibility which it puts up with [*die ausgezeichnete Möglichkeit aushältende, in ihr sich auf sich* Zukommen-*lassen*]", i.e. its letting itself come towards itself from out of its ownmost finitude.[13] As against Harman, to say that "[r]eadiness-to-hand is the way in which entities as they are 'in themselves' are defined ontologico-categorically" refers not to the being of entities wholly independently of *Dasein, but to a specific temporal mode of the self-manifestation of beings to Dasein.*[14]

We can note that the first of these possibilities, that of *fallen present*, is characterized by what can be described as an evasion of *Dasein*'s factical being amidst entities and its possibilities of dealing with them. *Dasein* is concerned "with becoming rid of itself as being-in-the-world and rid of its being alongside that which,

10 Harman makes these claims in the course of his critique of Rudolf Bernet's account of the double reduction in Being and Time, see Graham Harman, Tool-Being, op. cit., p. 135-141, here p. 141. On the resistance of entities as the condition for the possibility of the disclosure of Dasein's thrownness, see H. 356. For Bernet's discussion of the existential reduction in Being and Time, see Rudolf Bernet, "Phenomenological Reduction and the Double Life", in Reading Heidegger from the Start. Essays in his Earliest Thought, ed. Theodore Kisiel and John Van Buren, New York, State University of New York Press, 1994).

11 H. 86.

12 H. 345. In connection with this fallen letting-be, see the Unterlassung of idle talk, "Thus idle talk is really, in accordance with its omission [Unterlassung] of a return to the soil of what is talked about, a closing off" (H. 169, my translation) and the Sichüberlassen of curiosity "The care of this seeing goes not to grasp and to be knowingly in the truth, but to possibilities of leaving itself over to the world [Möglichkeiten des Sichüberlassens an die Welt]" (H. 172, my translation). Here Dasein does not put up with but seeks to free itself from the future that is coming towards it such that it overlooks its factical possibilities.

13 H. 325, cf. H. 106, 298.

14 H. 71.

in the closest everyday manner, is ready-to-hand". It seeks to escape the possibilities presented by the surrounding world of things by "*fabricat[ing]*... something new" to distract itself, by hankering after a "wish-world" so as to avoid the surrounding world of things and others.[15] Such strategies of evasion are ultimately unsuccessful: the retreat into fantasy is always permeated in "shadowy way" of an awareness of beings-as-a-whole as independent of and other to itself. Anger and irritability at the resistance of entities, for example, obliquely testifies to their autonomy and indifference to its projects.[16]

The second mode of letting-be is that of *Dasein* letting-itself-come-towards-itself in the *authentic future*. In taking up a possibility of itself as a finite being, *Dasein* is open for the failure of its projections.[17] There are two senses in which the autonomy or otherness of entities can come into view here. The first in the case of broken or obstructive equipment.[18] The second occurs in the withdrawal of significance in anxiety, the pre-condition for authentic dealing with the ready-to-hand. In the latter, *Dasein* encounters entities in their no longer saying anything, in "an empty mercilessness".[19] In other words, in the authentic future *Dasein* takes over the *non-identity* between its understanding and entities themselves and it is open for the failure of this understanding, be it through the ontical failure of an item of equipment or the withdrawal of worldly significance in anxiety.

2. *The Temporality of Birth and the Autonomy of Entities in Themselves*

I have argued that Heidegger's claim about the 'being-in-itself' of entities in *Being and Time* needs to be read in terms of a specific temporal possibility of the self-manifestation of entities in the specific ways in which *Dasein* takes over its finitude. However, this does not solve the deeper problem that Harman's reading raises, namely, that some account of entities in themselves is needed in *Being and Time*. While this problem is not explicitly broached in *Being and Time*, several passages signal it as an outstanding difficulty. There is no detailed phenomenological investigation of how anything like nature or the totality of present-at-hand entities can become manifest to *Dasein*, nor of the relationship between *Dasein*'s understanding of being and the "unmeaning [*unsinniges*]" of entities themselves.[20] Further, the two key moments of the phenomenological reduction in *Being and Time* – equipmental breakdown and *Dasein*'s being brought before the present-at-hand as such in anxiety – presuppose the autonomy on the part of entities

15 H. 172, 348, 195.
16 GA 9, p. 110, Martin Heidegger, 'What is Metaphysics?' in Pathmarks, op. cit., p. 87.
17 H. 307-308, 325.
18 H. 356.
19 H. 343.
20 H. 63, 389, 15, 366, 403.

themselves and *Dasein*'s seizing hold of the authentic future presupposes an understanding of the non-identity of its projections and entities themselves. Yet there is not account of the self-manifestation of entities as such in this work. In other words, Harman has signalled an important deficit in the existential analytic: its neglect of entities in themselves.

However, before drawing the conclusion that this problem remains unresolved and unresolvable within the horizon of a phenomenological investigation of worldly temporality, it should be remembered that only *two* of *three* temporal modes in which entities manifest themselves have been discussed so far, namely, the fallen present and the authentic future. However, this omits the temporal ecstasis of having-been. This omission characterizes *Being and Time* itself: Heidegger himself explicitly concedes that his analysis is "'one-sided'" because it focuses almost exclusively on *Dasein*'s being-towards-death and neglected its being from the beginning or its having-been born into the world.[21] A temporality of birth or of having-been would entail another account of how entities can be said to be given in themselves.

Yet precisely such an analysis of the temporality of birth can be found in §15 of the 1928 – 9 lecture course *Einleitung in die Philosophie*. This brief section seems, at first glance, to present us with brief and phenomenologically ungrounded speculation concerning how new-born *Dasein* experiences its environment. However, Heidegger insists on the fundamental ontological significance of this phenomenon, claiming that it has nothing to do with anthropology, psychoanalysis or pedagogy.[22] I will argue that this section is essential for understanding the further unfolding of the problem of temporality in Heidegger's work in the years 1927 – 9 and moreover that it forms the basis for addressing the aforementioned deficit in *Being and Time* signalled by Harman. I will first briefly outline this account of new-born *Dasein*'s experience of its environment before discussing its implications for a metaphysics of objects.

The first moments of *Dasein*'s existence are characterized by screaming, by wriggling physical movements in the world without any set purpose but as still reaching out to..., by a turning towards rest, warmth, food, sleep and by a twilight state or state of semi-consciousness. As both the infant's scream and its reaching out to... indicate, the new born cannot be conceived as a subject closed in on itself. The scream expresses a receptivity in which new-born *Dasein* pauses before and lets itself be affected by what is other to itself. This moment is one in which entities are 'let be' in their strangeness to *Dasein*. Far from being elucidated by the

---

21 H. 373. An important exception to the general neglect of the theme of the temporality of birth in Heidegger's work can be found in Felix Ó Murchadha, The Time of Revolution: Kairos and Chronos in Heidegger, London, Bloomsbury, 2010, p. 28-47. Ó Murchadha's account, however, does not treat GA 27, §15 which is the focus of the present discussion.

22 Martin Heidegger, Einleitung in die Philosophie (Wintersemester 1928/29), ed. Otto Saame und Ina Saame-Speidel, Frankfurt am Main, Klostermann, 1978, p. 123-125 (quoted GA 27).

understanding, a fundamental darkness characterizes the infant's relation to beings. Its understanding has no hold on them. The infant's turning towards rest, warmth and sleep are at the same time a turning from [*Abkehr*] the darkness and strangeness of beings. This turning from has "a peculiarly [*eigtümlichen*] negative character" which lies precisely in its being an attempt to fend off [*Abwehr*] or evade the world entry of beings in their strangeness and otherness to itself.[23]

A number of points should be noted in this brief and enigmatic discussion of the account of the temporality of birth and the encounter with the strangeness of beings in themselves.

1. Heidegger insists in this section, as he had already done in *Being and Time*, that just as death should be existentially understood in terms of *Dasein*'s being-towards-death and not as an event that will take place at some point in the future, so too birth is not to be interpreted as an event that took place in the chronological past. Rather, having been born or thrown into the world is constitutive of *Dasein*'s being.[24] In other words, the account of the temporality of birth should not be read as ungrounded speculation about the earliest stages of human existence but as highlighting – in a rather exaggerated or dramatic fashion – certain structural features of *Dasein*'s existence as such.

2. The temporality of birth is explicitly correlated with the phenomenon of anxiety. This should not be surprising: the key features of the temporality of birth – shock before the world entry of beings, lack of orientation, the sense of an indefinite threat and the attempt to turn from this – are also the key features of the account of anxiety in *Being and Time* and in 'What is Metaphysics?'. In anxiety *Dasein* is exposed to a threat whose source remains altogether concealed, is disoriented and is brought before beings as such. This again supports the interpretation that birth is to be existentially interpreted as an event in *Dasein*'s past but that it exists as having-been born, i.e., exposed to the strangeness and otherness of beings as a whole.[25]

3. While the existential analytic stresses *Dasein*'s evasion of its being-towards-death, the discussion in §15 of *Einleitung in die Philosophie* (like the lecture 'What is Metaphysics?') stresses its corollary, namely, its evasion of its having-been born, its factical being-in-the-midst of beings. The latter thus foregrounds the *powerlessness of finitude* and can thus be regarded as a complement and corrective to the analysis of *Being and Time*, which had largely stressed *Dasein*'s seizing hold or taking over of its ownmost potentiality-for-being.[26]

4. In this mode of temporality, entities are given in themselves in their autonomy or indifference to *Dasein*. Anxiety "reveals these beings in their full and

23 GA 27, p. 125-126, cf. H. 297.

24 H. 374, GA 27, p. 124-125.

25 GA 27, p. 125, H. 343-345. GA 9, p. 113f.

26 On the powerlessness of finitude, see in particular Martin Heidegger, Metaphysische Anfangsgründe der Logik im Ausgang von Leibniz (Sommersemester 1928), ed. Klaus Held, Frankfurt am Main, Klostermann, 1978, p. 278-279 (quoted GA 26).

hitherto hidden strangeness as absolutely other – with regard to the nothing."[27] The event of anxiety thus *refers* to beings as a whole in a peculiar way that is quite distinct from the discovery of entities within a referential totality of significance.[28] The nothing refers to beings in themselves through their slipping or turning away *from* the referential totality of significance, from our possibilities of understanding and making use of them.[29]

5. Key terms from *Being and Time* are re-inscribed into this recursive temporal movement. For instance, in *Being and Time*, resoluteness, *Entschlossenheit*, was characterized by *Dasein*'s taking hold [*ergreifen*] of the primordial existential truth of being-in-the-world. The term *Entschlossenheit* itself is now understood in terms of the temporal movement back to the darkness of its origin, to the facticity of its finding itself in the midst of beings.[30]

6. The revelation of the autonomy and otherness of beings is by no means marginal to Heidegger's project in this period but is essential to his account of the emergence of the ontological difference. In other words, the two moments discussed in the preceding, the moment of *Dasein*'s taking over of a possibility of its being (resolute being-towards-death) and the moment of its experiencing the withdrawal of worldly possibilities in anxiety, in its being brought back to its thrownness into the midst of beings (the temporality of birth), are two sides of the movement of temporal transcendence. It is because beings are given as irreducible to any pre-given horizon of meaning in anxiety, that *Dasein*'s understanding of being is rendered questionable to it. It is what allows the difference between beings and *Dasein*'s finite understanding of being to be revealed.

3. The Problem of the Individuality and Specificity of Entities in Themselves

It has been argued the self-manifestation of entities in themselves in their otherness to and autonomy from *Dasein* occurs within the horizon of the temporality of birth. Moreover, it was claimed this topic is in no way marginal to Heidegger's concerns but is central to his attempt to unveil the temporal conditions for the emergence of the ontological difference. Yet the foregoing considerations do not

---

27 GA 9, p. 114, my translation.

28 On the latter, see Being and Time §§17-18.

29 "Das Nichten ist kein beliebiges Vorkommnis, sondern als abweisendes Verweisen auf das entgleitende Seiende im Ganzen offenbart es dieses Seiende in seiner vollen, bislang verborgenen Befremdlichleit als das schlechthin Andere – gegenüber dem Nichts" GA 9, p. 114.

30 GA 27, §38 (a). See also the different emphases in the accounts of anxiety in Being and Time §68 (c) and 'What is Metaphysics?' respectively. While the former stresses Dasein's holding on to the present on anxiety and its readiness to seize hold of its ownmost potentiality-for-being (H. 344), the latter emphasizes anxiety's taking hold of Dasein and bringing it before its already being in the midst of the totality of beings affectively (GA 9, p. 111-112, Heidegger 'What is Metaphysics?' in Pathmarks, op. cit., p. 88).

suffice to meet Harman's critique of Heidegger. As we have seen, Harman criticizes precisely what he regards as the emptiness and indeterminacy of Heidegger's account of the revelation of beings as such in anxiety in favour of his own account of entities which rests, he claims, "only on a single, undeniable fact: *the fact that there are discernible individual entities at all*" whose specificity and impact on the world always exceeds any descriptions, even in the mind of God.[31]

We are thus faced with the question of whether there are resources for answering Harman's criticism and for critiquing his speculative realist metaphysics of objects in Heidegger's texts in this period. A further issue that was left open in *Being and Time* bears directly on this problem: the difference between the way in which entities are viewed in everyday dealings and the theoretical sight of entities in themselves.[32] It is in connection with these two ways of seeing and dealing with entities that Heidegger draws a distinction between the relative and absolute position of entities in the 1927 lecture course *The Basic Problems of Phenomenology*.[33] When equipment is discovered within a referential totality of signification each tool is seen within this totality, it has a place relative to other items of equipment and is understood in terms of its manipulability and serviceability for an 'in order to'. In scientific perception, however, *Dasein* seeks to draw the entity near *in its own self* in its absolute position. This kind of perceptual directedness towards intends the "the thing's being-stood-upon-its-own-self *with all its predicates*, the *self-determined* presence of the thing".[34] This perceptual directedness is precisely directed towards what does not appear, towards what constitutes the thing in its full determinacy in itself, sight unseen. To be directed towards "the thing's being-stood-upon-its-own-self *with all its predicates*" or its absolute position means that it is pre-understood as fully determinate independently of us. This pre-understanding makes possible the attempt to draw near and understand the entity as it is in itself. There is a clearly crucial difference between this theoretical perception of entities and their givenness in anxiety. In the anxiety entities are revealed as offering no grip for the understanding at all, as absolutely other, while theoretical perception is motivated by the postulate of the full, but hidden, determinacy of beings-in-themselves.

Heidegger credits Kant's account of the transcendental ideal as having uncovered the idealistic presuppositions of theoretical perception.[35] As it is the hiddenness of the being in its full determinacy in itself or its absolute position that

---

[31] Graham Harman, Tool-Being, op. cit., p. 200–201, p. 44, p. 96.

[32] H. 356-364.

[33] See Martin Heidegger, Die Grundprobleme der Phänomenologie (Sommersemester 1927), ed. Friedrich-Wilhelm von Herrmann, Frankfurt am Main, Klostermann, 1975, §21 (quoted GA 24). All citations are from the English language translation Martin Heidegger, The Basic Problems of Phenomenology, trans. Albert Hofstadter, Bloomington, Indiana University Press, 1998.

[34] GA 24, p. 449-450; The Basic Problems of Phenomenology, op. cit., p. 316-317.

[35] In the following I will restrict my discussion to GA 24, however, the significance of the transcendental ideal for Heidegger's thought in this period has hardly be overstated. In GA

motivates theoretical perception, this has an ideal status and it is a regulative ideal postulated by reason. This conception of being as fully determinate in itself is "grounded on an idea which has its seat solely in reason, which prescribes to the understanding the rule of its complete use".[36] To be intentionally directed towards the thing as fully determinate in itself means striving towards a complete understanding of it as the object of divine intuition rather than finite receptive intuition. The thing is thus implicitly encountered as having already been produced and lying present and the understanding of the being of the entity perceived implicitly moves within the horizon of production.[37]

A critique of Harman's metaphysics of objects can be ventured in the light of this distinction between relative and absolute position. First, Harman's claim as to the readiness-to-hand of entities in themselves is a claim not, as Harman never ceases to remind us, about the position of entities *relative* to *Dasein*. In Harman's understanding, the ontological difference is between the ontic, the "sensible and explorable profile" of things which we encounter, and the ontological, namely, the being of things, their "irreducibly veiled activity", their hidden or withdrawn readiness-to-hand which can never be made present to us. In other words, to speak of the "irreducibly veiled activity" of things-in-themselves is to be directed towards the being of the entity in its *absolute position*. Yet this appeal to "fact" of the individuality of entities in their absolute position, of their full determinateness in themselves, is an appeal to a "fact" in a very peculiar sense. This "fact" does not appear, is never a given but rather *refers to entities conceived or thought of as already fully determinate in themselves*. Far from this being a *realism*, it rests upon a conceptual or *ideal* determination of the being of beings in their absolute position.

Second, Harman criticises what he describes as the indeterminacy Heidegger's account of entities, arguing that what is lost is the specificity and individuality of entities. Harman writes: "Angst pays no attention to pencil or ice-ball but cares only that beings as a whole are something at all rather than nothing."[38] However, this indeterminacy is indicative of their being the absolutely other – "*das schlechthin Andere*" as Heidegger describes it[39] – rather than resting on the *idea* of the full determinacy of entities in their absolute position. The terms used to describe *Dasein*'s being brought before beings as a whole – empty mercilessness, overwhelming, overpowering, extraordinary – can be understood as *privations* of its possibilities of understanding and dealing with entities. It is because we have no hold on things, because our understanding does not have a grip on

---

9, p. 152 Heidegger refers to the transcendental ideal as the "highest point of Kantian speculative metaphysics", see Heidegger 'The Essence of Ground' in Pathmarks, op. cit., p. 119. Cf. GA 26, §11 (b) for parallel remarks and the detailed analysis of the transcendental ideal in GA 27, §34.

36 KrV, A 573/B 601; Immanuel Kant, Critique of Pure Reason, trans. and ed. by Paul Guyer and Allen W. Wood, Cambridge, Cambridge University Press.

37 GA 24, §12 (b). Heidegger, The Basic Problems of Phenomenology, op. cit., §12 (b).

38 Graham Harman, Tool-Being, op. cit., p. 200.

39 GA 9, p. 114, my translation.

them, because the capability and mastery of everyday concern fails, that *Dasein* finds itself overpowered and overwhelmed, faced with an empty mercilessness and an absolute otherness. The revelation of beings as a whole is extra-ordinary because it occurs with breakdown of the ordinary or everyday order. However, it is the strangeness and indeterminateness of entities themselves that exposes their difference from or otherness to our finite understanding of their being. It is what allows us to encounter entities in themselves – and as absolutely other to ourselves. It is this that allows the difference between the understanding of being and entities–the ontological difference–to emerge.

4. Conclusion

This paper has argued that in order to understand Heidegger's claims about the being-in-itself of entities we need to consider the possibilities of the self-manifestation of entities in themselves in the light of the three modes of temporality–fallen present, authentic future and having-been. In the last of these, where *Dasein* is turned back to its facticity, it encounters beings in their independence from it. It further argued that it is on account of this independence that the being-in-itself of entities can only be revealed in a privative way – in being deprived of the everyday context and possibilities of understanding and mastery therein. Here it is neither on the level of thought or discourse or a purported intellectual intuition that beings are revealed, but in their slipping away from thematization in affectivity. Rather than speaking here of a *speculative* realism, we can speak of an *affective* realism or a revelation of the otherness of beings in an affective-temporal movement.

Orbis Phaenomenologicus
Perspektiven – Quellen – Studien

Herausgegeben von
Kah Kyung Cho (Buffalo), Yoshihiro Nitta † (Tokyo)
und Hans Rainer Sepp (Prag)

Die Reihe präsentiert Denkansätze und Erträge der Phänomenologie und bestimmt ihre Positionen im Kontext anderer philosophischer Strömungen. Sie diskutiert Aporien des phänomenologischen Denkens und fördert die weiterführende phänomenologische Sachforschung. Die **Perspektiven** widmen sich phänomenologischen Sachthemen, behandeln das Werk wichtiger Autoren und zeichnen ein lebendiges Bild bedeutender Forschungszentren der Phänomenologie. Die **Quellen** versammeln Primärtexte und erschließen dokumentarisches Material zur internationalen Phänomenologischen Bewegung. Die **Studien** legen aktuelle Forschungsergebnisse vor.

ABTEILUNG PERSPEKTIVEN. NEUE FOLGE

Beate Beckmann / Hanna-Barbara Gerl-Falkovitz (Hrsg.)
Edith Stein
Perspektiven, Neue Folge 1, 318 Seiten. ISBN 3-8260-2476-1

Helga Blaschek-Hahn / Hans Rainer Sepp (Hrsg.)
Heinrich Rombach. Strukturontologie – Bildphilosophie – Hermetik
Perspektiven, Neue Folge 2, 264 Seiten. ISBN 978-3-8260-4055-9

Rolf Kühn / Michael Staudigl (Hrsg.)
Epoché und Reduktion
Perspektiven, Neue Folge 3, 309 Seiten. ISBN 3-8260-2589-X

Dean Komel (Hrsg.)
Kunst und Sein
Perspektiven, Neue Folge 4, 250 Seiten. ISBN 3-8260-2852-X

Harun Maye / Hans Rainer Sepp (Hrsg.)
Phänomenologie und Gewalt
Perspektiven, Neue Folge 6, 284 Seiten. ISBN 3-8260-2850-3

Karl-Heinz Lembeck (Hrsg.)
Studien zur Geschichtenphänomenologie Wilhelm Schapps
Perspektiven, Neue Folge 7, 139 Seiten. ISBN 3-8260-2861-9

Jaromir Brejdak / Reinhold Esterbauer /
Sonja Rinofner-Kreidl / Hans Rainer Sepp (Hrsg.)
Phänomenologie und Systemtheorie
Perspektiven, Neue Folge 8, 172 Seiten. ISBN 3-8260-3143-1

Silvia Stoller / Veronica Vasterling / Linda Fisher (Hrsg.)
Feministische Phänomenologie und Hermeneutik
Perspektiven, Neue Folge 9, 306 Seiten. ISBN 3-8260-3032-X

Javier San Martín (Hrsg.)
Phänomenologie in Spanien
Perspektiven, Neue Folge 10, 340 Seiten. ISBN 3-8260-3132-6

Julia Jonas / Karl-Heinz Lembeck (Hrsg.)
Mensch – Leben – Technik
Perspektiven, Neue Folge 11, 388 Seiten. ISBN 3-8260-2902-X

Anselm Böhmer (Hrsg.)
Eugen Fink
Perspektiven, Neue Folge 12, 356 Seiten. ISBN 3-8260-3216-0

Hans Rainer Sepp / Ichiro Yamaguchi (Hrsg.)
Leben als Phänomen
Perspektiven, Neue Folge 13, 332 Seiten. ISBN 3-8260-3213-6

Kwok-Ying Lau / Chan-Fai Cheung / Tze-Wan Kwan (Eds.)
Identity and Alterity: Phenomenology and Cultural Traditions
Perspektiven, Neue Folge 14, 392 Seiten. ISBN 978-3-8260-3301-8

Cathrin Nielsen / Michael Steinmann / Frank Töpfer (Hrsg.)
Das Leib-Seele-Problem und die Phänomenologie
Perspektiven, Neue Folge 15, 332 Seiten. ISBN 978-3-8260-3708-5

Dietrich Gottstein / Hans Rainer Sepp (Hrsg.)
Polis und Kosmos
Perspektiven, Neue Folge 16, 356 Seiten. ISBN 978-3-8260-3498-8

Giovanni Leghissa / Michael Staudigl (Hrsg.)
Lebenswelt und Politik
Perspektiven, Neue Folge 17, 294 Seiten. ISBN 978-3-8260-3586-9

Ludger Hagedorn / Michael Staudigl (Hrsg.)
Über Zivilisation und Differenz
Perspektiven, Neue Folge 18, 312 Seiten. ISBN 978-3-8260-3585-2

Matthias Flatscher / Sophie Loidolt (Hrsg.)
Das Fremde im Selbst – Das Andere im Selben
Perspektiven, Neue Folge 19, 320 Seiten. ISBN 978-3-8260-4312-3

Anselm Böhmer / Annette Hilt (Hrsg.)
Das Elementale
Perspektiven, Neue Folge 20, 180 Seiten. ISBN 978-3-8260-3631-6

Dimitri Ginev (Hrsg.)
Aspekte der phänomenologischen Theorie der Wissenschaft
Perspektiven, Neue Folge 21, 228 Seiten. ISBN 978-3-8260-3721-4

Hans Rainer Sepp / Armin Wildermuth (Hrsg.)
Konzepte des Phänomenalen
Perspektiven, Neue Folge 22, 232 Seiten. ISBN 978-3-8260-3900-3

Yoshihiro Nitta / Toru Tani (Hrsg.)
Aufnahme und Antwort
Perspektiven, Neue Folge 23, 332 Seiten. ISBN 978-3-8260-3895-2

Pol Vandevelde (Hrsg.)
Phenomenology and Literature
Perspektiven, Neue Folge 24, 284 Seiten. ISBN 978-3-8260-4284-3

Jung-Sun Han Heuer / Seongha Hong (Hrsg.)
Grenzgänge
Perspektiven, Neue Folge 25, 308 Seiten. ISBN 978-3-8260-4374-1

Adriano Fabris / Annamaria Lossi / Ugo Perone (Hrsg.)
Bild als Prozess
Perspektiven, Neue Folge 26, 248 Seiten. ISBN 978-3-8260-4537-0

Michael Staudigl (Hrsg.)
Gelebter Leib – verkörpertes Leben
Perspektiven, Neue Folge 27, 288 Seiten. ISBN 978-3-8260-4751-0

Christian Sternad / Günther Pöltner (Hrsg.)
Phänomenologie und Philosophische Anthropologie
Perspektiven, Neue Folge 28, 188 Seiten. ISBN 978-3-8260-4729-9

Kwok-ying Lau / Chung-Chi Yu
Border-Crossing
Perspektiven, Neue Folge 29, 242 Seiten. ISBN 978-3-8260-5356-6

Michael Staudigl / Christian Sternad (Hg.)
Figuren der Transzendenz
Perspektiven, Neue Folge 30, 386 Seiten. ISBN 978-3-8260-5464-8

Hans Rainer Sepp
Phänomenologie und Ökologie
Perspektiven, Neue Folge 31, 180 Seiten. ISBN 978-3-8260-6472-2

Wei Zhang / Wenjing Cai (Eds. / Hg.)
Phenomenology of Xin-Xing /Phänomenologie des Xin-Xing
Perspektiven, Neue Folge 32, 360 Seiten. ISBN 978-3-8260-7223-9

Ferrer / Gourdain / Garrera-Tolbert / Schnell (Hg. / Eds. / Éd.)
Phenomenology of Xin-Xing / Phänomenologie des Xin-Xing
Perspektiven, Neue Folge 33, 250 Seiten. ISBN 978-3-8260-7412-7

ABTEILUNG QUELLEN. NEUE FOLGE

Ludger Hagedorn (Hrsg.)
Jan Patočka – Andere Wege in die Moderne
Quellen. Neue Folge 1,1, 484 Seiten. ISBN 3-8260-2846-5

Ludger Hagedorn / Hans Rainer Sepp (Hrsg.)
Andere Wege in die Moderne
Quellen. Neue Folge 1,2, 228 Seiten. ISBN 3-8260-2847-3

Karel Novotný (Hrsg.)
Ludwig Landgrebe: Der Begriff des Erlebens
Quellen. Neue Folge 2, 224 Seiten. ISBN 978-3-8260-3890-7

Czesław Głombik
Husserl und die Polen
Quellen. Neue Folge 3, 224 Seiten. ISBN 978-3-8260-3992-8

Alexandru Dragomir
Chronos
Quellen. Neue Folge 4, 336 Seiten. ISBN 978-3-8260-3557-9

Helga Blaschek-Hahn / Věra Schifferová (Hrsg.)
Jan Patočka – Klaus Schaller – Dmitrij Tschižewskij
Philosophische Korrespondenz 1936-1977
Quellen. Neue Folge 5, 188 Seiten. ISBN 978-3-8260-4317-8

Reinhard Mehring
Philosophie im Exil
Quellen. Neue Folge 6, 336 Seiten. ISBN 978-3-8260-6449-4

ABTEILUNG STUDIEN

Beate Beckmann
Phänomenologie des religiösen Erlebnisses
Studien 1, 332 Seiten. ISBN 3-8260-2504-0

Guy van Kerckhoven
Mundanisierung und Individuation bei Edmund Husserl und Eugen Fink
Studien 2, 510 Seiten. ISBN 3-8260-2551-2

Cathrin Nielsen
Die entzogene Mitte
Studien 3, 198 Seiten. ISBN 3-8260-2593-8

Michael Staudigl
Grenzen der Intentionalität
Studien 4, 207 Seiten. ISBN 3-8260-2590-3

Alexandra Pfeiffer
Hedwig Conrad-Martius
Studien 5, 232 Seiten. ISBN 3-8260-2762-0

Takako Shikaya
Logos und Zeit
Studien 6, 154 Seiten. ISBN 3-8260-2661-7

Pavel Kouba
Sinn der Endlichkeit
Studien 7, 240 Seiten. ISBN 3-8260-3121-0

Filip Karfík
Unendlichwerden durch die Endlichkeit
Studien 8, 216 Seiten. ISBN 978-3-8260-2866-3

Sandra Lehmann
Der Horizont der Freiheit
Studien 9, 114 Seiten. ISBN 3-8260-2961-5

Dean Komel
Tradition und Vermittlung
Studien 10, 138 Seiten. ISBN 3-8260-2973-9

Rolf Kühn
Innere Gewissheit und lebendiges Selbst
Studien 11, 132 Seiten. ISBN 3-8260-2960-7

Madalina Diaconu
Tasten, Riechen, Schmecken
Studien 12, 500 Seiten. ISBN 3-8260-3068-0

Urbano Ferrer
Welt und Praxis
Studien 13, 196 Seiten. ISBN 3-8260-3131-8

Daniel Tyradellis
Untiefen
Studien 14, 196 Seiten. ISBN 3-8260-3276-4

Heribert Boeder
Die Installationen der Submoderne
Studien 15, 449 Seiten. ISBN 3-8260-3356-6

Pierfrancesco Stagi
Der faktische Gott
Studien 16, 324 Seiten. ISBN 978-3-8260-3446-6

Dimitri Ginev
Transformationen der Hermeneutik
Studien 17, 144 Seiten. ISBN 978-3-8260-3959-1

Mette Lebech
On the Problem of Human Dignity
Studien 18, 336 Seiten. ISBN 978-3-8260-3815-0

Dean Komel
Intermundus
Studien 19, 112 Seiten. ISBN 978-3-8260-4015-3

Radomír Rozbroj
Gespräch
Studien 20, 320 Seiten. ISBN 978-3-8260-3794-8

Edmundo Johnson
Der Weg zum Leib
Studien 21, 208 Seiten. ISBN 978-3-8260-4126-6

Liangkang Ni
Zur Sache des Bewusstseins
Studien 22, 360 Seiten. ISBN 978-3-8260-4331-4

Günter Fröhlich
Form und Wert
Studien 23, 420 Seiten. ISBN 978-3-8260-4563-9

Alexander Schnell
Hinaus
Studien 24, 160 Seiten. ISBN 978-3-8260-4532-5

Petr Kouba
Geistige Störung als Phänomen
Studien 25, 280 Seiten. ISBN 978-3-8260-4556-1

Karel Novotný
Neue Konzepte der Phänomenalität
Studien 26, 200 Seiten. ISBN 978-3-8260-4555-4

Luis Niel
Absoluter Fluss – Urprozess – Urzeitigung
Studien 27, 304 Seiten. ISBN 978-3-8260-4678-0

Lara Huber
Der Philosoph und der Künstler
Studien 28, 190 Seiten. ISBN 978-3-8260-4901-9

Guido Cusinato
Person und Selbsttranszendenz
Studien 29, 200 Seiten. ISBN 978-3-8260-4945-3

Hans Rainer Sepp
Bild
Studien 30, 328 Seiten. ISBN 978-3-8260-4941-5

Martin Nitsche
Die Ortschaft des Seins
Studien 33, 128 Seiten. ISBN 978-3-8260-5181-4

Kah Kyung Cho
Phänomenologie im Lichte des Ostens
Studien 34, 354 Seiten. ISBN 978-3-8260-5375-7

Michael Stadler
Was heißt Ontographie?
Studien 35, 256 Seiten. ISBN 978-3-8260-5600-0

Guillermo Ferrer
Protentionalität und Urimpression
Studien 36, 248 Seiten. ISBN 978-3-8260-5642-0

James R. Mensch
Patočka's Asubjective Phenomenology:
Toward a New Concept of Human Rights
Studien 38, 166 Seiten. ISBN 978-3-8260-5774-8

Cyril McDonnell
Heidegger's Way Through Phenomenology
To the Question of the Meaning of Being
Studien 39, 398 Seiten. ISBN 978-3-8260-5776-2

Hans Rainer Sepp
Philosophie der imaginären Dinge
Studien 40, 476 Seiten. ISBN 978-3-8260-5944-5

Luigina Mortari
Die Sorge um sich
Studien 41, 146 Seiten. ISBN 978-3-8260-5945-2

Tatiana Shchyttsova
Jenseits der Unbezüglichkeit
Studien 42, 216 Seiten. ISBN 978-3-8260-5946-9

Mansooreh Khalilizand
Phänomen Leib
Studien 43, 200 Seiten. ISBN 978-3-8260-6324-4

Martin Nitsche
Methodical Precedence of Intertwining
Studien 44, 84 Seiten. ISBN 978-3-8260-6219-3

Ivan Blecha
Aisthetische Welt
Studien 45, 306 Seiten. ISBN 978-3-8260-6325-1

Andrew Haas
Unity and Aspect
Studien 46, 376 Seiten. ISBN 978-3-8260-6450-0

Chung-Chi Yu
Life-World and Cultural Difference
Studien 47, 192 Seiten. ISBN 978-3-8260-6951-2

Wanhu Liu
Voraussetzung und Wahrheit
Studien 48, 196 Seiten. ISBN 978-3-8260-6577-4

Wei Zhang
Schelers Personalismus im Spiegel von anderen
Studien 49, 222 Seiten. ISBN 978-3-8260-6910-9

Karel Novotný
Welt und Leib
Studien 50, 162 Seiten. ISBN 978-3-8260-6767-9

Sebastian Lederle
Endlichkeit und Metapher
Studien 51, 246 Seiten. ISBN 978-3-8260-7059-4

Irene Breuer
Ort, Raum, Unendlichkeit
Studien 52, 380 Seiten. ISBN 978-3-8260-7155-3

Wei Zhang
Scheler's Socratism
Studien 53, 220 Seiten. ISBN 978-3-8260-7214-7

Lutz Niemann
Die Existenz als Jagd
Studien 54, 250 Seiten. ISBN 978-3-8260-7273-4

Nam-In Lee
The Concrete and the Plural
Studien 56, 256 Seiten. ISBN 978-3-8260-7486-8

Huan Liu
Phänomenologie des Unsichtbaren
Studien 59, 154 Seiten. ISBN 978-3-8260-7539-1